世界を変えた
150の
哲学の本

世界を変えた
150の
哲学の本

アダム・フェルナー、クリス・メインズ 著
夏井幸子 訳

創元社

THE PHILOSOPHERS' LIBRARY
by Adam Ferner & Chris Meyns

Japanese translation rights arranged with
Quarto Publishing Plc
trough Japan UNI Agency, Inc., Tokyo

CONTENTS

目次

はじめに

本は意外に燃えにくい。紙がぎっしり重なっているから、酸素不足で火がまわりにくいのだ。それでも人は、本を燃やそうとする。今の形の——文字を印刷した紙を束ね、表紙をつけた——本が登場したのはわりと最近のことだが、焚書には長く暗い歴史がある。

記録によると、世界最古の焚書は紀元前221年。秦の始皇帝が自らの統治に批判的な儒教を弾圧するため、各地から関連書物を集めて燃やした。紀元前48年には、エジプトに侵攻したユリウス・カエサル率いるローマ軍によって、アレクサンドリア図書館が猛火に包まれた。インドでは紀元12世紀に、ナーランダー大学の図書館がムハンマド・ビン・バフティヤール・ハルジー将軍の支持者らに火をつけられ、鎮火するまで何カ月もかかったと言われている。1497年のフィレンツェでは、異教的な書物や芸術品、贅沢品を焼く「虚栄の焼却」によって町が灰に覆われ、1562年のメキシコ、ユカタン州のマニという小都市では、ディエゴ・デ・ランダ・カルデロン司教がマヤ族の絵文書を焼き払った。時代が下った1814年の米英戦争では、当時イギリス領だったカナダへのアメリカ軍侵攻の報復として、イギリス軍がワシントン市の議会図書館を焼いた。そして1930年代には、国家社会主義ドイツ労働者党、いわゆる「ナチス」が、ユダヤ人作家による反ファシズム・社会主義的な作品を一掃すべく、ドイツとオーストリア全土で儀式めいた大々的な焚書を行った。

人はなぜ、本を焼きたがるのか。それは、本が——いろんな意味で——感情を煽り立てるものだからだ。本には大きな影響力がある。だから、急進的な思想が含まれていれば、批判や検閲、あるいは憎悪の対象にもなり得るし、敵対するグループにはとうてい見過ごせない過激で挑戦的な思想のシンボル・暗号・媒体にもなり得る。だが、焚書は遺跡や宗教建築物の破壊に並ぶ「文化の蹂躙」だ。ゆえに、現代の戦争でも大きな役割を果たしている。たとえば、アメリカ軍率いる連合軍がイラクに侵攻した2003年には、バグダッドのイラク国立図書館・公文書館が甚大な被害を受け、いまだ復旧していない。最近では、2015年にイスラム過激派組織ダーイシュ（ISIS、いわゆる「イスラミック・ステート」）がモースル公共図書館を爆撃し、8000部の貴重な文書が灰と化した——こうしたことはきっと今後も続くだろう。

焚書が権力の誇示につながるのは、本に影響力があるからだ。焚書は一種の威嚇であり、自分の力——と地理的・文化的境界線——を指し示す行為である。ナチスは——反ナチズム思想の——禁書を火にくべると同時に、アドルフ・ヒトラーの自伝『我が闘争』を（国家主導で何十万部も印刷し）国民に配布した。そうすることで、自分たちの思想こそが国の進むべき道であり、それ以外のイデオロギーは非ドイツ的で許されざ

〈次ページ〉
「始皇帝による焚書」
18世紀、中国

無名の画家により絹の巻物に描かれた、焚書と儒学者の生き埋めを命じる始皇帝。18世紀に東インド会社のフランス人監査官アンリ・ベルタンがパリのフランス国立図書館に寄贈したもの。

「火に包まれる
アレクサンドリア図書館」
1532年、ドイツ

プトレマイオス2世ピラデルポスが建てたと言われている図書館が猛火に包まれ、運び出す書物の選別を強いられた人たちの様子を描いた、ドイツの版画家ハンス・ヴァイディッツの木版画。『*Von der Artzney bayder Glück*（幸運と不運の対処法）』と題する書物の一部。

坑儒焚書

アドルフ・ヒトラー
『我が闘争』
1933年、フランツ・エーア出版社
ドイツ、ミュンヘン

第二次世界大戦開戦時に大量生産され、ナチズムのイデオロギーを広めるために使われた『我が闘争』の普及版は、ナチスの中央出版社であるフランツ・エーアによって印刷・配布された。

るものだと示したのだ。

このような文化と思想の境界線が、もっとさりげなく設けられる場合もある。美術史家のリンダ・ノックリンと哲学者のチャールズ・ミルズ、教育理論家のマイケル・アップルは、大学のカリキュラムやシラバス、あるいは文豪・名著リストの作成という形で文学弾圧が生じる可能性を指摘した。このプロセスは焚書の燃え盛る炎ほど目立ちはしないが、それゆえにより悪質で糾弾しにくい。こうした巧妙で陰湿な手口によって、歴史の周縁に追いやられる作家と、世間から支持され称えられ、教育施設の正面に名前を刻まれる作家が生まれる。これは、周囲に気づかれにくいが「記憶操作」以外の何ものでもなく、焚書は、このシステムのなかで最もわかりやすいものにすぎない。

本書を執筆中、私たち著者の頭にある疑問が浮かんだ。なぜ、数ある思想書のなかで一部の作品だけが「古典」として扱われているのだろう？　そして、それに深い関連がある別の疑問も浮かんだ——思想書の要素とは何だろう？　そもそも「哲学」とは何なんだ？

たぶん、思想書の定義はひとつに絞れないだろうし、かといって、その定義すべてを明確に割り出すこともできないだろう。オーストリアの哲学者、ルートヴィヒ・ウィトゲンシュタインの概念を借用すれば、たぶん私たちは思想書を、ひとつの集合体に属するものに類似点はあっても、すべてに共通点がある必要はないという「家族的類似性」を前提に見分けているのだ。思想書の正確な定義を見つけることは難しいかもしれないが、私たちは見ればこれがそうだとわかる。

ただし残念ながら、個人の感覚に頼る方法には大きな問題がある。ナチスが台頭した時代を生き抜いたユダヤ人であり、自らのセクシャルアイデンティティを隠さざるを得なかった同性愛者でもあるウィトゲンシュタインなら敏感に察知するかもしれない。人にはさまざまな偏見がある。だから個人の感覚に頼れば、哲学思想そのものよりも、その思想を説いた人間に関心が向いてしまうのだ。

ルードヴィヒ・
ウィトゲンシュタイン
1930年、イギリス、ケンブリッジ

ケンブリッジ大学教授時代のウィトゲンシュタインを撮影した、オーストリア国立図書館所蔵の写真。奇しくもウィトゲンシュタインは、オーストリアのリンツにある学校でアドルフ・ヒトラーと同じクラスだった。

英語圏で教育を受けたヨーロッパ人である私たち著者は、狭い枠にとらわれず、公平な観点で大局的に自国の歴史をとらえるよう言われ続けてきたにもかかわらず、思想の歴史は（知らず知らずのうちに）極めて特殊で局所的な視点でとらえるよう慣らされてきた。ヨーロッパ人思想家中心の入門書ばかりが載っている読書リストをあてがわれ、思想書イコール（たいていはヨーロッパ人で白人の）「偉人」による「名著」というイメージを助長されてきたのだ。私たちにとって思想書の「古典」とは、ピーター・ラインボーの言うところの「親ギリシャ主義」、つまり古代ギリシャ文化を賛美するソクラテスやプラトン、アリストテレスなど、大御所たちの作品だ。これは決して偶然ではない。歴史学者マーティン・バナールの鋭い指摘によれば、イギリス人による古代ギリシャ文学礼賛は大西洋奴隷貿易の最盛期に始まったという。このときのイギリスはナイル川流域の文化を過小評価し、多大な資金を投じてアフリカ人を奴隷化していた。つまり、「思想書」のお勧めリストは当時の国策と大きな関連性があったのだ。

本書に取り上げる文献の選定にあたり、本物の思想書の定義について考えた私たちは、時代時代で注目される思想書もあれば、誰にも見向きされない思想書があるのはなぜなのか、という疑問を抱いた。そして、支配と抵抗を主張する場であり、社会政治的な理由から人々の記憶に残るものこそが、注目に値する思想書だという結論に至った。

この答えは、ひとつの学問分野である哲学の政治文化的側面に関する、もっと幅広い視点を呼び覚ます。哲学的思考は重要だ。哲学的な問いは、新聞の裏面にあるジグソーパズルとは違うし、単なる暇つぶしのマインドゲームでもない。思想家たちが俗世間から身を遠ざけようとしても——セミナー室に閉じこもり、専門用語に埋もれて研究していても——極めて難解で抽象的な理論ですら、政治と決して無縁ではない。たとえば、止めようのない力を固定された物質に加えたらどうなるかを考えるのは、ただの暇つぶしにしかならないように見えるだろう。しかし、この止めようのない力が「神」で、固定された物質を「論理法則」ととらえると、人間の理性と神の啓示のどちらを認識の主軸にすべきかという、政治を背景にした極めて現実的なジレンマに直面する。哲学は、いくら政治と無縁に見えても、実際は政治と深いかかわりのある活動なのだ。

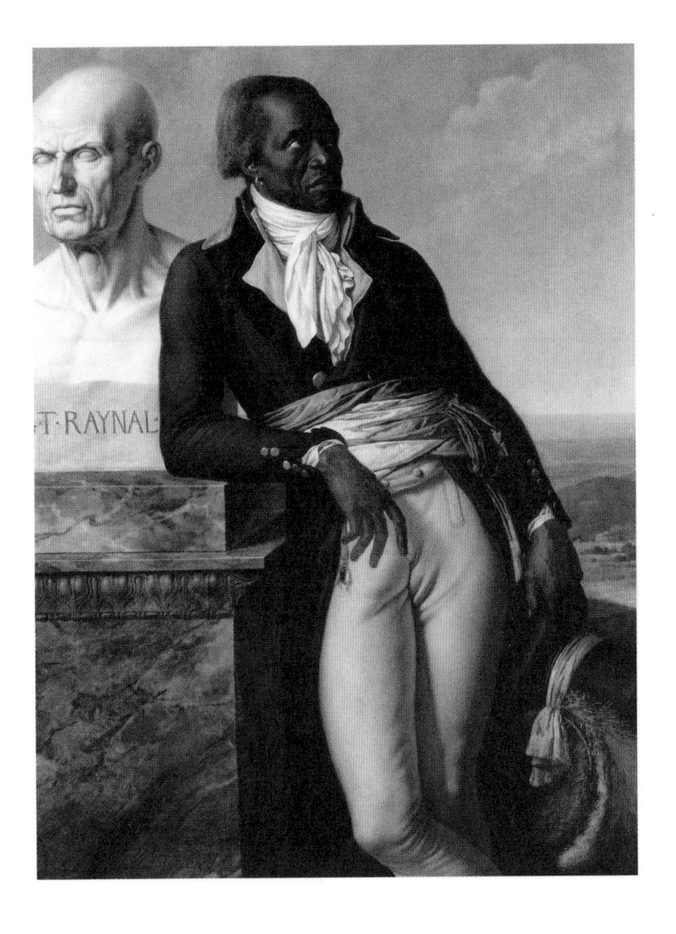

ジャン＝バティスト・ベイリー
1797年、フランス

ジャン＝バティスト・ベイリーは、ハイチ革命で入植者と戦った現地軍の歩兵隊長として重要な役割を果たした。画家のアンヌ＝ルイ・ジロデ・ド・ルーシー＝トリオソンは、この絵でベイリーをフランス人哲学者G・T・レナールの胸像にさりげなくもたれさせ、理論と革命のつながりを強調した。

エジプトのパピルス
紀元前1250年頃、エジプト

古代エジプトの書記官、アニの墓から出土した「アニのパピルス」と呼ばれるこの巻物には、「死者の心臓を秤にかける」アヌビス神が描かれている。本書で紹介する他の多くの作品と同様に古物商によって現地からこっそり持ち出されたこのパピルスも、強大な国力を象徴する博物館――この場合は大英博物館――が買い取り、所蔵している。

もちろん、こうした見解に大きな目新しさはない。思想家にして活動家・詩人のオードリー・ロードの「新しい思想など存在しない」という信念は、哲学の進歩をめぐるこの本の冒頭に掲げるのにふさわしいだろう。大学で哲学を教えているクリスティ・ドットソンが語るように、新しさとオリジナリティにこだわるのは見当違いであり、そこにこだわったがゆえに――古代空間が植民地化と搾取行為で塗りつぶされた元凶である――「新世界」の「新」と政治的な結びつきが生まれた。本書の目的は、哲学の自然発生的な目新しさを追求することではなく、その変遷と再構成の歴史に注目することだ。たとえば、デカルトの「我思う、ゆえに我あり」は、ペルシャ人哲学者イブン・スィーナーの言葉（と、それよりもっと古い時代の書物に書かれた言葉）の改作だが、デカルトはこの命題を提唱したおかげで、当時の主流だったアリストテレス主義のスコラ哲学者と一線を画す存在となった。『Babylonian Kohelet（バビロニアのコヘレト）』に遡る概念を再提示したライプニッツの神義論は、神が想像したこの世界を「最善の世界」ととらえて部分的な悪を容認した。彼が神聖ローマ帝国の諸侯の家系であるハノーファー家に仕えていたことを考えれば、この見解は大きな注目に値する。

本書では、こうした事実を踏まえ、思想は非凡な個人の頭脳から生まれて完成し、広まっていったという考えに異義を唱えたいと思う。孤高の「天才」から未知の思想が誕生するというシナリオは、物語としてはおもしろいが、歴史に照らせば論議を呼ぶだろう。個人が同時代・

旧時代の人々や協力者、反対の思想を持つ人間たちの影響を受けながら、自分の思想を確立させたことを示す証拠の方が多いからだ。本書が目指すのは、思想家を各個人の広い文脈と切り離して抽象的にとらえるのではなく、彼らが属していた豊かな知的コミュニティとその相互作用にスポットを当てることだ。口頭伝承とは違い、学者個人へのえこひいきはその作品へのえこひいきにもつながる――本書ではその点に注意しながら、逐語調・文語調を問わず、さまざまな議論を提示しよう。

オードリー・ロード
1983年
アメリカ合衆国、フロリダ州

フロリダ州ニュースマーナビーチにあるアトランティック芸術センターで教えていたときの作家・フェミニスト・詩人・市民権活動家のロード。黒板に、「女性は強く危険な存在」と書いてあるのが見える。

本書はざっと年代順に章立てし、思想書を通して登場するさまざまな概念を取り上げる。思想史を一元的で壮大なストーリーとして見るのではなく、そこには複雑に絡み合った、多元的で魅力的なパターンがあることを明らかにしていきたい。第1章「自然の境界」（紀元前2500～300年）では、最古の哲学書と言われる『ヴェーダ』や『道徳経』を例に取り、局所的な関心が世界的な関心に変わる概念の「自然化」について検証する。第2章「境界交差」（紀元前300～紀元200年）では最初の千年紀に焦点を合わせ、ペルシャ帝国とマケドニア王国の国策と、古代インドのゴータマ・シッダールタやマハーヴィーラの革新的な認識論について考察する。第3章「同化」（200～600年）では、過激な批判書が当局によって主流文化に吸収され無害化される――古代ローマ文化、ヴェーダ文化、儒教文化に見られる――プロセスについて論じる。第4章「真理の体制」（600～1000年）では「イスラム黄金時代」に注目し、それぞれ異なる真理を主張する集団と、実在に関するそれぞれの認識を擁護するために作られた書物を取り上げる。第5章「均衡状態」（1000～1450年）は前章のテーマを引き継ぐと同時に、キリスト教、イスラム教、ユダヤ教の各文献に見られる啓示主義と理性主義の緊張関係について説明する。第6章「境界の開放」（1450～1850年）では、理性と「自然哲学」に関する物語が古いアプローチに取って代わり始め、もっと「科学的な」思想体系の発現をもたらすと同時に、「客観性」を根拠に植民地拡大の正当化に一役買った経緯を提示する。最終章の「大きな物語」では、哲学の主題が世界大戦と冷戦、脱植民地化と解放といった世界の出来事に関連してどう変化しているか調査する。

焚書は特殊な恐怖を呼び起こす。どんな思想も記憶に値する――それがたとえ厄介な思想でもだ。いや、厄介な思想こそ、記憶に値するのかもしれない。だからこそ、本書の主旋律である書誌の歴史が極めて重要なのだ。不穏な思想、挑戦的な思想、あるいは「愚劣な」思想が含まれている書物でも、それらが最大限に光と熱と興奮をもたらすのは炎に包まれたときではない。誰かに読まれているときだ。それをどうか心に留めて、本書と本書に描かれた色鮮やかなタペストリーのような思想書の歴史をご堪能いただきたい。

自然の境界

NATURAL DIVIDES

紀元前2500～300年

1　始まりの始まり

本について語る本は、どこを話の起点にすればいいのだろう。世界初の印刷物は、西暦が始まって最初の千年が終わる直前にようやく登場した。しかし、そこを起点にすれば、バビロニアやギリシャ、インド亜大陸など、古代のさまざまな地域から生まれた数多くの思想書を無視することになってしまう。では、どのくらい過去に遡るのが正解なのか?「文明の曙光」がまだおぼろげにすら見えない時代だろうか。人類は何十万年も前から洗練された社会集団を形成していた。たとえば、紀元前6万5000年には現在のウガンダに、サンゴアンと呼ばれる移行的文化が存在した。だが、時間を遡れば遡るほど、歴史解明の手がかりは乏しくなる。現に、現存する最古の人類文化の加工品は極めて数が少なく、そこから得られる手がかりは部分的でたいてい曖昧だ。

歴史が（相対的に言って）安定し始めたのは紀元前3000年頃である。考古学の分析手法が進化したおかげで、今では当時の状況がより詳しくわかるようになった。たとえば、私たちが「ブリテン」と呼ぶ国は、少数の人間と生命力旺盛なイノシシが棲む湿地帯だったことがわかっている。北アメリカも似たり寄ったりだったが、こちらはイノシシよりもバイソンが多く繁殖し、湿地は若干少なかったらしい。

しかし、アフリカ大陸ではその頃すでに技術的に進化した社会が存在し、立派な文化が生まれていた。現在のスーダンとエジプト南部の地域には、その何世紀も前からヌビア王国があった。その北方では、ピラミッドや象形文字、ギザのスフィンクスでおなじみのエジプト史に初の王朝が登場し、メニ（「メネス」「ナルメル」とも言う）が最初のファラオとなった。そしてナイル川は、その一帯を世界の「パン籠」と評される肥沃な穀倉地帯に発展させ、東アフリカの経済に重要な役割を果たしていた。

同じ頃、現在のイラクの一部にあたるメソポタミアにシュメール人の都市文明を吸収したアッカド帝国が生まれ、チグリスとユーフラテスというふたつの大河に挟まれた肥沃な土地で勢力を拡大していった。現在のパキスタンにあたる東方では、インダス川沿岸にハラッパ文明が伝播し、その文明の深いルーツの痕跡は今も残っている。

どれも、独自の都市・政治システム・文化を有した極めて高度な文明だった。歴史は遅れた社会から進んだ社会へと前進する不可逆的なプロセスだと思い込んでいる人たちは、その考えを疑ってみるべきだ。「原始的」とはとうてい言えないこれらの帝国の文化と社会システムは、いわゆる現代の文化や社会システムの大部分に大きな影響を与えているからだ。

その頃発達した技術のひとつに「文字」がある。割符システムと絵文字は数千年の時を超えて今も残っているが、これらの巨大な統治国家が誕生し、都市と都市とがつながり始めるのにしたがって交易が発展すると、記録管理の必要性が生じて文字システムはどんどん複雑さを増していった。シュメール人が発明した絵文字は、紀元前3千年紀

粘土板に書かれた原楔形文字
紀元前3100～2900年頃
メソポタミア

シュメール人が大麦の詳細な分配方法を粘土板に記録するのに用いたこの絵文字には、ひとりの男性と、複数の猟犬とイノシシらしき形も含まれている。先のとがった道具、おそらくは葦ペンか先端が楔形の尖筆で刻まれたこの粘土板は、メトロポリタン美術館がスイス人古物収集家、マリー＝ルイーズとハンスのエルレンマイヤー夫妻のコレクションから買い取ったものだ。現在、同館が所蔵している。この種の遺物がどういうルートをたどって公有物、あるいは私有物となったのか、それについては興味も不安もかき立てられるが、残念ながらそれを追求するのは本書の目的から大きく外れる。

書記座像
紀元前3800〜1710年頃、エジプト

白い腰衣を着け、手にパピルスの巻物を持った、無名の古代エジプト人の彫像。目は、赤い石目模様の入った白いマグネサイトの塊のなかに、カットした水晶をはめ込んで作られている。19世紀にフランス人考古学者オギュスト・マリエットによりエジプトから運び出され、現在はルーブル美術館が所蔵。

〈左〉
ゼゼンナクトのステラの一部
紀元前2000年頃、エジプト

「ステラ」とは、何かの記念に文字や絵を刻んで直立させた石板のことだ。ナカダで発見された、この漆喰仕上げのステラには、カールしたカツラとサンダルと白い腰衣を着けたゼゼンナクトという貴族の姿が色つきで描かれている。現在はトレド美術館所蔵。

の中頃には写真のような抽象的な形の楔形文字へと変化した。古代エジプト人は象形文字と、パピルスに葦ペンを使って書く神官文字という筆記体を用いた。世界最古の哲学書と言われる『宰相プタハヘテプの教訓』は、カミガヤツリという植物の茎の髄を伸ばして作ったパピルス紙に書かれていた。

2　聖なる教え

世界最古の体系的な倫理思想のひとつは、古代エジプトの古王国（「ケメト」）があったアフリカ北部のナイル川沿岸で生まれた。当時の文学ジャンルのひとつだった教訓書・指示書（セバイト）には、道徳心と精神力の向上を謳い文句に、虚飾のない言葉と正しい行動とコミュニティへの貢献を人々に奨励するための理論的洞察と実践的行為に対する手引きの両方が提示されている。

『宰相プタハヘテプの教訓』（紀元前2000年頃）は、「プタハヘテプ」という名の高官が息子（息子の名前もプタハヘテプ）に正しい生き方の実践的・倫理的指針を説いたものだ。たとえば、誰かに攻撃的な態度を取られたら、自制心を奮い起こして謙虚な態度を示せ、と書いてある。「他人を苛立たせるような行動は避ける」「謙虚さを忘れない」「友人に物事を委ねられたらその責任をまっとうする」「身勝手さや傲慢は敵」「噂話はしない」という教えもある。「私の教えを守れば、万事首尾良くいくだろう」と書いてあるところを見ると、現代の自己啓発書のはしりとも言えるこの教訓書の著者は、自己PRの重要性も認識していたようだ。

こうした教訓書の核となっているのは、「マアト」という教えだ。マアトとは、古代エジプトの女神の名前であり、道徳心と正しい行いを重視する世界観の基本概念である。「真実」「正義」「廉潔」「公正」「誠実」「正しさ」、つまりは宇宙の秩序を意味する。マアトは倫理的・形而上学的な原理であり、宇宙と人間社会両方の法と見なされていた。

マアトは偉大であり、その礎は揺るがない。
オシリスの時代からびくともしない。

だから、この法を犯す者は罰せられるべきだ。

『宰相プタハヘテプの教訓』には、賢人はマアトに愛されると書かれている。知識のある人間には、物事の本質が見える。だから、人々に正しい行いを指導し、自然界の秩序と人間社会の秩序が複雑に絡み合っていることを示すのは、賢人たちの務めであった。

だが、この「賢人」とはいったい誰のことなのか？　当時（後世でも多くの場合、同様だが）、抽象的な理論を得意としたのは、主に貴族と高官たちだった。たとえば、紀元前2千年紀の学者・建築家のイムホテプは高級神官でもあった。ペセシェトという女性医師は、他の女性医療従事者の指導者、そして葬儀を執り行う司祭というふたつの顔を持っていた。彼女とほぼ同時代人のハルドジェデフという倫理学者は、かの有名なギザのピラミッドに縁のある王子であり、アメンホテプ4世という名でも知られているアクエンアテン（没年1335年頃）は王だった。現状の宇宙的秩序に関する教訓書の著者は、みんな彼らのようなトップに立つ人間たちだった。

次に、正当な社会的信念に疑義を唱えようとする者の末路について記した文献を取り上

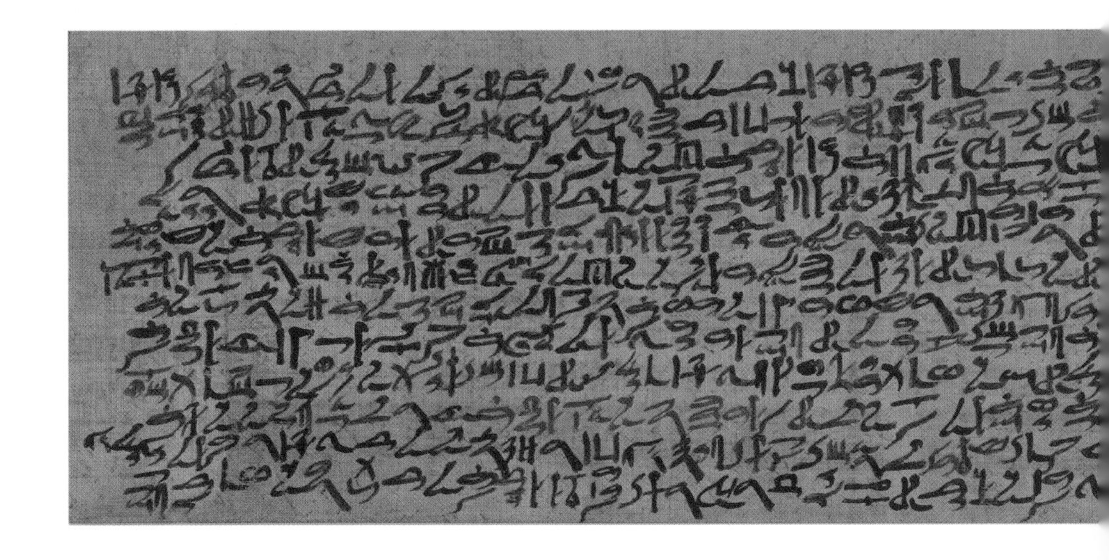

プタハヘテプ
紀元前2400年頃、エジプト

サッカラという広大な古代墓地(ネクロポリス)の北西部にある、プタハヘテプの「マスタバ（長方形の大墓）」で発見された色褪せたレリーフ。供物台の前に座り、ガラス容器に入った飲み物を飲むプタハヘテプの姿が描かれている。

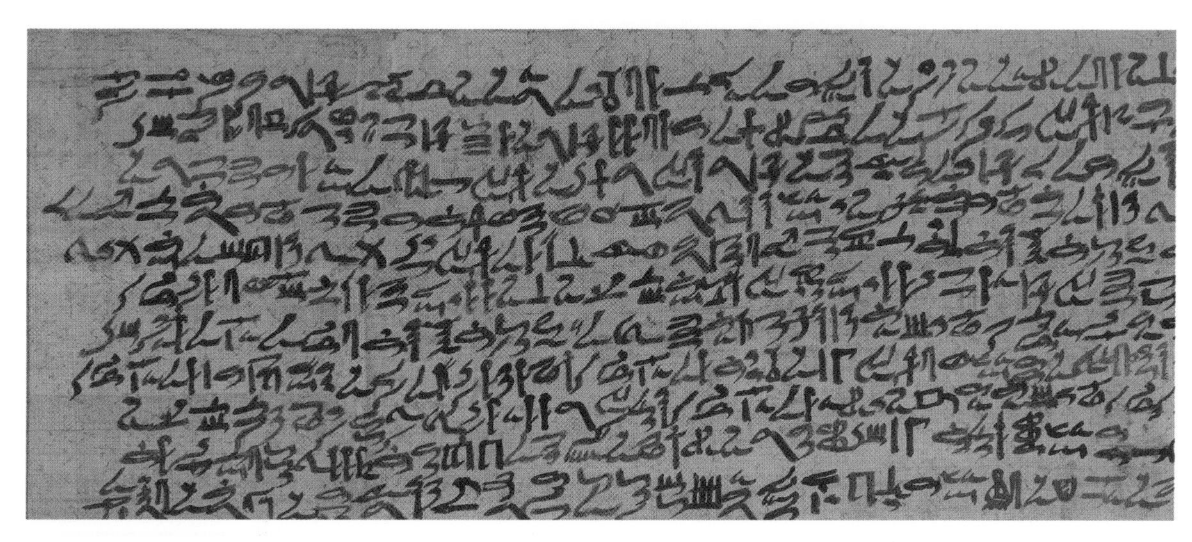

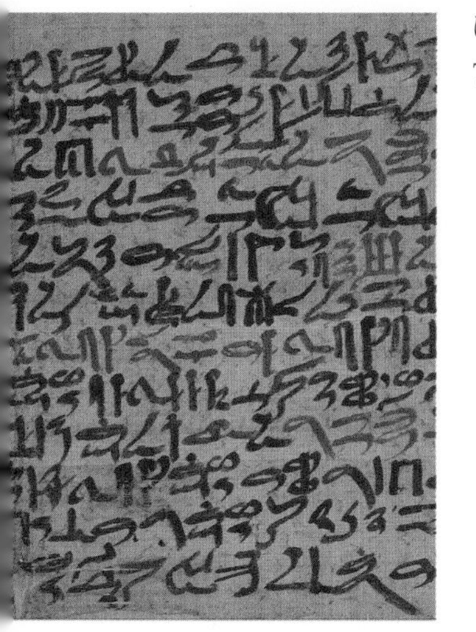

げよう。英語を母語とする学者たちは、この文献を『Babylonian Theodicy（バビロニアの神義論）』と呼んでいる。

プタハヘテプ
『宰相プタハヘテプの教訓』
紀元前2000年頃、エジプト

「プリス・パピルス」と呼ばれるパピルス文書に含まれていた、唯一現存する『宰相プタハヘテプの教訓』のコピー。ここでプタハヘテプは、知識を鼻にかけてはいけないと説いている。1847年にフランス人考古学者のエミル・プリス・ダヴェンヌがアンテフ5世の棺からこの文書を発見し、私物化したが、のちにフランス国立図書館に寄贈した。

3 神と王と神義論

バビロニアは、紀元前1850年頃のメソポタミアに流れるユーフラテス川とチグリス川（「バビロ河川」）の「肥沃三日月地帯」の中央で発展した古代王国だ。バビロニア社会は旧文化と隣接し、その技術と芸術の多くはかつてその地域を支配していたシュメール人とアッカド人の技術・芸術を土台に発展した。『Babylonian Theodicy』が楔形文字を使ったアッカド語で書かれているのもそのためだ。

『Babylonian Kohelet（バビロニアのコヘレト）』（紀元前1000年頃）とも称されるこの神義論は、ふたりの人間が苦しみについて議論する対話形式で綴られている。彼らの名前は記されていないが、学者たちの間では片方を「受難者」、もう片方を「友人」と呼ぶのが定番だ。受難者は終始不機嫌で、なぜ悪人が成功し、善人が苦しむのか、なぜ神はこうした不公平を容認するのか、と世の中の不公平を嘆いている。

『Babylonian Theodicy（バビロニアの神義論）』の断片
紀元前1000年頃、メソポタミア

再三見てきたように、『Babylonian Kohelet』が刻まれたこの粘土板も、帝国時代の略奪品のひとつだ。イギリス人古物収集家によって現地から持ち出され、現在は、文化財返還問題の中心である大英博物館に収蔵されている。

この文献に「Theodicy（神義論）」というタイトルをつけたのは著者ではない。神義論という言葉が世間に浸透したのは、かなり時代が下ってからのことで、17世紀のドイツ人思想家、ゴットフリード・ヴィルヘルム・ライプニッツがギリシャ語の2語――theos（神）とdike（正義）――を組み合わせて自著のタイトルにしたのが始まりだ。神義論とはつまり、世界の不正や不公平を容認する神を擁護するための論文である。なぜ悪が許されるのか？　全能なる神は、なぜ善人が死ぬのを許すのか？『Babylonian Kohelet』では、受難者が社会の不公平さや自分自身の恵まれない境遇を赤裸々に語る。自分は信心深い人間だ。それなのに、強大な力を持つ善なる神が、自分に健康と富を与えてくれないのはなぜなのか。自分を苦しめる裕福な不信心者たちを野放しにしているのはなぜなのか、と訴える（彼は、世の中の不公平さに腹が立つあまり、いっそ自分も犯罪の道に足を踏み入れようかとまで考えている）。

このテーマは思想史に繰り返し登場し、『義に篤い受難者の詩』（アッカド語のタイトルは『Ludlul bel nemeqi』、「私は主の知恵を賛美します」の意）と呼ばれる2千年紀後期の文献や、旧約聖書の『ヨブ記』にも見られる。『Babylonian Kohelet』では、受難者の問いに対し、友人が聖書にも記されている答えを提示する。確かに世の中は不公平に見えるが、それは、凡人には神の偉大な計画などもともと理解できないからにすぎない、と語るのだ。

神義論は、「神が善にして全能なら、なぜ世界には悪が存在するのか」という矛盾を問う、純粋なる神学的・形而上学的な難問と解釈される場合が多いが、実は大きな政治的な役割も果たしている。神と神の秩序を擁護することで、ある特定の社会構造の維持にも貢献したのだ。

『The Way of a Pilgrim（ある巡礼者の道）』の断片
紀元前600年頃、メソポタミア

硬い尖筆を使ってアッカド語で刻まれたこの文献は、ニネベのアッシュールバニパルの図書館で発見された。シュブシ＝メシュル＝シャッカンという貴族に降りかかった災難と、マルドゥク神の加護による彼の再起について書かれている。この粘土板は現在、ルーブル美術館が大英博物館から借用し展示している。

我、呪術祭式の司祭であるサギル・キナム・ウビブは神と王の崇拝者である。

アクロスティック〔各行の最初の語をつなげるとある言葉になるという言葉遊びの手法〕により、『Babylonian Theodicy』の著者だと判明したサギル・キナム・ウビブは、このように自分は神と君主に忠実な人間だと宣言している。絶対君主制は、君主の政治的権利は神から授けられたもので誰も対抗できないとする「王権神授論」によって正当化されている。つまり、王の権利と神の力には切っても切れないつながりがあるということだ。たとえば、バビロニアのハンムラビ王もこの神との関係を想起させる存在である。彼の統治者としての権利は、マルドゥク神から貸与されたものだと考えられていたからだ。

神と王が特別な関係にあると考えれば、神義論が政治に大きな影響をもたらしたことは間違いない。神の擁護は君主の擁護につながり、はては統治の擁護につながる。『Babylonian Theodicy』では、社会の不公平さを嘆く受難者に、その悩みは杞憂だと友人が断言する。神（と王）には計画がある――しかし、その計画は人間の理解を超えたものだ。この結論によって、哲学的な議論と政治的活動の境界線はたちまちぼやけてしまう。

4　秩序と生け贄

『Babylonian Kohelet』が湿潤粘土の塊に刻まれたのとほぼ同じ頃、インド亜大陸のパンジャブ地域では、カバの樹皮や棕櫚の葉に『ヴェーダ』という文献が刻まれていた。『ヴェーダ』は、聖典、形而上学的な思想書、政治文書、叙事詩、指南書などの文献群の総称だ。おそらくこの時代にゼロから生み出されたものではない。かなり古い時代からの言い伝えをインダス文明（ハラッパ文明とも呼ばれる）時代にインド＝ヨーロッパ諸語のひとつであるサンスクリット語で書き起こし、編纂したものだ。その背景にある高度な青銅器文化は、紀元前2600～1700年頃にインダス川流域に位置したモヘンジョダロとハラッパといった無秩序に広がる都市で発展した。現存する数少ない加工品から察するに、ハラッパとメソポタミアは日常的な交易関係に

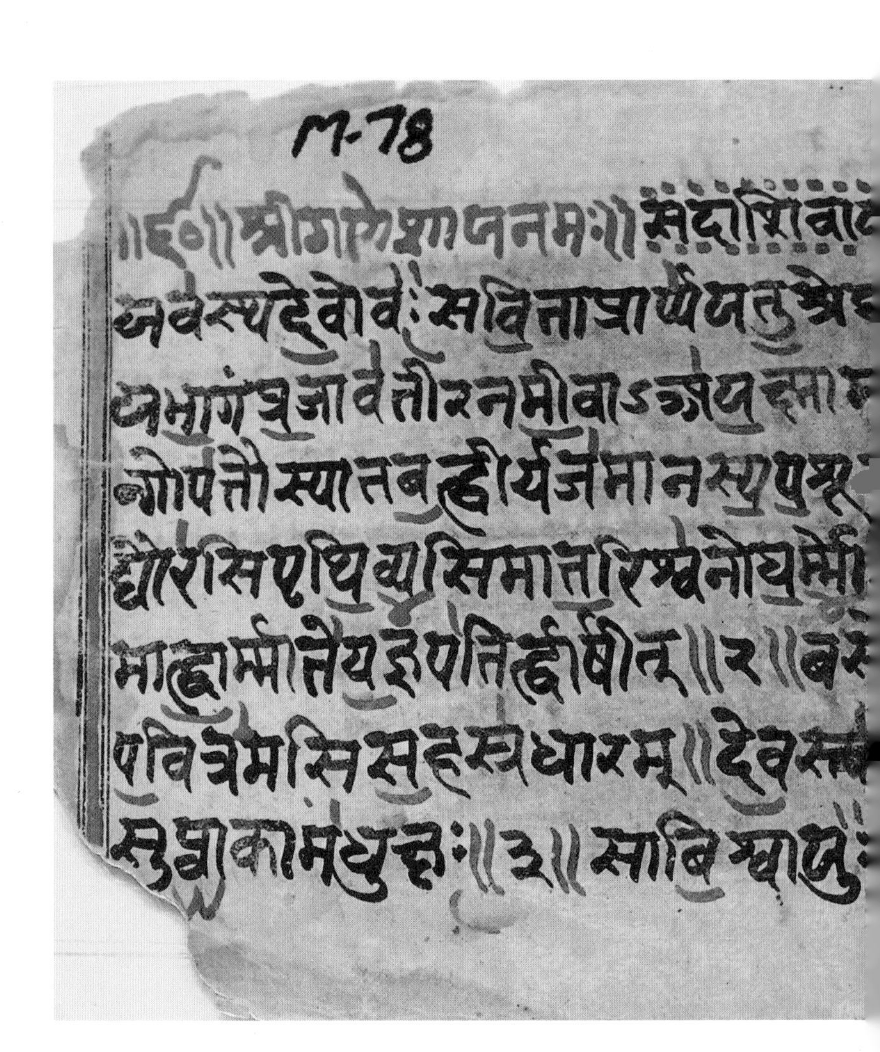

『Shukla Yajurvedha
（白ヤジュル・ヴェーダ）』の断片
1735年、インド

古いサンスクリット語であるヴェーダ語で記されたこの文献は、現在、インドのチャンディーガルにあるラルチャンド研究図書館に収蔵されている。この写真は、3000年前の文献を18世紀に復元したもので、上部余白にアラビア数字が書き込まれている。

あったらしいが、それ以外の情報は乏しい。現に、インダス文字も現存する資料が少なすぎて解読が進んでいない。しかしながら、一部の歴史学者の推論によれば、ハラッパ文明の社会システムは、紀元前1200年頃にアーリア人が中央アジアからインダス川流域へと移動して建設したクル王国の文化に数多く導入されたらしい——このクル王国の文化に関する手がかりならふんだんにある。

クル王国の国教は、現代のヒンドゥー教の前身で、ヴェーダを権威とするバラモン教だった。バラモン教はブラフマン思想を軸としている。「ブラフマン」とは、永遠なる宇宙的魂という意味だ。『ヴェーダ』——ヴェーダ文化の文書記録群——は、一見、「聖典」という狭い枠組みに入れられがちだが、「ヴェーダ」という語を大雑把に訳すと「知識」「知恵」の意味であり、

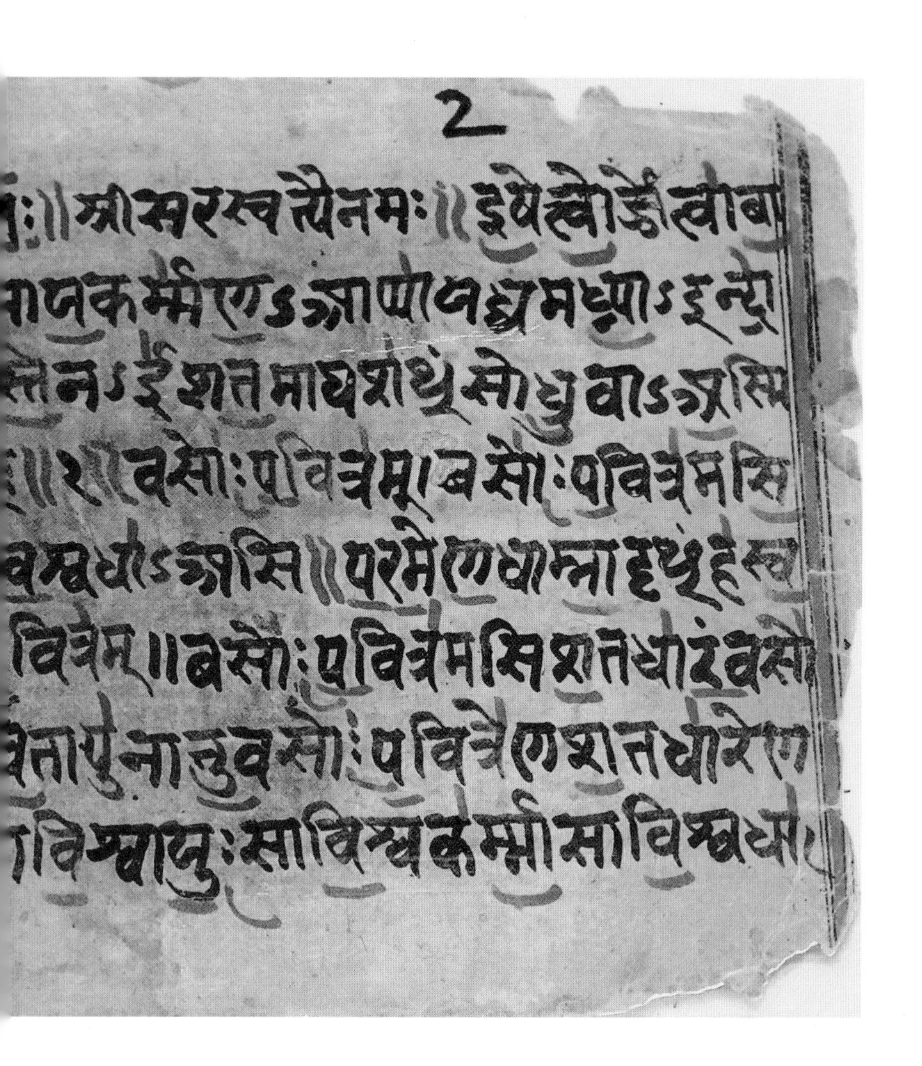

『ヴェーダ』文献は精神面における指導書としての側面が強いと考えられる。とはいえ、そのコンセプトがどの文学ジャンルに入るのか、正確に定義するのは難しい。讃歌や詩という形を取って神々（と神々への賛美）について記されているが、同時に形而上学的・社会的問題に対する思索も含まれているからだ。
『ヴェーダ』は、「リグ・ヴェーダ」「ヤジュル・ヴェーダ」「サーマ・ヴェーダ」「アタルヴァ・ヴェーダ」の4部に分かれている。なかでも「リグ・ヴェーダ」は、紀元前1200年頃の記録（と、それよりだいぶ古い時代の信仰体系）も含まれている、最も古い文献だ。全10巻で、各巻に讃歌がおよそ100ずつ収められ、マントラ（神々への呼びかけ）と形而上学的な理論、宇宙論、生け贄の儀式の執り行い方などで構成されている。ただし、これらは重複・混淆していて厳密には区

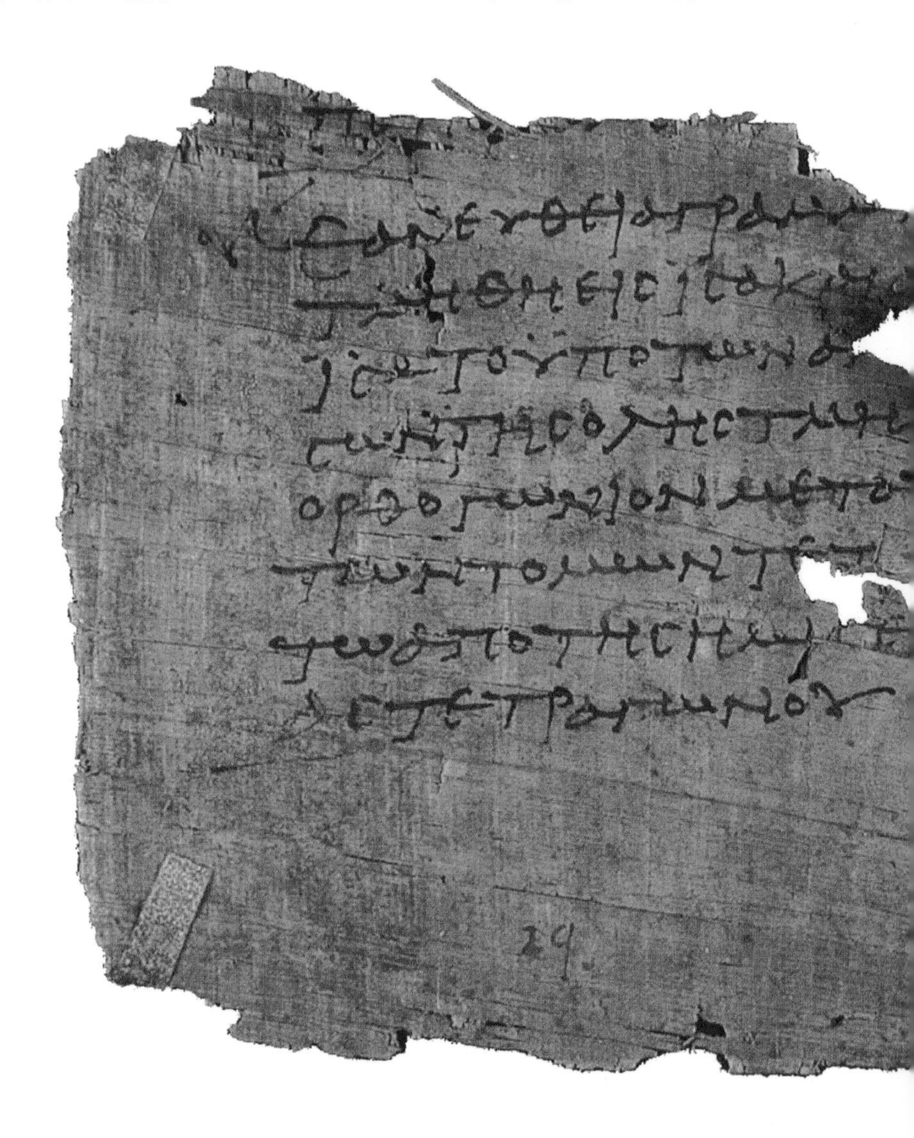

分できない。
「リグ・ヴェーダ」の冒頭にある、馬の生け贄に関する有名な記述を例に取ろう。そこでは儀式の最中だけでなく、その前後の馬の取り扱い方について、司祭に次のような複雑な指示をしている。すなわち、奉納（神への贈り物にする）前の馬は自由に歩き回らせ、解体の際は司祭と王が緊密な連携を取り、その骨は決められた順番に並べ、臓器も決められた通りに広げなければいけない。馬の生け贄は厳密には宗教儀式の分野に入るが、細かく言えば、形而上学的・道徳的思想を反映するものでもあった。

オクシリンコス・パピルス29
紀元前200年〜紀元640年頃
エジプト

「オクシリンコス・パピルス」とは、エジプトのオクシリンコスの、古代のゴミ捨て場で出土したパピルス文書群の総称だ。プトレマイオス朝と古代ローマ時代のこの巻物には、行政文書だけでなく、プラトンの著書の断片なども含まれている。写真はユークリッドの『幾何学原論』。古代ギリシャ語の一部の文献には、左から右へ読んだら今度は右から左へ読むという、1行ずつ交互に逆方向へ読み進める「牛耕式」と呼ばれる筆記法が用いられた。

॥बृ॰ अ॰ ३॥ ॥१॥ श्रीगणेशाय नमः॥ ॐ पूर्णमदः पूर्णमिदं पूर्णात्पूर्णमुदच्यते। पूर्णस्य पूर्णमादाय पूर्णमेवावशिष्यते॥ ॐ शांतिः ३॥ ॥ अ॰ १
हरिः ॐ॥ उषा वा अश्वस्य मेध्यस्य शिरः सूर्यश्चक्षुर्वातः प्राणो व्यात्तमग्निर्वैश्वानरः संवत्सर आत्माश्वस्य मेध्य
स्य द्यौः पृष्ठमंतरिक्षमुदरं पृथिवी पाजस्यं दिशः पार्श्वे अवांतरदिशः पर्शव ऋतवोंगानि मासाश्चार्धमासाश्च पर्वा
ण्यहोरात्राणि प्रतिष्ठा नक्षत्राण्यस्थीनि नभो मांसं ऊवध्यं सिकताः सिंधवो गुदा यकृच्च क्लोमानश्च पर्व
ता ओषधयश्च वनस्पतयश्च लोमान्युद्यन्पूर्वार्धो निम्लोचन्जघनार्धो यद्विजृंभते तद्विद्योतते यद्विधूनुते तत्स्त
नयति यन्मेहति तद्वर्षति वागेवास्य वाक्॥१॥ अहर्वा अश्वं पुरस्तान्महिमान्वजायत तस्य पूर्वे समुद्रे योनी रा
त्रिरेनं पश्चान्महिमान्वजायत तस्यापरे समुद्रे योनिरेतौ वा अश्वं महिमानावभितः संबभूवतुः हयो भूत्वा देवानव
हद्वाजी गंधर्वानर्वासुरानश्वो मनुष्यान्समुद्र एवास्य बंधुः समुद्रो योनिः॥२॥ ॥प्रथमं ब्राह्मणं॥ ॥ नैवेह किंच
नाग्र आसीन्मृत्युनैवेदमावृतमासीदशनाययाशनाया हि मृत्युस्तन्मनोकुरुतात्मन्वी स्यामिति सोर्चन्नचर
त्तस्यार्चत आपोजायंतार्चते वै मे कमभूदिति तदेवार्कस्यार्कत्वं कं ह वा अस्मै भवति य एवमेतदर्कस्यार्कत्वं

वेद॥१॥ आपो वा अर्कस्तद्यदपां शर आसीत्तत्समहन्यत सा पृथिव्यभवत्तस्यामश्राम्यत्तस्य श्रांतस्य तप्तस्य तेजो रसो
निरवर्ततताग्निः॥२॥ स त्रेधात्मानं व्यकुरुतादित्यं तृतीयं वायुं तृतीयं स एष प्राणस्त्रेधा विहितस्तस्य प्राची दिक्शिरो
सौ चासौ चेर्मौ अथास्य प्रतीची दिक्पुच्छमसौ चासौ च सक्थ्यौ दक्षिणा चोदीची च पार्श्वे द्यौः पृष्ठमंतरिक्षमुदरमियमुरः
स एषोप्सु प्रतिष्ठितो यत्र क्व चैति तदेव प्रतितिष्ठत्येवं विद्वान्॥३॥ सोकामयत द्वितीयो म आत्मा जायेतेति स मनसा
वाचं मिथुनं समभवदशनाया मृत्युस्तद्यद्रेत आसीत्स संवत्सरोभवन्नह पुरा ततः संवत्सर आस तमेतावंतं काल
मबिभर्यावान्संवत्सरस्तमेतावतः कालस्य परस्तादसृजत तं जातमभिव्याददात्स भाणकरोत्सैव वागभवत्॥४॥
स ऐक्षत यदि वा इममभिमंस्ये कनीयोन्नं करिष्य इति स तया वाचा तेनात्मनेदं सर्वमसृजत यदिदं किंचर्चो यजूं
षि सामानि छंदांसि यज्ञान्प्रजाः पशून्स यद्यदेवासृजत तत्तदत्तुमध्रियत सर्वं वा अत्तीति तददितेरदितित्वं सर्वस्यैतस्या
त्ताभवति सर्वमस्यान्नं भवति य एवमेतददितेरदितित्वं वेद॥५॥ सोकामयत भूयसा यज्ञेन भूयो यजेयेति सोश्राम्यत्स त
पोतप्यत तस्य श्रांतस्य तप्तस्य यशो वीर्यमुदक्रामत्प्राणा वै यशो वीर्यं तत्प्राणेषूत्क्रांतेषु शरीरं श्वयितुमध्रियत तस्य
शरीर एव मन आसीत्॥६॥ सोकामयत मेध्यं म इदं स्यादात्मन्व्यनेन स्यामिति ततोश्वः समभवद्यदश्वत्तन्मेध्यमभू

बृ॰ अ॰ ३ २ दिति तदेवाश्वमेधस्याश्वमेधत्वमेष ह वा अश्वमेधं वेद य एनमेवं वेद तमनवरुध्यैवामन्यत तं संवत्सरस्य परस्तादात्म अ॰ १
न आलभत पशून्देवताभ्यः प्रत्यौहत्तस्मात्सर्वदेवत्यं प्रोक्षितं प्राजापत्यमालभंत एष ह वा अश्वमेधो य एष तपति तस्य
संवत्सर आत्मायमग्निरर्कस्तस्येमे लोका आत्मानस्तावेतावर्काश्वमेधौ सो पुनरेकैव देवता भवति मृत्युरेवाप
पुनर्मृत्युं जयति नैनं मृत्युराप्नोति मृत्युरस्यात्मा भवत्येतासां देवतानामेको भवति॥७॥ ॥इति द्वितीयं ब्राह्मणं॥ ॥द्वया ह प्रा
जापत्या देवाश्चासुराश्च ततः कानीयसा एव देवा ज्यायसा असुरास्त एषु लोकेष्वस्पर्धंत ते ह देवा ऊचुर्हंतासुरान्यज्ञ उ
द्गीथेनात्ययामेति॥१॥ ते ह वाचमूचुस्त्वं न उद्गायेति तथेति तेभ्यो वागुदगायद्यो वाचि भोगस्तं देवेभ्य आगायद्यत्कल्या
णं वदति तदात्मने ते विदुरनेन वै न उद्गात्रात्येष्यंतीति तमभिद्रुत्य पाप्मनाविध्यन्स यः स पाप्मा यदेवेदमप्रतिरूपं वदति
स एव स पाप्मा॥२॥ अथ ह प्राणमूचुस्त्वं न उद्गायेति तथेति तेभ्यः प्राण उदगायद्यः प्राणे भोगस्तं देवेभ्य आगाय
द्यत्कल्याणं जिघ्रति तदात्मने ते विदुरनेन वै न उद्गात्रात्येष्यंतीति तमभिद्रुत्य पाप्मनाविध्यन्स यः स पाप्मा यदेवेदम
प्रतिरूपं जिघ्रति स एव स पाप्मा॥३॥ अथ ह चक्षुरूचुस्त्वं न उद्गायेति तथेति तेभ्यश्चक्षुरुदगायद्यश्चक्षुषि भोग
स्तं देवेभ्य आगायद्यत्कल्याणं पश्यति तदात्मने ते विदुरनेन वै न उद्गात्रात्येष्यंतीति तमभिद्रुत्य पाप्मनाविध्यन्स

यः स पाप्मा यदेवेदमप्रतिरूपं पश्यति स एव स पाप्मा॥४॥ अथ ह श्रोत्रमूचुस्त्वं न उद्गायेति तथेति तेभ्यः श्रोत्रमुदगायद्यः श्रो
त्रे भोगस्तं देवेभ्य आगायद्यत्कल्याणं शृणोति तदात्मने ते विदुरनेन वै न उद्गात्रात्येष्यंतीति तमभिद्रुत्य पाप्मनाविध्य
न्स यः स पाप्मा यदेवेदमप्रतिरूपं शृणोति स एव स पाप्मा॥५॥ अथ ह मन ऊचुस्त्वं न उद्गायेति तथेति तेभ्यो मन उदगा
यद्यो मनसि भोगस्तं देवेभ्य आगायद्यत्कल्याणं संकल्पयति तदात्मने ते विदुरनेन वै न उद्गात्रात्येष्यंतीति तमभि
द्रुत्य पाप्मनाविध्यन्स यः स पाप्मा यदेवेदमप्रतिरूपं संकल्पयति स एव स पाप्मैवमु खल्वेता देवताः पाप्मभिरु
पासृजन्नेवमेनाः पाप्मना विध्यन्॥६॥ अथ हेममासन्यं प्राणमूचुस्त्वं न उद्गायेति तथेति तेभ्य एष प्राण उदगा
यत्ते विदुरनेन वै न उद्गात्रात्येष्यंतीति तमभिद्रुत्य पाप्मनाविव्यत्सन्स यथाश्मानमृत्वा लोष्टो विध्वंसेतैव
ं हैव विध्वंसमाना विष्वंचो विनेशुस्ततो देवा अभवन्परासुरा भवत्यात्मना परास्य द्विषन्भ्रातृव्यो भवति य ए
वं वेद॥७॥ ते होचुः क्व नु सोभूद्यो न इत्थमसक्तेत्ययमास्येंतरिति सोयास्य आंगिरसोंगानां हि रसः॥८॥ सा वा एषा
देवता दूर्नाम दूरं ह्यस्या मृत्युर्दूरं ह वा अस्मान्मृत्युर्भवति य एवं वेद॥९॥ सा वा एषा देवतैतासां देवतानां पाप्मानं
मृत्युमपहत्य यत्रासां दिशामंतस्तद्गमयांचकार तदासां पाप्मनो विन्यदधात्तस्मान्न जनमियान्नांतमियान्नेत्पाप्मा

『ブリハッド・アーラニヤカ・ウパニシャッド』
紀元前700年、インド

「森林書」と訳される『ウパニシャッド』の第1葉にあたるこれらの文献は、ペンシルバニア大学のシェーンベルク文献研究所に収蔵されている。多くの組織がそうであるように、この施設の名称も裕福な後援者の名前にちなんでつけられた。コンピューター業界の実業家・文献収集家のローレンス・J・シェーンベルクは、2011年、妻のバーバラ・ブリズドル・シェーンベルクとともに、ペンシルバニア大学図書館に2000万ドル以上の価値がある287種の文献を寄贈した。

5　自然の法則

『ヴェーダ』文献は内容が曖昧で理解しにくいため、たとえば生け贄のくだりの文意は『ウパニシャッド』と呼ばれる注釈書（奥義書）が引き継いでいる。最古の『ウパニシャッド』文献は紀元前7世紀頃に記され、もともとは口伝の秘説・対話・詩を樹皮や布に書いたのが始まりだ。『ウパニシャッド』の役割は『ヴェーダ』の奥義を人々にわかりやすく説くことだった。

私たちの目に映る動物界のパターンは宇宙のパターンと一致する、という思念は『ウパニシャッド』のなかに繰り返し登場し、なかでも前述した生け贄の儀式について綴られている最古の『ウパニシャッド』文献、『ブリハッド・アーラニヤカ・ウパニシャッド』（森林書）では特に強調されている。その著者たちの指摘によれば、『リグ・ヴェーダ』は生け贄にされる馬の各部位と宇宙の各要素の関連性をうまくとらえているらしい。たとえば馬の頭は夜明けを、肉は雲を、背は空を意味する。生け贄の儀式はいわば、形而上学的な問いに結びついた方法を用いて、洗練された宇宙論を凝縮させたものだ。つまり、馬などの地上の肉体の構造を観察することは、元素や天体の宇宙的秩序を含む万物の構造を洞察することにつながる。

馬の体の各パーツが宇宙の各要素に一対一で対応していることから、儀式の生け贄は世界の再整理をもたらす。このように、『リグ・ヴェーダ』を読むと、生け贄は単なる神への贈り物ではないことが（そして、シヴァ、ビシュヌ、ラクシュミー、グラフマーなどの神々の重要性や、生け贄を捧げる相手について、矛盾するさまざまな説が存在することも）わかる。この宗教の教えは、大宇宙と小宇宙との間に直接的な相関関係がある、複雑な形而上学的体系と重なり合っているのだ。『リグ・ヴェーダ』に収められた『プルシャ讃歌』にも、自然界と人間界との照応が見て取れる。『プルシャ讃歌』によると、天地万有は原人（ビシュヌともシヴァとも言われている）が自らの体を神への生け贄にした結果、生まれたとされる。4つのカーストも、解体された原人の各部位から生まれた。すなわち、頭がバラモン（司祭）になり、両腕がクシャトリヤ（王侯・戦士）、両腿がヴァイシャ（商人・平民）、両足はシュードラ（隷属民）になった。戦士は商人より、司祭は隷属民より高位にある。このように、社会的階級は宇宙的事実として存在していた。

この――社会的身分を宇宙的・自然的事実として認識するという――「自然化」は、世界の思想史に繰り返し登場する。たとえばイマヌエル・カントによる人種間ヒエラルキーの具象化や、同性との「反自然的な行為」と言われているものに対するカトリック教徒の非難のなかにも垣間見える。自然界には特定の秩序が存在する、という説は、通説を正当化する言い訳として再三利用されてきた。しかし、見方によれば、バラモン教の形而上学におけるこの自然秩序が、バラモンやクシャトリヤに特権を与え、シュードラに苦難を強いたのだ。

甲骨
紀元前1400年頃、中国

この石化した淡黄色の亀甲には、殷王朝のものと思われる「篆書体」の甲骨文字が刻まれている。「篆書体」は中国の書体の一種だ。文字技術は直線的に進歩したと推察されるが、この何千年も前の亀甲のように極めて耐久性が高い資料は数少ない。

6　宇宙バランス

古代中国の公共政策は、地域ごとに異なるさまざまな宇宙論的思惟によって形成されていた。交易が盛んだったハラッパやバビロンとは違い、新石器時代の中国では部族ごとにわりと閉鎖的な生活を送っていたからだ。「翡翠時代」（紀元前3000〜2000年）の前および最中には、中国東部の山東省を中心に仰韶文化と大汶口文化が栄えた。このふたつの文化はのちの龍山文化と同様、黄河下流域に伝播したが、その交易ルートはハラッパ文明と交わるほどには伸びなかったために、独自の経済システムを有して繁栄した。大量に出土した当時のトルコ石や象牙、翡翠、陶器などの遺物から、これらの文化では各農村社会に貧富の差が生まれて分業・階層化が進み、集落同士の抗争がしばしば繰り広げられていたことがわかる。

龍山文化終焉後の紀元前1600〜1046年には、殷王朝が黄河下流域を支配した。この殷時代の遺跡からは青銅器や翡翠、陶器の他に、漢字の祖形がいくつか見つかっている。そのなかで最も古いのは、「甲骨」に刻まれた占いに使う文字だ——この「甲骨文字」が、次に取り上げる思想書のキーワードである。殷王朝の滅亡直後、西周と呼ばれる時代に編纂された占書、『易経』（『周易』あるいは単に『易』とも呼ばれる）には、宇宙論を亀の甲羅や牛の肩甲骨などに刻んで占いに使用する手法が記されている。

甲骨文字
紀元前1400年頃、中国

火に焼かれ、磨かれ、文字が刻まれた、殷の時代の亀の腹甲（亀の甲羅の平たい部分）と牛骨。（隣ページの図版にも描かれているように）倫理面や行政面の問題解決のために使われた。

歴史家たちの説によれば、西周（紀元前1046〜771年）社会は、「中世」ヨーロッパの封建社会に似ていたという。周の開祖、武王を始めとする歴代の王たちが国を州に分割し、諸侯に権力を与えて領地を治めさせた階級制社会だった。その中央集権的な統治機構によって、大規模な文化の画一化が実現された。その最たる例が『易経』だ。当時、多方面に利用され、広く複製された『易経』は、この時代の定義に欠かせない文献のひとつであると同時に、後世の中国思想の源流を形作った書でもある。

『易経』は全編通して読むような書物ではない（初期のバージョンは表紙のついた本ではなく巻物だった）。占いの資格を持つ専門家が——亀甲に入ったひびを読む、ノコギリソウの茎の本数を数える、サイコロを転がすなど——さまざまな手法を用いて『易経』を構成している64卦（横に並ぶ6本線で構成される図象）からひとつを特定し、それをもとに未来を予言したり、道徳的意思決定を導いたりした。

『易経』に書かれていることは、陰陽論に沿って解釈される。中国では古来、「バランス」の概念がいかに重要視されたか、私たちはこの陰陽論から初めて感じ取ることができる。陰陽のシンボルである、黒丸が入った白勾玉と白丸が入った黒勾玉が組み合わされた太極図は、陰と陽という正反対のエネルギーのバランスがうまく取れれば万事順調にいく、とする世界観を表している。「山の日の当たらない側」を意味する「陰」は、「静」「女」「柔」「夜」「水」の概念と結びつき、「山の日の当たる側」を意味する「陽」は、「動」「男」「剛」「朝」「火」の概念と結びつく。ここでも宇宙論的なつながりがいかに政治的に偏っていたかがわかるだろう。これでは、家父長制社会が男性を強さと、女性を弱さと結びつけて正当化されていたのも不思議ではない。

纂圖互註周易上經乾傳第一
王弼註
乾下乾上
乾元亨利貞初九潛龍勿用
九二見龍在田利見大人
九三君子終日乾乾夕惕若厲无咎

『易経』
960年～1279年頃、中国

宗の時代の『易経』。強調したい部分を大きな文字で記している。現在は、世界一の稀覯書コレクションを誇る、台北の国家図書館に収蔵されている。

チンギス・ハンの肖像画
1928年、フランス

20世紀に作られたこの「中国式」の木版画には、甲骨文字を読んで自分の天命を知ろうとする、モンゴル帝国初代皇帝チンギス・ハンの姿が描かれている。アルフォンス・ヒューブレヒト著『Grandeur and Supremacy of Peking（壮大かつすばらしき北京）』の一部。

西周の後に続いた東周には、春秋時代（紀元前770～476年）と戦国時代（紀元前475～221年）というふたつの時代があった。東周では文化が広く伝播すると同時に、政治が緊張を帯びた。戦国時代にはその名が示す通り、社会的変動が激しくなり、それが「諸子百家」と呼ばれる中国思想の繁栄をもたらした。周王室は下剋上の風潮を強める諸侯たちへの統制力を喪失。中央集権的な統治力が弱体化したのは、王室と一枚岩の思想学派を支援する仕組みがもはや失われていたからだ。代わりに現れたのは、思想の多元的共存――と「良い政治とは何か」を追求する、政治的分析の差し迫った必要性――だった。東周では、のちに「儒家」「道家」「法家」「陰陽家」「農家」「墨家」などと呼ばれるようになる（末尾に「家」がつく）多数の学派が誕生した。

孔子の肖像画
年代不詳、中国

この孔子は口元に微笑を浮かべ、まるで今にも教えを説き始めるかのように人差し指を着衣の袖から突き出したまま黙考している。

『論語』は、本書で最初に取り上げる哲学界のスーパースター、孔子（紀元前551～479年）の言行録だ。中国の山東省で暮らしていた孔子（ラテン語名の「Confucius」から「孔夫子」とも呼ばれる）は、官吏と教師を経験したのちに、弟子を取りながら理想の政治を説いて諸国を流浪した。その弟子たちが孔子の言葉を熱心に記録し、1冊にまとめたものが『論語』だ。道徳的思想と政治的思想を取り交ぜ、理想政治と社会調和の問題点に取り組んだ『論語』には、物事の本質とそのとらえ方、そして当時の政治的危機への明確な対応策が示されている。中国が戦国時代に突入すると、この孔子の思想は――彼の教えは「学問」を意味する「儒」という語を取って「儒学」と呼ばれた――次第に重要な意味を帯び始めた。

『論語』の根幹にあるのは、社会的な問題の解決策は過去の歴史から学べる、という考えだ。孔子は数世紀前に終焉を遂げた西周を、武王とその父、文王のような伝説的な賢王たちの指導の下に社会が調和し発展した「黄金期」と見なした。そして、過去の社会規範を踏襲し、立派な統治者たちの人となりを徹底的に分析することで理想の政治が実現できる、と考えたのだ。主君に忠義を尽くすことを意味する「忠」と、親に従うことを意味する「考」、そして正しい礼法を守ることを意味する「礼」は、孔子が説いた守るべき「徳」のなかでも特に重要視されている。

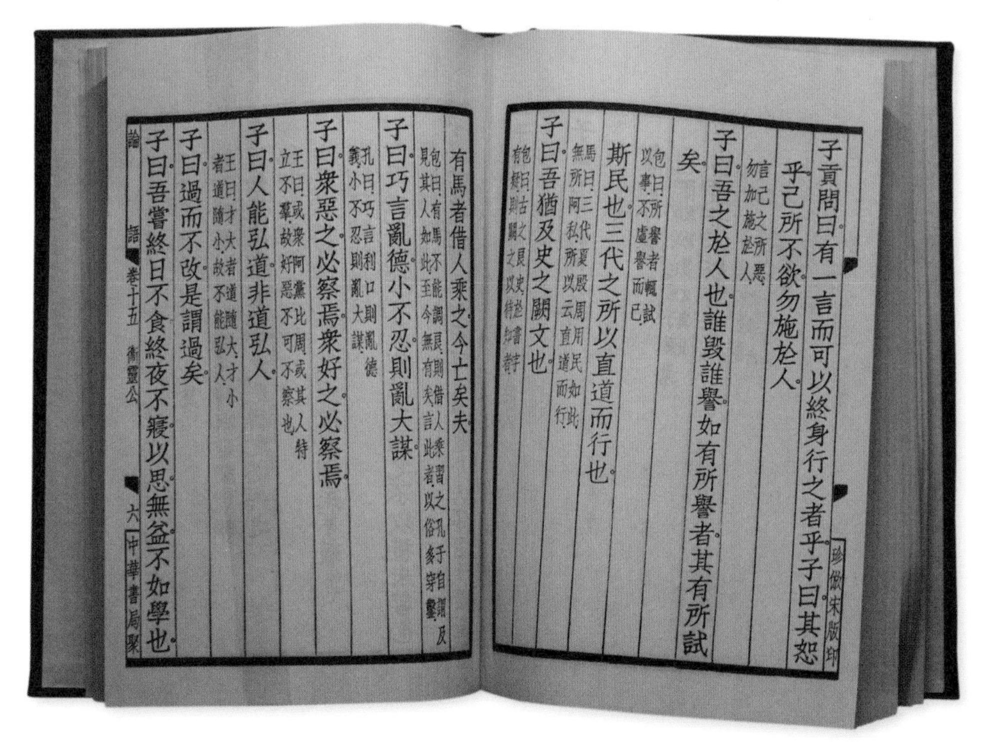

子貢問曰有一言而可以終身行之者乎子曰其恕
乎己所不欲勿施於人
言己之所惡勿加施於人
子曰吾之於人也誰毀誰譽如有所譽者其有所試
矣
包曰所譽者輒以試事不虛譽而已
斯民也三代之所以直道而行也
馬曰三代夏殷周用民如此無所阿私所以云直道而行
子曰吾猶及史之闕文也
包曰古之良史於書字有疑則闕之以待知者

有馬者借人乘之今亡矣夫
包曰有馬不能調良則借人乘習之孔子自謂及見其人如此至今無有矣言此者以俗多穿鑿
子曰巧言亂德小不忍則亂大謀
孔曰巧言利口則亂德義小不忍則亂大謀
子曰衆惡之必察焉衆好之必察焉
王曰或衆阿黨比周或其人特立不羣故好惡不可不察也
子曰人能弘道非道弘人
王曰才大者道隨大才小者道小不能弘人
子曰過而不改是謂過矣
子曰吾嘗終日不食終夜不寢以思無益不如學也

論語 卷十五 衛靈公 六 中華書局聚
珍倣宋版印

〈左〉
『論語』
紀元前6世紀、中国

ストックホルムの東洋博物館所蔵の『論語』の複製。中国政府のアドバイザーも務めたことがある考古学者のユハン・グンナール・アンデショーンが創設したこの博物館は、古代中国の工芸品がスウェーデンに数多く存在している理由のひとつだ。

〈次ページ〉
『道徳経』
紀元前2世紀、中国

中国・湖南省の長沙市にある馬王堆漢墓から出土した、絹の巻物に墨で書かれた『道徳経』。写真は、この書のテーマであるさまざまな堕落について記された箇所。漢文は上から下、右から左へ書く。

7　諸子百家

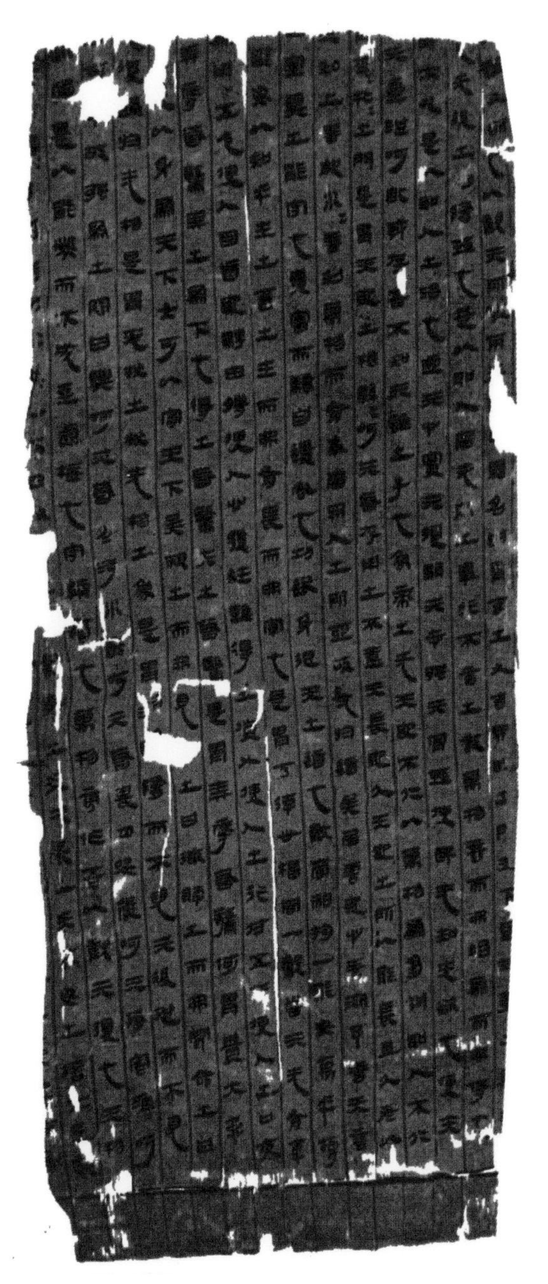

もうひとり、私たちが過去に焦点を合わせるのにうってつけのスーパースターがいる。墨子（紀元前470～391年）は、その名を冠した言行録、『墨子』のなかで、「天子」によって社会的混乱が抑制された、中国史における半神話的な時代について言及している。この「天子」とは、世界的な中央集権国家を築く能力がある、「誰よりも尊く、誰よりも優れた」人物を指す。墨子も孔子同様、戦国時代の混乱の解消策として絶対君主制の必要性を説いた思想家だった。『墨子』も『論語』も政治理論を著した書だ。しかし同時に、良き統治者としての資質を説き、個人の徳という問題についても考察する道徳書としての側面もあった。尊敬に足る、優れたリーダーの資質とは何か？　どんな人物が「天子」になり得るのか？　孔子や墨子を始めとする当時の思想家たちは、こうした問いの答えを求めながら、最良の生き方（the best way to live）について自問し続けた。

この文脈における‘way’という語には特定の意味がある。‘way’は、中国語の「タオ（道）」にあたる。突き詰めれば、「タオ」は「進むべき道」や「行動手段」を指し、『論語』では、徳（「テ」）の概念と密接に関連する生き方、生活様式の意味に使われている。どうすれば有徳な生き方ができるか模索した孔子の見解は、宇宙の本質に関する宇宙論的仮説に基づいていた。

「テ」すなわち「徳」は天からの授かりものであり、自ら研鑽してこれを積み重ねるのが人間の義務だと孔子は考えた。古代中国の「天」は、全知全能の神の国を指す西洋の一般概念とは異なり（ちなみに孔子は神についてはほとんど言及していない）、宇宙秩序や天地万有――バランスの取れた最高の状態で存在する事象――の概念に近い。そして孔子と墨子が言及している「天命」とは、天から統治者に付与された権限のことだ。たとえば文王と武王はこの天命に導かれ国を治めたが、この権限は、「神授王権」〔王権は神から王へ授けられた神聖で絶対的なものとする政治理論〕のそれとは大いに異なる。すなわち、天命とは神から与えられたものでなく、個人が宇宙とバランスの取れた正しい関係にあるときに生じるものであった。

徳を育成するのに重要なのは「バランス」だ。孔子はそれを、植物を開花させるのに必要な条件と同じだと説いた。開花には、水分と日光のバランスが大切である。植物を日光に当てすぎれば枯れてしまうし、水分を多く与えすぎれば腐ってしまうからだ。

『易経』にも記され、太極図のモチーフにもなっているこの「バラ

老子像
1438年、中国

独創性に富んだ道教の文献、『道徳経』の著者は老子だという説もある。芸術家の陳彥清による、金箔を施したこの真鍮製の老子像は、現在、メトロポリタン美術館に収蔵されている。

ンス」は、同時期に生まれたもうひとつの古典、『老子道徳経』でも強調されている。老子は孔子と同じく、宇宙秩序と調和して生きることに関心を持っていたが、孔子とは違って、徳を積むことが人間の義務という考えを否定し、有徳な人生とはあるがままに生きることだと説いた。「自然の流れに身を任せ」ればバランスが取れ、人知に惑わされず自然に任せれば人間性が花開く、と考えたのだ。この「自ら行動を起こさないこと」あるいは「自然の法則に従って行動すること」を意味する「無為自然」が、道教の思想の根幹だ。『道徳経』には、「身動きしなければ、濁り水も清水に変わる」という宇宙論的理論に基づく道徳理念も記されている。これは、慎み深く目立たない君主こそ完璧な統治者だ、とする道教の政治理念につながる。

最も理想的な君主は、民衆がその存在をただ知るのみ……

政治理論と重なる――正反対のエネルギーのバランスに関する――抽象的・宇宙論的な主張を再度、取り上げてみよう。そして、その形而上学的な説が保守的な政治理念の強化にいかに利用されているかを見ていきたい。科学の歴史を研究しているロレイン・ダストンの言葉を借りれば、そこに存在するのは「自然界を基盤にした規範は盲目的な保守主義に通じ得る、という当然の不安だ。規範が自然界に由来するなら、自然界が変わらないかぎり規範も変えられない」。宇宙のバランスへの敬意（道教）だろうと、歴史への敬意（儒教）だろうと、これらの文献の背景には、世の中は今も昔もたったひとつの独特な流れに従って動いている――そしてその流れを無視した者は、危険を覚悟しなければならない――という思想があった。大昔から哲学者たち（とその他大勢の人間たち）は、「自然界の秩序」に盲従することで――男性であって女性でなく、富者であって貧者でなく、特定の社会集団に属している――一部の人間の社会的特権を正当化してきたのだ。

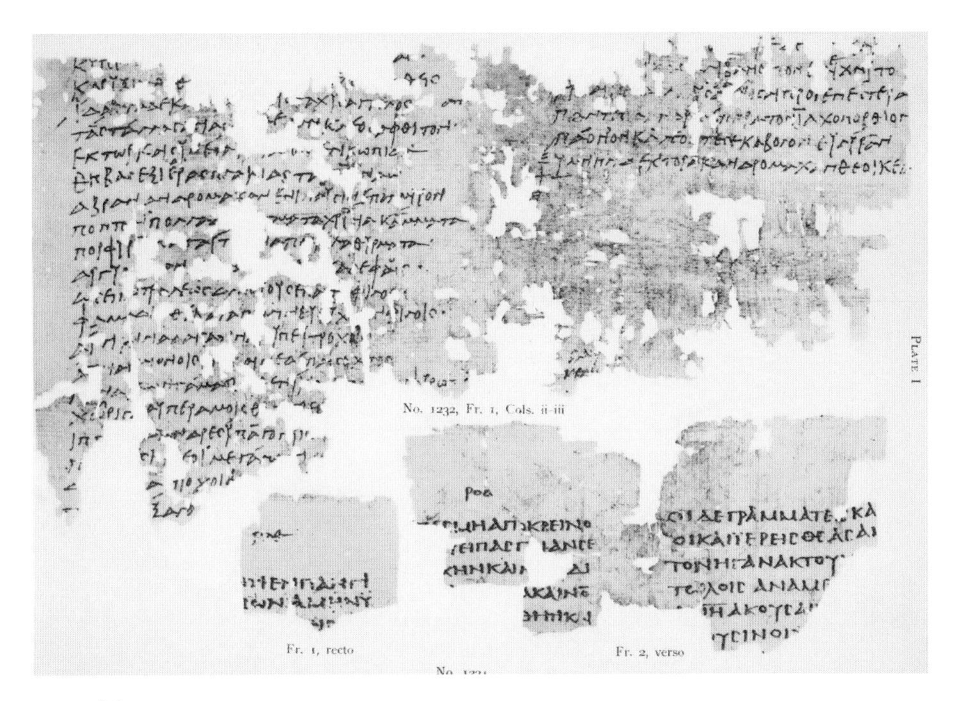

サッフォーの詩の断片
紀元前200〜紀元640年頃
エジプト

エジプトで出土した「オクシリンコス・パピルス」のひとつ。ところどころ破れているこの文書は現存するサッフォーの詩の一部だが、ここから作品の全体像に関する重要なヒントが得られる。最後の行にはこう記されている。「街の至るところにあるのは……ワインで満たされた鉢とコップ、没薬と桂皮、乳香、ごちゃ混ぜになった香り……」

〈前ページ下〉
『道徳経』を伝える老子
16世紀、中国

老子が田園地帯で『道徳経』を弟子たちに口頭で伝える様子が、紙に繊細な筆致で描かれている。李公麟作とも言われる原版は明の時代に発見され、現在はワシントンD.C.のフリーア美術館に収蔵されている。

8　愛とは

大昔から、特権や社会的地位を与えるのも奪うのも男性だった。それは思想界でも例外ではない。古代ギリシャ思想界のスーパースターとして常に名前が挙がるソクラテス、プラトン、アリストテレスを例に考えてみよう。これらの名前から察するに、この種の知的労働は女性には向かないと思われていたようだ。しかし、歴史を丁寧にひも解けば、エーゲ海地域——今のギリシャとトルコのあたり——で活躍した最古の思想家のひとりに、詩人でもあったサッフォー（紀元前610〜570年頃）という女性がいた。レスボス島の裕福な家柄に生まれた彼女は、愛をテーマに洗練された感情論を綴ったが、残念ながらその作品は断片しか残っていない。

サッフォーの『アプロディテ讃歌』という口頭伝承の抒情詩は、幸いにも一部ながらその文書記録が残っている。そこに記されているのは、愛は抽象的ではなく具体的で官能的な感情——物理的な事象——だとする概念だ。とはいえ、サッフォーは愛を、単に相手の肉体を求める感覚と見なしてはいなかった（のちにプラトンは、これをテーマに『饗宴』を書いた）。彼女にとって、愛は美と善と複雑に絡み合っていた。別の詩でサッフォーは、「この世で最も美しいものは何か」という問いを立て、「人が愛するものこそ、こよなく美しい」と答えているが、善きものも美を（ひいては愛を）生む、とも考えていた。実際に、「……善き人もまた、美しくなる」と書いている。

サッフォーは、その地域で経済や政治の安定が拡大してきたこともあって生まれた知的変化、いわゆる新たなカルチャー・ムーブメントの旗手だった。紀元前1100年にドーリア人がギリシャ本土に侵入した数世紀後、ギリシャ人はイオニア地方に入植し始める。そして、やがて

サッフォーの肖像画
50年頃、イタリア

ポンペイ遺跡で出土したこのフレスコ画に描かれているのは、本と尖筆を手にしたサッフォーだと言われている。この肖像画は、西暦79年のベスビオ火山の大噴火でポンペイを覆いつくした火山灰に埋もれていた。ナポリの国立考古学博物館所蔵。

農業が盛んになると、ミレトスを始めとするさまざまな都市国家が生まれ、文化や伝統に（比較的）寛容なアケメネス朝ペルシャ帝国とともに繁栄した。同帝国は、紀元前539年にバビロニア帝国を征服している。

この時代にはもうひとり、見落とされがちな女性思想家がいる。クロトーネのテアノである。テアノについてはほとんど知られていないが（実際に、情報があまりに乏しくて、架空の人物と見なされることもある）、紀元前6世紀に現在のイタリア南部で暮らしていた証拠がある。3人の娘、アリグノテ、ミュイア、ダモも母親と同じ道を歩んだ。テアノの配偶者は「サモスの賢人」、ピタゴラス（紀元前580～500年頃）と言われている（幾何学の定理に名前を使われている、あのピタゴラスだ）。たぶんテアノが最もよく知られているのは、『Advice for Women（女性たちへの忠告）』という書物の著者としてだろう。

子育てや家計のやりくりなどについて綴られたこの作品は、家事マニュアルとしての側面もあった。テアノはそこに社会の道徳観を反映させ、子供たちが人生の試練を乗り越え徳を積めるように、彼らに飢えと寒さと恥を体験させるべきだと唱えた。一見すると非情な教えだが、そこには、「調和」の概念に関連する包括的で形而上学的な思惑が見え隠れしている。

> **……締めつけが緩すぎたときときつすぎたときの子供たちの様子を、音楽にたとえて考えてみよう。お宅の使用人たちについても同様だ。締めつけが緩すぎれば、調子に乗って不協和音が生じるが、締めつけがきつすぎると自然に音の空白部分が生まれる。何事もほどほどが肝心だ。**

家事労働者に対するテアノの姿勢は、子供たちに対する姿勢とともに非難に値するが、「ほどほど」、つまり「中庸」への言及は、彼女が自然を「調和」という特定の秩序に準拠するものとしてとらえていた証拠だ。ピタゴラスや彼が創設した宗教結社（ピタゴラス教団）の人々と同じく、彼女もまた、この秩序は数字で表せると信じていた。音の調和は数の調和と切り離せない関係にあり、数の調和は自然界の調和と切り離せない関係にある。万物が全体の秩序の一部なら、家庭はその秩序の小宇宙そのものだ、と考えた。

9　万物の根源

エーゲ文明では、実在〔意識から独立して客観的に存在するもの〕の根本的な仕組みに対する関心が深まりつつあった。何が何の基礎なのか？　万物の根源は何なのか？　それに対する当時の主な答えは、四大元素のいずれかだった。たとえば、ミレトスのタレス（紀元前624～545年）は、「万物の根源（アルケー）」は水だと主張した。地球上のすべての生命体には水分が含まれていることを考えれば、タレスの説はそれほど突飛でもない。それに、流動性という水の特性も、常に変化し続ける万物の動態性を象徴している。

タレスの弟子であるアナクシマンドロスも、その著書『Perì phúseôs（自然について）』の断片を読み解くと、万物の根源は「無限なるもの（アペイロン）」だと考えていたようだ。この説もある意味、筋が通っている。ほとんどの事物──たとえば樹木、アヒル、ハンカチなど──には数や量などの限度がある。限度があるということは、何かに縛られているということだ。ほとんどのものは他の何かに縛られているが、何にも縛られないもの、それがアナクシマンドロスの言うアペイロンである。

これは哲学か？　それとも科学か？　学問分野が細かく枝分かれした現代の知的枠組みに当てはめれば、こうした疑問が生じるのも当然だ。しかし、当時の思想界では哲学と科学の区別はなかった。どちらも著書にアナクシマンドロスと同じ凡庸なタイトルをつけたエフェソスのヘラクレイトス（紀元前535～475年頃）も、エレアのパルメニデスも同様だ。ふたりとも、生物学の範疇である形而上学的な問題を叙事詩の形式を用いて追及した。ヘラクレイトスは、万物の根源は「火」だとする（大胆な）思弁を展開したのに加え、万物本来の不安定性にも注目した。断片的に残る彼の言葉から、その思想が見て取れる。

アナクシマンドロスの肖像画
3世紀、イタリア

この古代ローマ時代のモザイク画（石やタイルの小片を配置して作った絵画）に描かれたアナクシマンドロスは、椅子に腰かけ、手に日時計を持ち、天を見上げている。

誰も同じ川に二度入ることはできない。

ある面では、この論は間違いだ。今日入るコンゴ川には、明日も入れるのだから。だが、別の見方をすれば正論だ。コンゴ川の水は絶えず流れ続けているから。川は絶えず流転する動態性の事物である。ヘラクレイトスは、人間をも含む万物に変化し続ける性質があると考えた（現代医学が解明した代謝回転を考えれば、私たちもこの説に同意したいところだ）。火に変化と流動性という特徴があると言うなら、もしかすると本当に万物の根源は火なのだろうか？

だが、パルメニデスは「万物は永遠に変化しない」という正反対の説を唱えた。極端な論に聞こえるが、彼の著書を精読すれば、意外にも説得力のある主張だとわかる。たとえば、あなたが家を建てたとしよう。昨日なかった家が今日はある。それはつまり、その家が「無」から生まれたということだ。では、「無」とは何なのか？「無」とは存在しない状態のこと。でも、「無」からは何も生まれないし、家がどこからともなく現れるということもあり得ない。この論理の連鎖をたどったパルメニデスにとって、「万物は流転する」という概念は信用に値しないものだった。

人間が無から生まれたと語ったり考えたりすることはできない。なぜなら、ありもしないことを考えたり語ったりはできないからだ。

パルメニデスにとって、万物は永遠不変の存在だった。

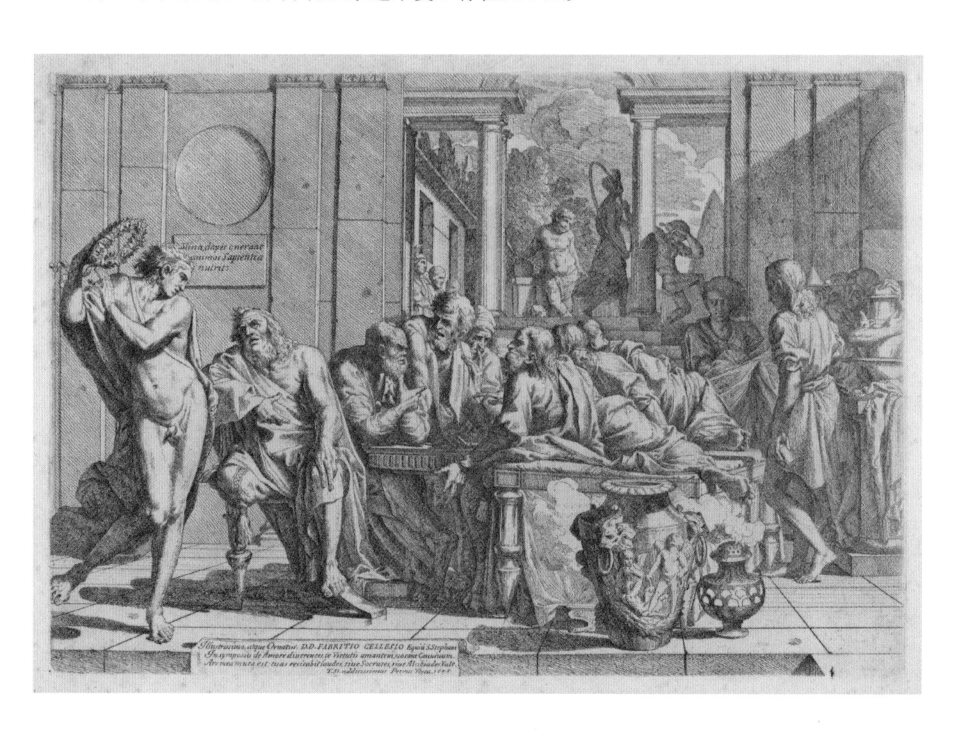

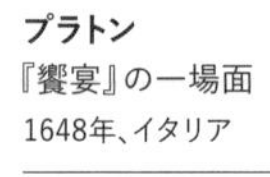

プラトン
『饗宴』の一場面
1648年、イタリア

イタリア人版画家、ピエトロ・テスタ作のこの挿絵は、プラトンの『饗宴』に綴られた有名な集会場面を描いたものだ。片足に体重をかけて裸で立つ左端の人物は、アルキビアデスである。背後の壁には、「ワインは宴を陰鬱にする／知恵は魂に栄養を与える」と刻まれている。

PLATE VI

ΠΑΜΠΟΛΛΟΥΣΕΠΙΤΑΣΘΥΡΑΣΚΑΙΕΠΙ
ΤΥΧΟΝΤΑΣΑΝΕΩΓΜΕΝΑΙΣΕΞΙΟΝ
ΤΟΣ [illegible] ΙΣΤΟΑΝΤΙΚΡΥΣΠΟΡΕΥΕΣΘΑΙ
[illegible] ΚΑΙΚΑΤΑΚΛΙΝΕΣΘΑΙ [illegible]
ΘΟΡΥΒΟΥΜΕΣΤΑΠΑΝΤΑΕΙΝΑΙΚΑΙΟΥ
ΚΕΤΙΕΝΚΟΣΜΩΟΥΔΕΝΙΑΝΑΓΚΑΖΕ
ΣΘΑΙΠΙΝΕΙΝΠΑΜΠΟΛΥΝ [illegible] ΝΟΝΤΟΝ
ΜΕΝΟΥΝΕΡΥΞΙΜΑΧΟΝΚΑΙΤΟΝΦΑΙ
ΔΡΟΝΚΑΙΤΟΥΣΑΛΛΟΥΣΤΙΝΑΣΕΦΗΟ
ΑΡΙΣΤΟΔΗΜΟΣΟΙΧΕΣΘΑΙ [illegible] ΠΙΟΝΤΑΣΕ
ΑΥΤΟΝΔΕΥΠΝΟΝ [illegible] ΝΚΑΙΚΑΤΑ
ΔΑΡΘΕΙΝΠΑΝΥΠΟΛ [illegible] ΚΡΩΝΤΩΝ
ΝΥΚΤΩΝΟΥΣΩΝΕΞΕΓΡΕΣΘΑΙΔΕΠΡΟΣ
ΗΜΕΡΑΝΗΔΗΑΛΕΚ [illegible] ΩΝΑΙΔΟΝ
ΤΩΝΕΞΕΓΡΟΜΕΝ [illegible] ΔΕΙΝΤΟΥΣ
ΜΕΝΑΛΛΟΥΣΚΑΘΕΥ [illegible] ΑΣΚΑΙΟΙΧΟΥ
ΜΕΝΟΥΣΑΓΑΘΩΝΑ [illegible] ΣΩΚΡΑΤΗ
ΚΑΙΑΡΙΣΤΟΦΑΝΗΕΤΙΜΟΝΟΥΣΕΓΡΗΓΟ
ΡΕΝΑΙΚΑΙΠΙΝΕΙΝ [illegible] ΜΕΓΑΛΗΣΦΙΑ
ΛΗΣΕΠΙΔΕΞΙΑΤΟ [illegible] ΣΩΚΡΑΤΗ
Ν [illegible] ΣΔΙΑΛΕΓΕΣΘΑΙΚΑΙΤΑΜΕΝΑΛ
ΛΑΟΑΡΙΣΤΟΔΗΜΟΣΟΥΚΕΦΗΜΕΜΝΗ
ΣΘΑΙ [illegible] ΝΛΟΓΩΝΟΥΤΕΓΑΡΕΞΑΡΧΗΣ
ΠΑΡΑΓΕΝΕΣΘΑΙΥΠΟΝΥΣΤΑΖΕΙΝ
ΤΟΙ
ΤΟΜΕΝΚΕΦΑΛΑΙΟΝΕΦΗΠΡΟΣΑΝΑΓ
ΚΑΖΕΙΝΤΟΝΣΩΚΡΑΤΗΟΜΟΛΟΓΕΙΝ
ΑΥΤΟΥΣΤΟΥΑΥΤΟΥΑΝΔΡΟΣΕΙΝΑΙΚ
Κ [illegible] ΩΔΙΑΝΚΑΙΤΡΑΓΩΔΙΑΝΕΠΙΣΤΑ
ΣΘ [illegible] ΠΟΙΕΙΝΚΑΙΤΟΝ [illegible] ΤΕΧΝΗΤΡΑΓΩ
ΔΟΠΟΙΟΝΟΝΤΑΚΩΜΩΔΟΠΟΙΟΝΕ [illegible]
ΤΑΥΤΑΔΗΑΝΑΓΚΑΖΟΜΕΝΟΥΣΑΥ
ΚΑΙ [illegible] ΣΦΟΔΡΑΕΠΟΜΕΝΟΥΣΝΥΣΤΑΖΕ
ΚΑΙΠΡΟΤΕΡΟΝΜΕΝΚΑΤΑΔΑΡΘΕΙΝΤΟ
ΗΝ
ΑΡΙΣΤΟΦΑΝΟΥΣΗΔΗΔΕΗΜΕΡΑΣΓΙΓ
ΝΟΜΕΝΗΣΤΟΝΑΓΑΘΩΝΑΤΟΝΟΥΝ
ΣΩΚΡΑΤΗΚΑΤΑΚ [illegible] ΜΙΣΑΝΤΑΕΚΕΙ
ΑΝΑΣΤΑΝΤΑ
ΝΟΥΣΑΠΙΕΝΑΙΚΑΙΩΣΠΕΡΕΙΩΘΕΙΣΠΕ
ΣΘΑΙΚΑΙΕΛΘΟΝΤΑΕΙΣΛΥΚΙΟΝΑΠΟ
[illegible] ΑΜΕΝΟΝΩΣΠΕΡΑΛΛΟΤΕΤΗΝΑΛ
[illegible] ΛΗΝΗΜΕΡΑΝ [illegible] ΤΡΙΒΕΙΝΚΑΙ
[illegible] ΤΩΔΙΑΤ [illegible] ΑΝΤΑΕΙΣΕΣ
[illegible] ΟΙΚΟΙ [illegible] ΑΙ

ΠΛΑΤΩΝΟΣ
ΣΥΜΠΟΣΙΟΝ

プラトン

『饗宴』

紀元前200〜紀元640年頃

エジプト

この薄紙に書かれた『饗宴』の断片は、最古のプラトン文献のひとつ。サッフォーやユークリッドの著作とともに、オクシリンコス・パピルスから見つかった。

10　愛の梯子

この時代の文学界を牽引した多作の作家のひとりに、プラトン（紀元前424～348年頃）という脚本家・政治理論学者がいる。彼は、主に友人たちの思想を対話形式で記録した——いや、歪曲して伝えたと言った方がいいかもしれない。プラトンは勤勉なアーキビスト〔永久保存価値のある資料を選別し、保存管理する専門職〕だったのか？　それとも他人の考えを自分のものとして紹介する剽窃者、もしくは自分の考えを他人が語っているように見せかける、狡猾な腹話術師だったのだろうか？　正体が何であれ、アテネという都市国家が輩出したこの思想家は、おそらく西洋思想界一のスターだ。何世紀もの間、その政治的・形而上学的・道徳的論文によって世に知られ、これらの異なる分野のわずかな関連性をうまくとらえる偉大なシステム・ビルダーとして認められてきた。

『饗宴』（紀元前384～369年頃）は、プラトンの対話篇のなかで最も有名な作品のひとつだ。そこには、詩人のアガトンが主催する盛大な宴会の様子が綴られている。アテネ社会の名士・善人たちが一堂に会し、陽気に騒いでいると、アガトンがギリシャ神話の愛の神、エロス讃美の演説をひとりずつ行おうと提案する。『饗宴』の登場人物たちは、プラトンが引き合いに出すサッフォーのように、愛に関心があった。

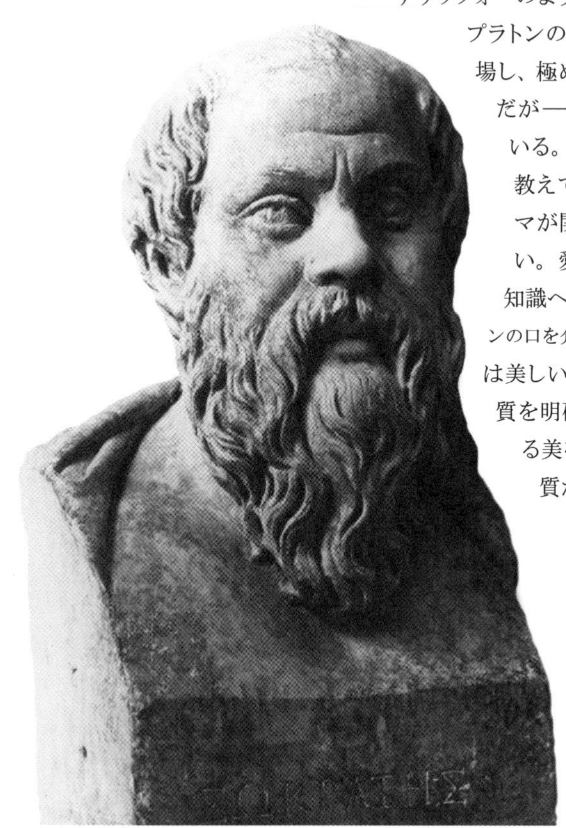

ソクラテスの胸像
紀元前400年、ギリシャ

白さを美や魅力と同一視する人種差別的な偏見が広まり始めた時代に作られたものだが、もとは着色されていた可能性が高い。白いのは大理石製だからではなく、薄い色合いの顔料が時代の経過とともに剥げ落ちてしまったせいだ。

プラトンの対話篇では恒例だが、彼の師匠であるソクラテスが作中に登場し、極めて洗練された思想を披露する。しかも——これもまた恒例だが——ソクラテスはそれを、他人の考えを伝えるという形で行っている。『饗宴』で彼が伝えるのは、若かりし日の自分に愛の哲学を教えてくれたマンティネイアのディオティマの思想だ。ディオティマが関心を抱いていたのは、愛そのものより愛の対象だったらしい。愛は、人々を美しい肉体への賛美から万物の本質を説く真の知識へと導く。ディオティマはそう考えた。（ソクラテス、あるいはプラトンの口を介した）彼女の言葉によると、愛は美によって引き起こされ、人は美しいもの（花や光沢のある布地など）を愛でれば愛でるほど、美の本質を明確に理解できるようになる。まずは、科学や法制度に存在する美を正しく理解しよう。この理解の梯子を上り詰めれば、美の本質が理解できる。

（愛する者は）絶対美の概念にたどり着けば、最後に美の本質がわかる。

この梯子の最上段にたとえた愛の理論は、どういうわけかディオティマの名前ではなくプラトンの名前を取って「プラトニック・ラブ」と呼ばれるようになった。この理論では、美が徳という善きものの一側面である場合（善きものは美を生む）、美に反応した愛は肉欲などの世俗的な結びつきを超え、崇高な精神的結びつきとなる、と考えられた。

愛が人を絶対的な美と徳に導く、と説くプラトンの作品には希望があるし、私たち現代人の目には社会的に進歩した姿勢に見える要素も含まれている。そのひとつが、『饗宴』の同性愛に関する記述だ。この作品では男性同士の恋愛関係（ホモセクシャル）が主要テーマのひとつであり、ソクラテスと彼の美しい愛弟子、アルキビアデスとの愛が例として示される。だが、21世紀に生きる人間には、これらの作品が性差別と女性蔑視にまみれているようにも見える。前述した愛の梯子理論では、肉欲を満たすための男女間の肉体的な結びつきよりも、男性同士の精神的な結びつきの方が本質的に高い価値があるとされているからだ。そのうえプラトンは、サッフォーが描いた女性同士の恋愛関係（レズビアン）については黙殺し、政治哲学書である『国家』には、つまらない作業は女性の仕事であり、女性の体は「醜い」と記した。

こうした性差別が展開されるのは『国家』だけではない。プラトンの著書には、女性は男性より生まれつき劣った存在だと体系的に示されている。この見解を踏襲し――声高に――主張したのが、プラトンの弟子、アリストテレスだった。

スタギロスのアリストテレス（紀元前384～322年）は、現在のギリシャ北部に位置するマケドニアで生を受け、プラトン主催の学園、アカデメイアで学んだのち、政治家の卵たちの家庭教師兼アドバイザーとして働いた。そして『自然学』『詩学』『弁論術』『政治学』『形而上学』『ニコマコス倫理学』など、膨大な数の作品を生み出した。興味の対象は多岐にわたり、そのなかには生物学や社会問題も含まれていた。

『霊魂論』と『形而上学』（この著作が『Metaphysics（形而上学）』と呼ばれるゆえんは、『Physics（自然学）』を描いた後（meta）に書いたことにある）では、「質料・形相論」とも呼べる概念を提示した。それはすなわち、万物は（たとえば猫もパンダも）その材料・素材である「質量（ヒュレー）」と、その特定の形である「形相（エイドス）」というふたつの形而上学的要素からできている、とする考えだ。少し乱暴なたとえを用いれば、アリストテレスのブロンズ像は材料（ブロンズ）と特定の形（アリストテレスの姿）からできている。自然物、加工物を問わず、すべての物体・生物に同じことが言える。形からわかるのは、その物体・生物の本質（実際にどんな種類のものなのか）だけではない。その機能や用途もわかる。

アリストテレスはこの「機能」のなかに、幸せな人生を送るためのヒントを見出した。彼も孔子と同じく、徳のある幸せな人生に深い関心を持っていた。『ニコマコス倫理学』（この表題は、これを編纂したと言われている息子の名前（ニコマコス）にちなんでつけられた）でも、「有徳で幸せな人生」とは何かという問いに焦点を当て、それは固有の機能を十分に発揮して生きることだと結論づけた。たとえば金づちには固有の機能があり、その機能に合った使い方をすれば本領を発揮できるように、人

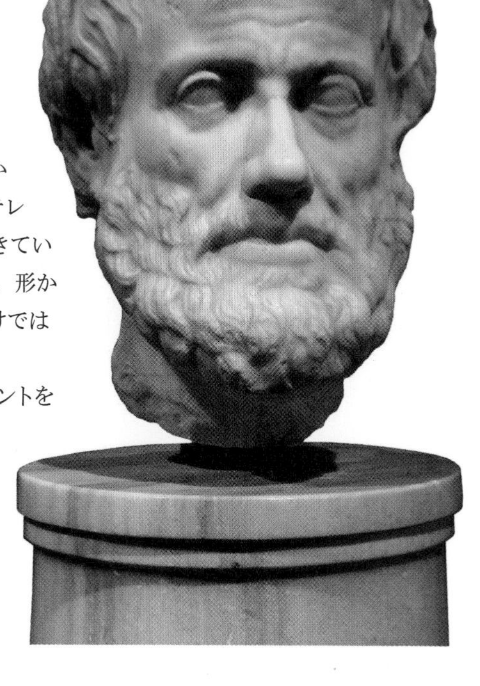

アリストテレスの胸像
紀元前320年、イタリア、ローマ

アリストテレスは、成熟した人間であることを示す無精髭の姿でしばしば表現される。この胸像は、ギリシャ文化に大きな影響を受けた古代ローマ人による複製。

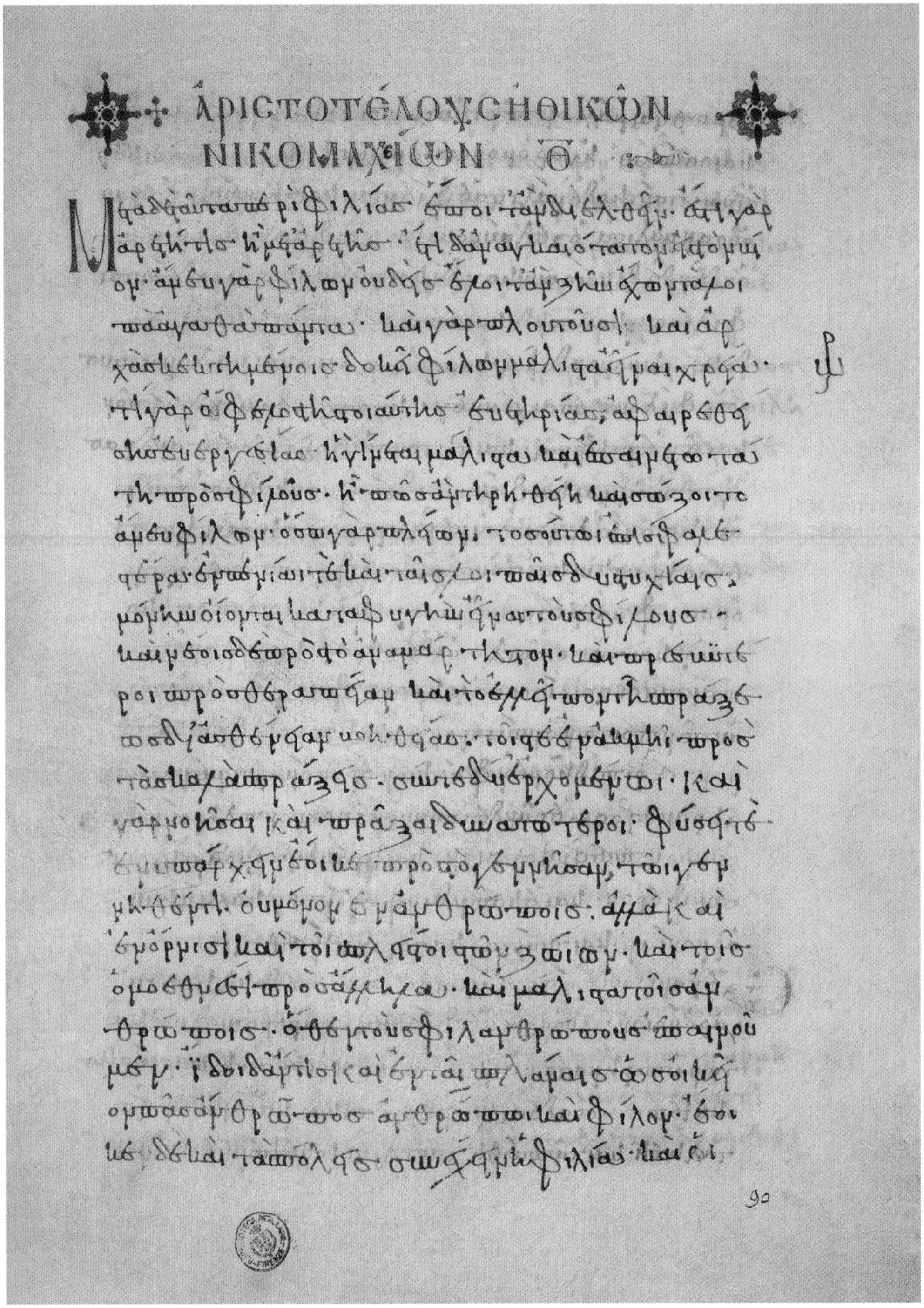

ΑΡΙΣΤΟΤΕΛΟΥΣ ΗΘΙΚΩΝ
ΝΙΚΟΜΑΧΕΙΩΝ Θ

アリストテレス
『ニコマコス倫理学』
10世紀、イタリア

フィレンツェのメディチ・ラウレンツィアーナ図書館で発見された、アリストテレスの『ニコマコス倫理学』の一部。ラウレンツィアーナ図書館は、メディチ家がもはや商人の家柄ではなく、文士や聖職者を輩出する名家であることを強調するために6世紀に建てられた。『ニコマコス倫理学』のような文学作品の所蔵は名誉の印だった。

間も固有の機能である「理性」を働かせて物事を探求することで有徳で幸せな人生が送れる、と考えたのだ。この「探求」には思考や会話、推論などが含まれる。私たちにとって一番幸福な状態とは、「理性」という固有の機能を活かして生きることなのだ。

アリストテレスは、ある種の社会的仕組みは生まれるべくして生まれたものだと示すのに労を惜しまなかった。たとえば『政治学』では、奴隷が奴隷である理由は生まれつき論理的思考能力が劣っているからだとして奴隷制を肯定している。また、『動物誌』で「女性より男性の方が歯が多い」と断言しているように、自分の女性蔑視傾向を正当化するために、突飛で明らかに間違った発言をすることもあった。私たちがそこから教訓を得るとしたら、「生まれつき」という言葉には要注意、ということだろう。

11　哲学界のスーパースター

哲学史において、孔子、プラトン、アリストテレスなどの一部の思想家たちは、他の思想家たちより大きな地位を与えられてきた。本章で取り上げたさまざまな作品は（優れた思想がすべてそうであるように）、私たちに「なぜ?」と問うよう促す。これほど多くの作品に偉大な思想が詰め込まれているなら、なぜ、私たちは漏れなくそこから学ぼうとしないのか?　なぜ、ある詩を哲学と見なし、また別の詩を科学や「単なる」文学（ですらない）と見なすのか?　なぜ、一部の思想家だけスター扱いし、他には注目しないのか?

たとえば中国史において、孔子はなぜ、これほどまでの重要人物となったのだろうか?　彼の思想は、何世紀も前に伝播した思想を悪びれもせずに焼き直ししたものだった。孔子自身も「私の役目は発信することであって、刷新することではない」と述べている。彼の思想にはオリジナリティがなかった――文学界に多大な貢献をした『論語』も、弟子が書いたものだ。ということは、私たちはオリジナリティにこだわる必要などないのだろうか?　ソクラテスは、自身の思想を何ひとつ書き残していないのに、彼以前の思想家たちが「ソクラテス以前の思想家」と呼ばれるほど、時代を特徴づける思想家と考えられているのはなぜなのだろうか?

なぜ、これらの作品はこれほどまでに著者を強調するのだろうか?　本書の現時点で最も重要な疑問はこれかもしれない。少なくとも前述した一連の考察から、偉大な作品は実にさまざまな形で生み出されていることがわかった。『ヴェーダ』や『ウパニシャッド』など、複数の思想家たちが話し、考え、書き、聞いた内容をひとつにまとめたものが聖典となることもある。サンスクリット語で書かれた700行の詩、『バガヴァッド・ギーター』が収録されている壮大な叙事詩、『マハーバーラタ』についても考えてみよう。一部で著者と伝えられているヴィヤーサは、実は著者ではなく、この書を校合した人物らしい（「ヴィヤーサ」という言葉には「編纂・編者」の意味がある）。『論語』『墨子』『アプロディテ讃歌』も、思想家の言葉を第三者がまとめたものだ。これらの文献の存在によって、偉大な思想は思想界の偉人が自ら本にまとめているという神話が覆される。そして、なぜ著者がこれほど強調されているのか、一部の思想家ばかりもてはやされるのは政治的な目的があるからではないのか、という疑いもこみ上げてくる。これについては、アリストテレスの最も有名な弟子――アレクサンドロス3世ともアレクサンドロス背徳王とも呼ばれる人物――に言及しながら次章で詳説しよう。

2

境界交差

BOUNDARY CROSSINGS

紀元前300～紀元200年

1　思想の輸出入

紀元前3世紀は文化の交流とせめぎ合いが激しく、物理的・思想的境界線が複数の大国によって何度も引き直された時代だった。ペルシャ帝国は何世紀もかけて、地中海沿岸地方からペルシャ帝国の中心部や中国を結ぶ、十分に整備された交易の巨大ネットワーク――かの有名な「シルクロード」――を完成させていた。さらに、ダレイオス1世（紀元前550～486年）の統治下では、簿記と徴税という複雑なシステムに支えられた進歩的なインフラが整備された。このペルシャ王が数々の成功を収めた理由は、他国を征服し服従させたからではなく（一部の成功はそれが理由だったが）、文化の流入を容認し、寛容な政策を取ったからだ。たとえば、自らの即位の経緯とその正当性を主張するために、ベヒストゥン山の頂上に碑文を立てたが、そこには古代ペルシャ語とエラム語、アッカド語という異なる3つの言語を刻んだ。この「ベヒストゥン碑文」から、ダレイオスが多様な臣民に合わせて多様な言語を用いる必要性を認識していたことがわかる。今の通念とは異なるが、「グローバリゼーション」は決して現代だけの現象ではなかったのだ。

ペルシャ帝国は物品のみならず、思想の輸出入にも積極的だった。主な輸出品のひとつがゾロアスター教だ。ゾロアスター教はバラモン教や儒教と並び、宗教を哲学から切り離そうとする近代学問の試みに反するもので、原典『アヴェスター』では、道徳的・精神的な教えだけでなく、形而上学にも重点が置かれている。今ではサンプルがほとんど残っていないアヴェスター語で書かれたこの文献は、ゾロアスター教の開祖ザラスシュトラ、ギリシャ語名ゾーロアストレース（紀元前1500～1200年頃）の言葉をまとめたものだと言われ、その内容はガーサーと呼ばれる韻文詩に始まり、最高神アフラ・マズダーが双子の善なる霊と悪しき霊を生み出すという複雑な宇宙論へと進む。この善なる霊は「真実」「善」「創造」「存在」の象徴であり、悪しき霊は「不誠実」「邪悪」「破壊」の象徴だ。『アヴェスター』は善悪二元論を織り込み、一神教の世界観を系統立てて明確に説明した最古の文献のひとつである。同時代の多神教の経典と違うのは、国家宗教の原典として唯一絶対の神を中心にした道徳規範を示し、意思決定のすばらしくシンプルな枠組みを提示している点だ。さらに主体性を強調している点も特徴的で、善なる霊を求めるか悪しき霊を求めるかは結局、自分次第だと説いている。

『アヴェスター』は交易路を介してさまざまな言語に翻訳され広まった――が、アフラ・マズダーと個人の選択についての中心的メッセージは、薄まることなく遠方の国々にも届いた。その影響は仏教やユダヤ教、キリスト教の思想にも見られる。現に、数世紀後にはフリードリヒ・ニーチェがザラスシュトラのドイツ語読みをタイトルにした『ツァラトゥストラはかく語りき』を著し、この多大な影響力を持つ偉大な人物に露骨なオマージュを捧げている。個人の選択を重視するのは、ダレイオス1世とキュロス2世の治世

ザラスシュトラの肖像
9世紀、ドイツ

9世紀のヨーロッパ人が想像したザラスシュトラ。赤いローブ姿で笏を手に玉座に座り、カラフルな衣をまとった神官らしきふたりの人物と会話している。フランク人ベネディクト会士、ラバヌス・マウルス（780～856年頃）の『De rerum naturis（物事の本質について）』の手書き写本の一部。

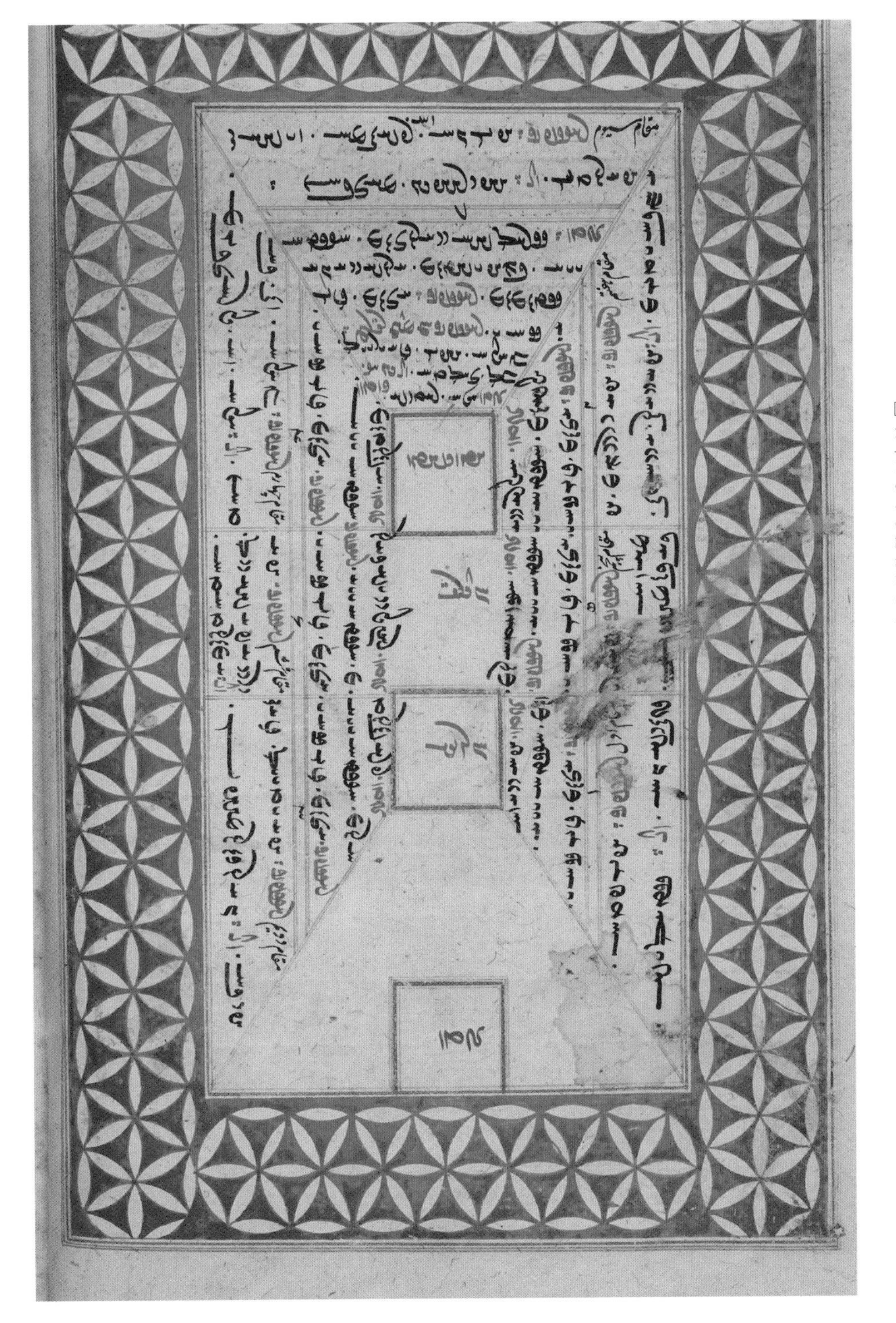

『ヴェンディダード・サダー』
1647年、イラン

17世紀に書かれた、ゾロアスター教の法典に基づく典礼書、『ヴェンディダード・サダー』の一部。赤と黒のインクを用いて古代イランの言語であるアヴェスター語で書かれ、赤い幾何学模様の縁飾りが施されたこのページは、さまざまな角度から読めるようになっている（アヴェスター語は右から左へ書く）。

『ヴェンディダード・サダー』
1647年、イラン

（上）ミフルバン・アヌシルバン・バラム（Mihrban Anushirvan Bahram）による筆耕と見られるこのゾロアスター教文献の本文の真ん中に、ペルシャ語の奥付（著者と印刷者に関する記述）がある。
（下）ゾロアスター教の文献には挿絵がないのが普通だが、『ヴェンディダード・サダー』には赤と緑の樹木など、さまざまな彩色画が挿入されている。

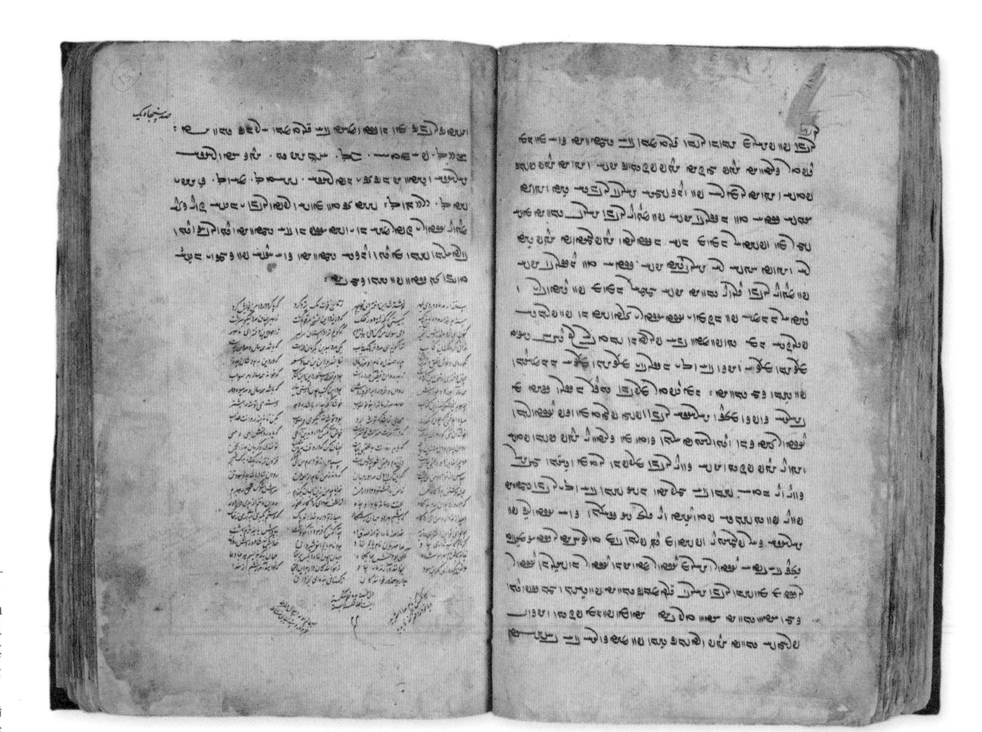

の特徴だったにちがいない。臣民たちの道徳心の向上は臣民本人の責任だと見なされており、個人が倫理的選択を下せるかどうかは、国が心配することではなかった。だから、文化の流入に対して寛容な政策が取れたのだろう。ペルシャ帝国の歴代の統治者たちは、国教を大衆に押しつける代わりに、さまざまな民族のさまざまな倫理的宗教を（当然、程度の差こそあれ）容認した。

2　戦争の遺産

言語と文化の境界が交わるにつれ、思想の往来が活発になった。そして、ある者たちには「偉大なるアレクサンドロス大王」、そして別の者たちには「アレクサンドロス背徳王」と呼ばれた世界征服者によるマケドニア王国の領地拡大に伴い、思想交流は著しく進展する。

紀元前335年にマケドニア王国の王位に就いた若きアレクサンドロス3世（紀元前356～323年）は、世界帝国樹立という歴史上、類を見ない壮大な国家プロジェクトに着手した。ローランド地方やガリアなどの西方諸国を無視して東方に遠征し、マケドニア人が「ガウガメラ」と呼ぶペルシャの中心部（現在のイラクのクルディスタン）でダレイオス3世を打ち負かしてバビロニア帝国を征服すると、さらにインダス川流域に兵を進めた。

古代エジプトは数千年前からアフリカ系の王たちの手で支配され、比較的安定した状態を維持してきた。だが、ペルシャ軍とマケドニア軍からの相次ぐ侵略を受け、この古代アフリカ人国家の様相は変わり始める。アレクサンドロスに征服されたエジプトには、プトレマイオス朝という新王朝が樹立（この王朝名は、マケドニア軍兵士でアレクサンドロスの友人でもあるプトレマイオスの名前にちなんでつけられた）。ここから、特にギリシャ思想をもてはやす、長期にわたる文化事業が幕を開ける。図々しくも「アレクサンドリア」と名付けられた首都には、かの有名なアレクサンドリア図書館が建てられ、絶頂期には、何十万部とまではいかなくとも何万部もの巻物が保管されていた。そのなかには、古来、人々が数学と音楽の接点と音調アルゴリズムの分析に関心を抱き続けてきたことを証明する、キュレネのプトレマイス（生没年不詳、紀元前3世紀に活躍）の『ピタゴラス学派の音楽理論』や、クラウディオス・プトレマイオス（100～179年頃）の『Harmonicorum（ハルモニア論）』も含まれていた。

この文化事業が、ギリシャ思想のさらなる普及につながる。しかし、どんどん版図を広げるマケドニアには、アレクサンドロスの家庭教師だったアリストテレスの著作に見られるような、他国侵略の概念的・倫理的裏付けになるものが必要だった。つまり、アリストテレスや当時の他の哲学者たちの著書は、「偉大なる」マケドニア国王の侵略・占領を正当化するのに利用されたのだ。

たとえば、アリストテレスは「勇気」を人間が持つ卓越性（徳）ととらえた。『ニコマコス倫理学』では、勇気を「無謀」と「臆病」の中間にあるバランスの良い

クラウディオス・プトレマイオス
年代不詳

目の部分に茶色の宝石の原石をはめ込み、石の台座をつけたクラウディオス・プトレマイオス（90～168年頃）のブロンズ製胸像。口を閉じ、遠くを見つめる陰鬱な表情で表現されている。王立地理学会が所有するこの種の胸像は、歴史物語の普及に活用されている。

アレクサンドロス3世
1世紀もしくは2世紀、イタリア

大理石で作られた、若きアレクサンドロス大王の胸像。今にも話し出しそうに口を少し開いているが、目はうつろだ。ギリシャ時代のブロンズ像の複製。

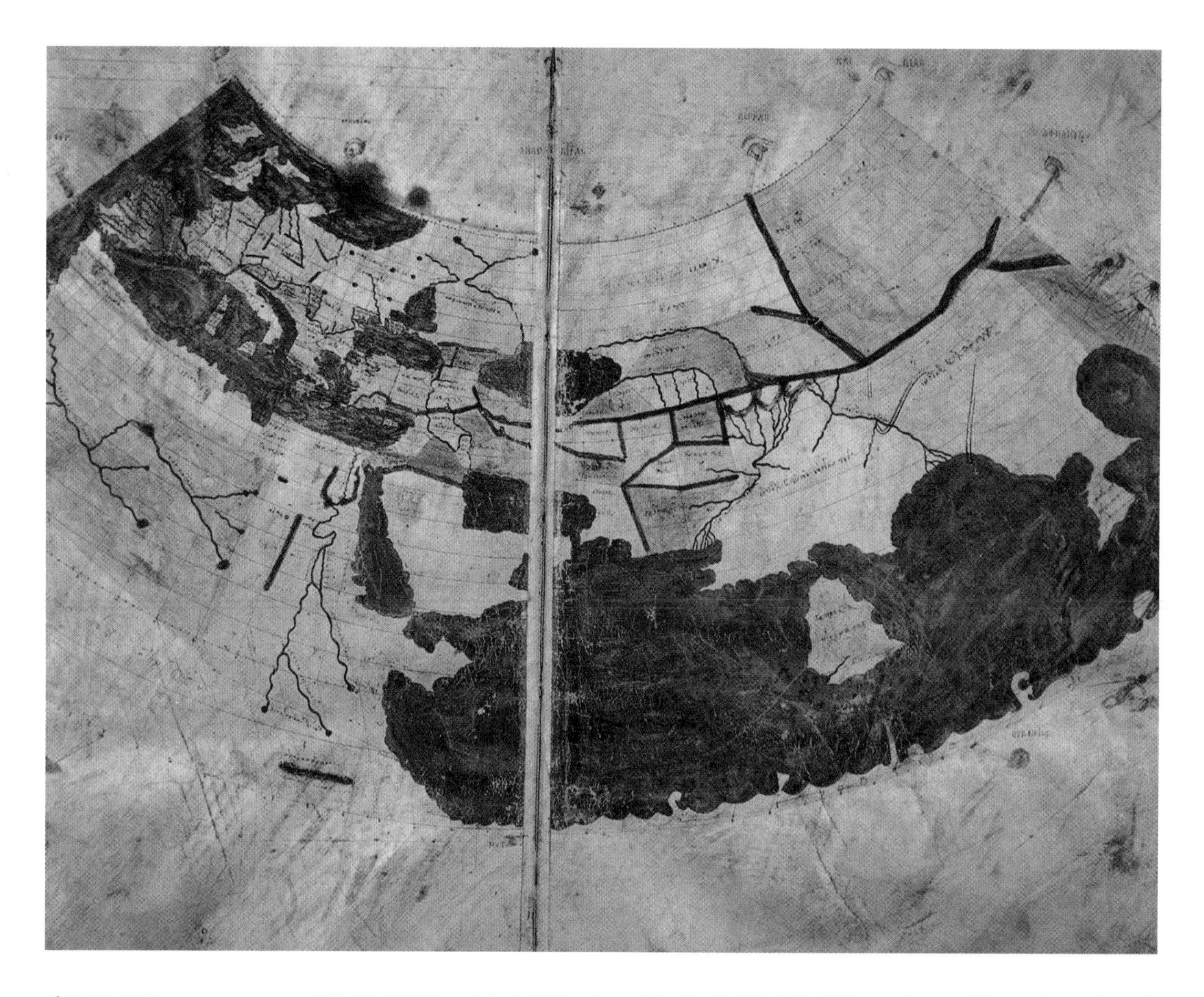

プトレマイオス図
15世紀、イタリア、フィレンツェ

ところどころ青く着色されたこの写本は、プトレマイオスの『地理学』(150年頃)に挿入されている世界地図の複製。地中海沿岸地域だけでなく、中国とセイロン島の川や土地の名前も記載されている。衛星画像のない時代だったにもかかわらず、驚くほど正確だ。

状態だと奨励し、あらゆる徳のなかでも特に習慣と実践を通して身につくものであるから、戦時では勇敢な行動に専念すべしと説いた。アレクサンドロスはこの教えを真剣に受け止め、34歳で(予想通りの)早すぎる死を迎えるまで、10年間休まずに軍事行動の指揮を執り続けた。

この種の徳育は、『政治学』に明示されたアリストテレスのもうひとつの見解と深いかかわりがあった。それは、一部のコミュニティ(アリストテレスはギリシャ人を示唆した)はもともと他のコミュニティを支配するようにできている、という見解だ。前述した——もともと他国より自国が優れ、女性より男性が優れ、奴隷より自由人が優れているとギリシャ人が信じていた——序列は、この世界規模の領土拡大政策に必要な概念だった。

もちろん、アレクサンドロスは師が書いたものに徹頭徹尾従って政策を推し進めたわけではない。アリストテレスの『政治学』には、(富裕層・貧困層の中間的立場である)中産階級は政治体制安定の要になるため、その権利を重視した政治を行うべきだと記されているが、独裁的なマケドニア王は、アリストテレスの他の思想に比べ、このアドバイスにはさほど食指が動かなかったにちがいない。マケドニアの侵略行為の被害に遭ったゾロアスター教文献『アルダー・ウィーラーフの書』の著者たちは、アレクサンドロス率いる軍から非情な仕打ちを受けたことを書き記し、この国王を「アレクサンドロス背徳王」と呼んだ。

3　補足資料

当時の文書はほとんど現存せず、ましてや完全な形で残っているものとなればさらに数がない。大半が（紀元前48年のユリウス・カエサルによるアレクサンドリア図書館の破壊などの）時代の荒波に揉まれて消失したり、破壊されたり、断片しか残らなかったりした。現代の著述家たちは哲学史研究者の綿密な調査を執筆の土台にしているが、当の哲学史研究者自身は、たいてい紀元1千年紀以前の古代の歴史家たちの著作を研究資料として重視している。つまり本書は、若干めまいを感じるような「入れ子構造」で編纂作業が行われた、一連の文献をベースに論を進めていることになる。

プルタルコスの『英雄伝』は紀元1世紀に、ディオゲネス・ラエルティオスの『ギリシア哲学者列伝』は2世紀〔3世紀という説もある〕に書かれた。彼らはそれぞれギリシャとアナトリアの出身だ。プルタルコス（46～120年頃）の『英雄伝』は、最古の伝記のひとつと見なされている。このギリシャ人哲学者が書いた伝記集には、ギリシャ・ローマの統治者と思想家48人の人生が対比の形で紹介されている。たとえば、アレクサンドロス3世に関する私たちの知識の大半は、このプルタルコスの著書から得たものだ。『英雄伝』は各戦争の日付と名称をただ列記しただけの作品ではなく、たとえばアレクサンドロスの項では、彼にどんな美徳があったのか、その美徳をいかにして身につけたのかなども記されている。プルタルコスは先人たちと同様に、英雄たちの人間性に興味があったらしい。

いささか手前味噌な感じも否めないが、プルタルコスは、アレクサンドロス大王のあまたの成功の理由は、彼が哲学者に高い敬意を払っていたからだと主張した。そこで必然的に言及されたのがアリストテレスの存在だ。彼を大王に影響を与えた人物として紹介し、大王は万が一のための短剣といっしょに、師の著書を毎晩、枕の下に置いて寝たと綴った。さらに大王は、アイスキュロスとエウリピデスの悲劇に加え、ホメロスの『イーリアス』も「戦術書」として愛読したという。ソクラテスの弟子であるアテネのクセノポンも、アリストテレス同様、アレクサンドロス大王にインスピレーションを与えたと言われている。詩人であり軍人でもあったクセノポンは、ペルシャ帝国の内紛に従軍したときの顛末を『アナバシス』（紀元前370年頃）に詳述した。プルタルコスによれば、アレクサンドロス大王のこうした民族誌学的な書物に対する強い関心は、植民地支配に大いに役立ったという。

プルタルコスの『英雄伝』はアレクサンドロス大王が、征服したペルシャ帝国の伝統や習慣の導入を部下たちに強制したとも伝えている――部下たちに現地化を促すという融和政策を行ったのだ。彼の戦いぶりは血も涙もなかったが、こうした地域文化への気配りも彼の成功の一因だった。アレクサンドロスは領土拡大を推し進める一方で、――たとえばユーラシア大陸の大草原地帯に住む部族の攻撃から守るなどして――新たな臣民たちのニーズに応え、現

ホメロス
『イーリアス』の一場面
1世紀、イタリア・ポンペイ

腰かけたアガメムノン王と、彼と言い争いになり剣に手をかけたアキレウス、そしてふたりの仲裁に入ろうとしている第三者の姿を描いた、赤と茶の色合いのモザイク画。石やガラスの小片を組み合わせたモザイク画は耐久性が高いため、古代ローマではしばしば床や壁の装飾に使われた。

地の伝統も尊重した。プルタルコスによると、ペルシャ入りしたアレクサンドロスはペルシャ風の衣装をまとい、プロスキューネーシス（崇拝する者の手にキスするなどの儀礼的慣習）というペルシャ風礼式を自ら実践したという。こうしてマケドニア王と軍はペルシャのエリートたちと安定した関係を築くことに成功し、ペルシャ人は自分たちのニーズを満たしてもらう見返りとして、マケドニアのために義務を果たすよう求められた。

この戦略が、東西の文学と宗教伝統の融合につながった。哲学史の研究者たちは、アレクサンドロスの東征によって交流した東西文化の著しい類似点を指摘している。そのひとつは、古代ギリシャ哲学と古代インド哲学では、どちらも対話型の論証形式が用いられていたという点だ。「万物の根源」の具体的な要素──土、風、火、水──も同じだった（善悪二元論を唱えるゾロアスター教や5行説を唱える古代中国とはまるで違う）。しかし、こうした大きな類似点は見つかっ

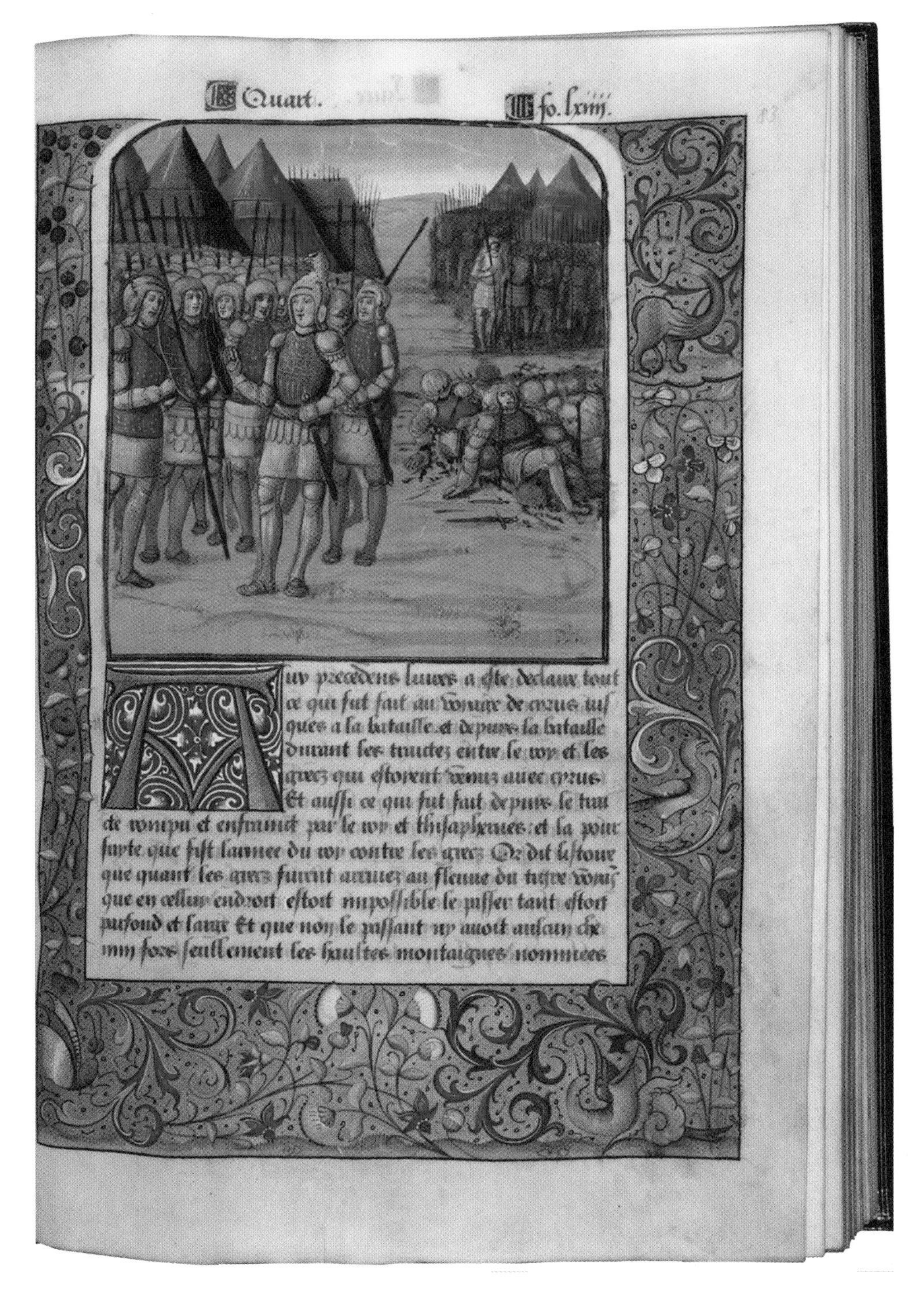

クセノポン

『アナバシス』

1508〜1509年、フランス

16世紀の装飾写本に描かれた、敵軍の野営を背景に、敵兵たちの死体の山の隣でポーズを取るクセノポンとギリシャ軍。この挿絵と、凝った装飾のイニシャルが入った下のテクストは、豊かに生い茂る植物と奇妙な生き物の絵で縁取られている。

たものの、すべての文化の到着点が明らかになったわけではない。マケドニアがギリシャ神学を新たな領土に広めたことは、ギリシャの神々を模った現存する彫像や硬貨が証明しているが、アテネには交易ルートをたどってどの思想がたどり着いたのかいまだ定かではない。

4　哲学界の急進派たち

ブッダ像
3世紀、パキスタン、
カイバル・パクトゥンクワ州

片岩を彫って作ったこのブッダ像には、複数の小像が彫られた台座がついている。ブッダは衣を優雅にまとい、両手を少し上げて微笑を浮かべた慈悲深い姿に表現されている。

世界中の思想史を見ても、「パーリ仏典」ほどの影響力を持つ文献はほとんどない。紀元前1世紀に編纂されたこの仏典には、「釈迦」や「仏陀」という名でも知られているインド人思想家、ゴータマ・シッダールタ（紀元前563～483年頃）の教えが収められている。インド北部の王族階級（クシャトリヤ）に生まれたゴータマは、相続財産のすべてを放棄して出家し、禁欲的な苦行生活を送った。この仏典の教えは、ヴェーダ文化の精神的・社会的ヒエラルキーに真っ向から反対しているが、他の仏典や正典と同じようにさまざまな解釈がなされ、そこからさまざまな学派が誕生した。その最大学派がテーラワーダ仏教（小乗仏教）とマハーヤーナ仏教（大乗仏教）だ。

テーラワーダ仏教はパーリ語（パーリ仏典で用いられているインド＝アーリア系言語）で、「長老派」を意味する――現に、マハーヤーナ仏教より歴史が古い。テーラワーダ仏教徒の話では、ゴータマの死後まもなく、彼の知恵を保存するために各学派が集まって協議したという。そして彼の教えは体系化され、当初、口頭で伝承されたが、のちにパーリ仏典に筆録された。最初に筆写されたのが律に関する文献「律蔵」と、ゴータマの教えに関する5部構成の文献「経蔵」の最初の4部だ。一方、マハーヤーナ仏教の誕生はそれより若干遅い、紀元前後のことで、代表的な仏典は「法華経」である。

このように学派によって仏典は異なるが、「業」「輪廻」「苦」「涅槃」「無我」――伝統的なヴェーダ文献『ウパニシャッド』に対抗する一連の強力な概念――という中心思想はどの仏典にも共通した。「業（サンスクリット語で言う「カルマ」）」は、善行は幸運を呼び、悪行は悪運を招く普遍的な組織原理、「因果応報」を意味する。仏教徒の間では、業が現世での運命と来世の行き先を決定づけると考えられた。バラモン教徒と同じく、テーラワーダ、マハーヤーナ両派の仏教徒にとって、高い霊的次元に達することは、永遠に生まれ変わり続ける「輪廻」というシステムから脱する、いわゆる「解脱」に必要なステップだ。人は死んでも何度も生まれ変わると信じている仏教徒たちは、この永遠のサイクルを、肉体・精神を悩ませる不快な状況（「苦」）と見なしてそこからの解放を目指した。

『パーリ仏典』には、善行と長時間の内省を通して善悪の業のバランスを調整すれば、一切の束縛や悩みから解放される、「涅槃」と呼ばれる高い霊的次元に到達できると記されている。輪廻からの脱出を目指すこの旅の最大のステップは、「無我」と呼ばれる真実の認識だ。大雑把に言えば、無我とは「自己の否定」もしくは「自他の区別の否定」を意味し、これは仏教の最も斬新な発想のひとつとされている。この論に従えば、私たち人間の見かけなど、何ひとつ当てにできないことになる。一人称の「私」と呼ぶ存在は幻にすぎないからだ。「実体があるものはこの世にない」と悟ることで、永遠に生まれ変わるサイクルにピリオドが打てる。つまり「無我」は、輪廻という問題の劇的・根本的な解決法なのだ。

「無我」の教義の理解に努め、受け入れることが仏教の主眼のひとつだ。そのためには仏典の教えを実践し、私欲を捨てなければならない。その具体的な実践方法には、禁欲、孤独、ヨーガによる瞑想、物的所有物の放棄などが挙げられる。これらの教えは精神に作用するだけでなく、政治に対する急進的な思想にもつながった。仏教は、富と特権が不平等に——しかも生まれながらにして——配分されるカースト制という社会階層に真っ向から対抗する思想だ。その中心的信条は、ゴータマが自ら実践したように、修行の邪魔になる地位や富を捨てて悟りの境地に達することだった。

同じ頃に『アカランガ・スートラ』などのサンスクリット文献に体系化されたジャイナ教の開祖、マハーヴィーラの教えにも、同様のバラモン教批判が見て取れる。マハーヴィーラ（紀元前540～468年頃）はゴータマと同じくクシャトリヤ階級に生まれたが、やはり身分を捨て、自己を見つめ直す修行に身を投じた。千年紀の変わり目に編纂された『アカランガ・スートラ』と、『スートラクルタンガ（Sutrakrtanga）』や『スターナ・ガスートラ（Sthana gasutra）』などの関連文献を基盤とする——大規模な影響力を持つ、もうひとつの宗教——ジャイナ教も、人間はカースト制と、現世での地位と、司祭階級が行う祭式によって霊的成長を遂げるとするバラモン教の信条に強く反発している。また、仏教と同様に、世俗を捨てた修行生活を重視し、特に断食の修行を通して怒りや高慢、欺瞞、強欲などの負の感情の解消を目指した。アレクサンドロス王がインダス川流域に進軍していた頃、仏教とジャイナ教の思想家たちは世俗的な欲求に背を向けていたのだ。

『大義釈』
年代不詳、ミャンマー

ビルマ＝パーリ語に翻訳された仏典、『大義釈』の断片。黒インクを使ってビルマ語で筆写され、赤い縁取りを施したものや、深紅の漆で装飾されたものなどさまざまなタイプがある。現在はロンドンのウェルカム・コレクションが所蔵。ウェルカム・コレクションは、19世紀の製薬界の有力者、ヘンリー・ウェルカムの収集物を管理するために建てられた、世界各国の古典文学を所蔵する世界最大の博物館だ。

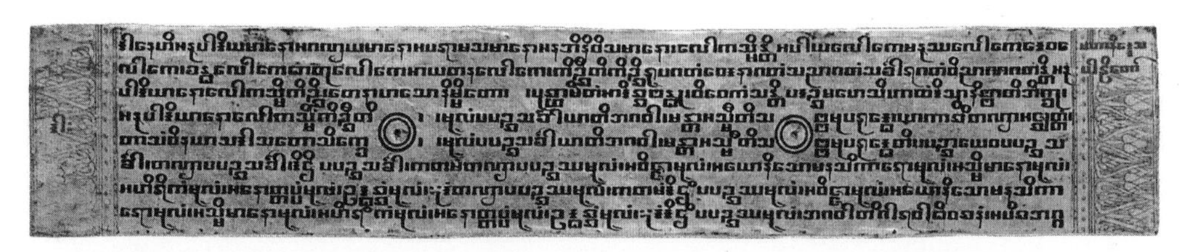

U・カンディ

『三蔵』の一部

1913年、ミャンマー、マンダレー

1874年にミンドン・ミン王の命で建てられたミャンマーの仏舎利塔、サンダマニ・パゴタで発見された石板。1913年に仏教哲学者のU・カンディ（1868～1949年）が『三蔵』の「経蔵」「律蔵」「論蔵」に注釈を加えたものを1772枚ほどの石板に刻んだ。

〈次ページ〉

『ウッタラディヤヤナ・スートラ』

16世紀、インド

黒と赤のインクで書かれ、中央のひときわ大きなマガダ語のテクストをサンスクリット語の注釈で挟んだ『ウッタラディヤヤナ・スートラ』の一部。装飾的な建築物の前に座って教えを説くジャイナ教の開祖、マハーヴィーラと、教えに耳を傾けるふたりの小さい信者が色彩豊かに描かれている。ここで使われている「マシー（masi）」というインクは、紀元前3世紀からインドで普及していた。

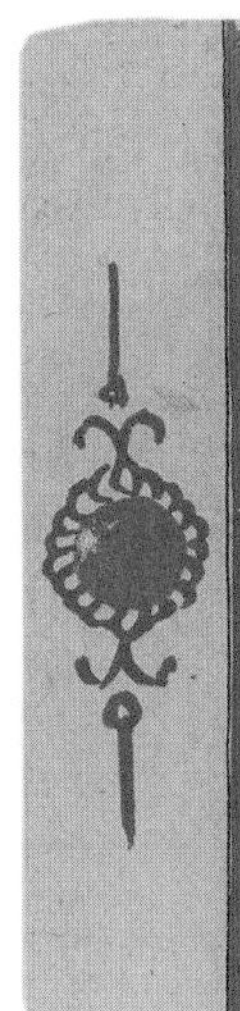

[illegible]

...नमो वीतरागाय॥ संजोगा विप्पमुक्कस्स अणगा रस्स भिक्खु
णो॥ विणयं पाउकरिस्सामि आणुपुव्विं सुणेह मे॥१॥ आ णानिद्दे
सकरे गुरूणमुववायकारए इंगिआगारसंपन्ने से विणी इ त्ति वुच्चई

[illegible]

写本の表紙
12世紀、インド、グジャラート州

ジャイナ教文献のこの木製の表紙には、赤を背景に、武器や宝石、食べ物を手にして斜め前を向く、色とりどりの服を着た12人の人物が水彩絵の具で描かれている。真ん中の通し穴に釘を刺し、読者が複数のページを同時に見られるように綴じていたのだろう。

5 判断の留保

ディオゲネス・ラエルティオス（180〜280年頃）の『ギリシア哲学者列伝』に記された「裸の賢人」とは、修行に励む仏教徒とジャイナ教徒のことだったにちがいない。この伝記集は「裸の賢人」の項を設けてはいないが、エリス出身の哲学者、ピュロンの項でその存在に触れている。ラエルティオスによると、ピュロン（紀元前360〜270年頃）はアレクサンドロス率いるマケドニア軍に同行してインダス川流域に入り、そこでこの宗教的思想家たちに出会ったという。ピュロンの思想、特に「ピュロン主義」と言われる懐疑主義は、この出会いが転機となって生まれたと思われる。

ピュロン自身の著作は消失しているが、彼の思想はセクストス・エンペイリコス（160〜210年頃）の『ピュロン主義哲学の概要』からうかがい知ることができる。ピュロンの思想の特徴は、「アタラクシア」――魂の平安――を重視している点だ。魂の平安は「判断の留保（エポケー）」によって実現できるとピュロンは考えた。独断や断定を避け、あらゆる判断を留保すべし。これがピュロンの唱える懐疑主義である。判断の留保によって、心の動揺から解放され、平安が見出せる、とピュロンは（エンペイリコスを介して）現代に伝えている。

当時の状況は断片的にしか解明されていないため、ピュロンがインドの哲学者たちとどの程度の交流を持ったのか正確にはわからない。しかし、ピーター・アダムソンとジョナルドン・ガネリを始めとする思想史家たちは、古代仏教・ジャイナ教思想とこのギリシャブランドの懐疑主義との間に確固としたつながりを見出している。例として、「四句分別」と呼ばれる論理形式を取り上げてみよう。これは、「肯定（AはAである）」「否定（AはAではない）」「肯定かつ否定（AはAであり且つAではない）」「肯定でも否定でもない（AはAであるのでもなくAでないのでもない）」の四段論法を指す。ナーガールジュナ（150〜250年頃）が定型化して著作の主要要素として取り入れ（80ページ参照）、インド認識論の一形式として普及した。ピュロンのエポケーの論拠にも重要な役割を果たしている。

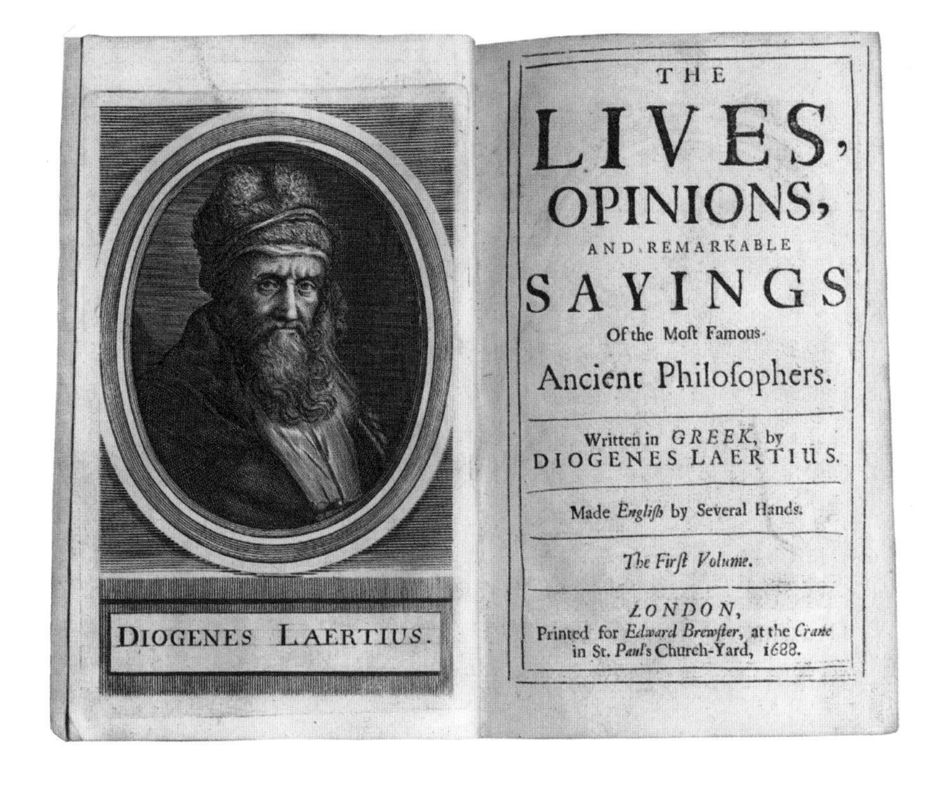

DIOGENES LAERTIUS.

THE
LIVES,
OPINIONS,
AND REMARKABLE
SAYINGS
Of the Most Famous
Ancient Philosophers.

Written in GREEK, by
DIOGENES LAERTIUS.

Made English by Several Hands.

The First Volume.

LONDON,
Printed for Edward Brewster, at the Crane
in St. Paul's Church-Yard, 1688.

ディオゲネス・ラエルティオス
『ギリシア哲学者列伝』の
タイトルページ
1688年、エドワード・ブリュースター：
イギリス、ロンドン

左ページ楕円の枠内は、帽子を耳元まで深くかぶり、髭をたたえたディオゲネス・ラエルティオス。眉をひそめ、薄ら笑いを浮かべてこちらをじっと見つめている。右側のタイトルページにはギリシャ語書籍と書いてあるが、「複数人による英語訳」とも記されていることから、翻訳作業が共同事業として行われていたとわかる。

ラエルティオスの『ギリシア哲学者列伝』とエンペイリコスの『ピュロン主義哲学の概要』、そして「パーリ仏典」を丁寧に読み解くと、それぞれの思潮が部分的に一致し、境界が交差していることがわかる。これは、この狭い範囲の現象にとどまらない。たとえば、ピュロンの懐疑主義が当時、アレクサンドリアとアテネで人気があったキュニコス派に影響を与えたのは間違いない。キュニコス派の主義を意味する「シニシズム」は、現代では悲観主義や厭世観に関連する言葉だが、新たな千年紀が始まった頃は違う意味を持っていた。ギリシャ語で「犬」を意味するkyonが名前の由来であるキュニコス派は、虚飾だらけの文明社会に背を向け、路上で「犬のように」暮らす禁欲生活を重視した哲学者集団だった。

しかし、彼らは実践を重んじるがゆえに、自分たちの世界観を積極的に書物にまとめようとしなかったため、残念ながら初期のキュニコス文献はほとんど現存しない。この学派の思想家たちに関する私たちの知識の大半は、ヒッパルキア、テーバイのクラテス、シノペのディオゲネスらを取り上げたラエルティオスの『ギリシア哲学者列伝』から得たものだ。女性で唯一取り上げられたマローネイアのヒッパルキア（紀元前350～280年頃）は、キュニコス派の最も熱心な学徒のひとりだ。夫であるテーバイのクラテスとともに、アテネの路上で自分の思想に基づく貧しい暮らしを実践した彼女は、誰もが願う「良き（富に恵まれたハイソな）人生」に強く反発し、できるだけ自然に沿った、自給自足の生活を送った。持ち物は数えるほどしかなく、なんとか食いつなぎながら、貧困や苦しみに耐えるために――アスケーシスと呼ばれるプロセスを通して――自己修養に励んだ。運に左右されない平安な心の境地を目指して。

マローネイアのヒッパルキア
1世紀、イタリア、ローマ

マローネイアのヒッパルキアを描いたローマ時代の壁画の一部。ヒッパルキアは、頭に蓋を閉じた箱を乗せ、横を向いている。生渇き（fresco）の漆喰の壁に顔料を塗り、発色を長持ちさせる「フレスコ画法」が用いられている。

ラエルティオスは、シノペのディオゲネス（紀元前421～323年頃）についても伝えている。マケドニアが覇権を握っていた当時、ディオゲネスはアテネの大通りで空のワイン樽をねぐらにしていたと言われている。一説によると、樽の前に立ったアレクサンドロス大王に願いを聞かれ、「そこに立たれると日が当たらなくなるから、どいてほしい」と文句を言ったという。懐疑派やインドの哲学者たちと同じく、キュニコス派も俗事からの解放と現世への無関心、禁欲生活の実践を旨とした。

こうしたキュニコス派と懐疑派の姿勢は、キュレネのアレテ（生没年不詳、紀元前4世紀に活躍）に関する著作物からうかがえる快楽主義とは対照的だ。少なくとも、40冊あると言われるアレテ自身の著作が現存していたら正確なことがわかるだろうが、その断片すら残っていないため、今のリビアで暮らしていたアレテの印象は、彼女の弟子と彼女の学校の生徒たちの著書から判断するしかない。アレテにとって、生の目的とは喜びを得ることだった。人生は体験の総和にすぎない。それなら人間は喜びを最大化し、苦しみを最小化すべきだ、と彼女は考えた。このキュレネ派に強い影響を受けたサモスのエピクロス（紀元前341～270年）は、『エピクロ

マケドニアの
アレクサンドロス国王と
アメン神
紀元前4〜1世紀
エジプト・ルクソール

アメン神殿の壁のレリーフに描かれた、マケドニアのアレクサンドロス国王。きれいに髭をそった横顔を見せ、崇拝のしるしに両手を挙げている。向かい合っているのは、髭を生やしたファラオの守護神アメン。頭に凝った形の冠をつけ、錫杖を手にしている。象形文字を含んだこの場面は、文字と絵が区別されるようになったのは歴史上の偶然にすぎないのだという印象を与える。

サモスのエピクロス
1〜2世紀、イタリア

短髪にふさふさとした顎髭を生やし、額にしわを寄せている哲学者、エピクロスを表した大理石製の胸像。ローマ人によるギリシャ彫刻の複製であるこの作品もまた、当時、異文化交流が盛んで表現の盗用も横行していた証拠である。

ス　説教と手紙』にこう書いている。「私たちは幸福をもたらす物事を追求しなければならない。幸福であればすべてが手に入り、幸福でなければ、私たちの行動はそれを手に入れることにすべて向けられるのだから」。やはり、ここでもキュニコス派と懐疑派が重視した魂の平安の追求が見て取れる。ここでの「快楽主義」は、現代とは違い、単に不謹慎な生活の追求を意味しているのではない。アレテのように、エピクロス派も、喜びを最大化する一番の方法は、外的世界に対して穏やかな無関心という一般的な態度を取ることであり、失望を避ける最も簡単な方法は心穏やかに内省することだと考えた。

懐疑派は認識論的観点から世俗と距離を置き、一方、キュニコス派は人生の試練に耐える手段として禁欲主義を追求した。しかしながら、膨大な種類の思想が複雑に絡み合っていたこの時代において、これらの伝統的な教えは入り交じり、もつれあって、仏教やジャイナ教のような自制と自己修養を重んじる思想特有のパターン形成に一役買った。それを裏付ける興味深い文献のひとつが、紀元前3世紀頃にスパルタのフィンティスが書いた『On the Moderation of Women（女性の節度について）』だ。現存するその断片から、フィンティスが秩序と節度を重視していたことがわかる。女性は信心深く、控えめで、礼儀正しく、身なりをきちんと整えるべし。彼女はそう説いた。キュニコス派や懐疑派と同様、贅沢に反対した。特に、「肌が透けて見えるドレスや刺繍飾りのついたドレス」に使われるシルクを、女性の貞節を汚すものとして敵視している。

節度ある女性は外来の装飾品で外見を飾り立てるのではなく、肉体の自然な美しさ

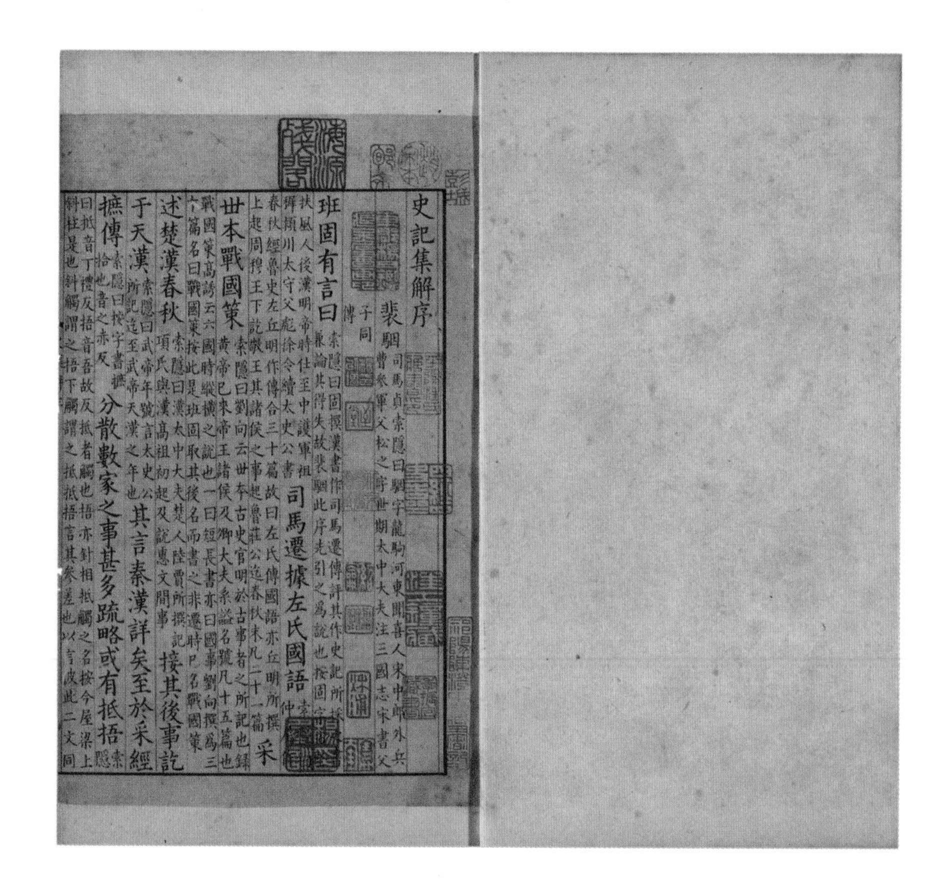
史記集解序
裴駰
班固有言曰
司馬遷據左氏國語采
世本戰國策
述楚漢春秋
接其後事訖
于天漢
其言秦漢詳矣至於采經
摭傳
分散數家之事甚多疏略或有抵梧

司馬談・司馬遷
『史記』
1171年、蔡夢弼：
中国、福建省建陽区

司馬談・司馬遷著『史記』の12世紀の写本。強調したい箇所にはひときわ大きな文字を使用し、押印には赤いインクを用いている。

司馬遷
年代不詳

両手を着物の袖にたくし込み、こちらを静かに見つめる司馬遷の肖像画。多くの社会と同様に、漢代の帽子や被り物には地位と職業に関連するさまざまな意味合いがあった。司馬遷が身に着けている「巾」という髻を包み込むタイプの被り物は、当時の学者たちが常用したもの。

を大切にする。

この引用文は、いろいろな意味で興味深い。フィンティスの教えは率直で実際的だが、華美よりも質素を良しとする美的倫理観に基づいている。つまり、彼女もキュニコス派と同様、装飾品やこれ見よがしな衣類を虚飾として否定しているのだ。また、これは哲学者たちが――文字通りでも比喩的な意味でも――衣類や装飾品に注目した最古の例のひとつでもあった（のちにガンダースハイムのロスヴィータは、これをテーマに詩を書いた）。「外来の装飾品」に関するフィンティスの言葉からは、彼女が外国嫌いで外国製品を問題視していたことも透けて見える。この記述から、彼女がシルク――中国の輸出品で、ペルシャ帝国の交易ルートの名称にも使われた――を憂慮すべき外国製品と見なしていたことはほぼ間違いない。

6 ひとりはみんなのために、
みんなはひとりのために

紀元前221年、秦の始皇帝は史上最大とも言える統一政策を実施。軍事戦略と思想戦略の融合を通じて、戦国時代に乱立した諸国を支配し、中国全土を統一した。秦王朝は短命だったが、その後、中国の覇権を握った漢王朝は何世紀にもわたって平和と安定と繁栄を築いた。それができたのは、少なからず、「諸子百家」（70ページ参照）が国家的イデオロギーの基盤を完成させていたおかげだった。

商鞅（紀元前390〜338年）の『商君書』や韓非の『韓非子』などの法家の文献は、国家統一の促進に必要な、強力で戦略的なリーダーシップについて説き、『論語』や『道徳経』は人格形成と徳を重視し、『春秋左氏伝』はそれらより若干複雑な戦略を追求した。左丘明（紀元前556〜451年）が書いたと言われる『春秋左氏伝』には、他国や多民族とは一線を画す「華夏（文明社会）」の極めて重要な概念が明示されている。

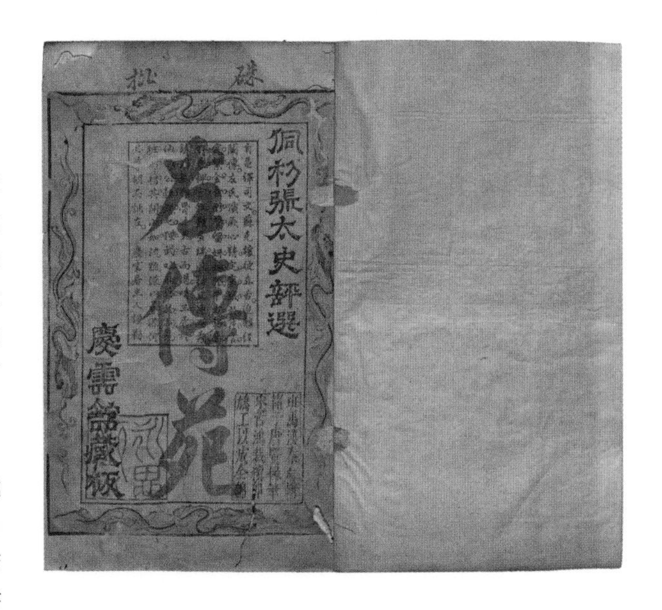

左丘明
『春秋左氏伝』の一部
1620〜1644年頃、中国、慶雲県

19世紀の複写原稿。赤と黒のインクで書いた大きさの異なる文字を幾層かに重ね、生き物の絵で縁取りされている。

その一方で『史記』も、歴史そのものの概念を社会的結束に利用するうえで重要な役割を果たした。最初に司馬談が筆を執り、息子の司馬遷（紀元前145〜86年頃）が完成させた超大作『史記』は、竹製の札（竹簡）に書かれていて、総重量が40キログラムを超えていたという。

もうひとつ、『漢書』という複数の著者が書き継いで完成させた重要文献がある。著者のひとりで多作の女流作家だった班昭（45〜116年頃）は未完部分を引き継いで前漢の歴史をまとめ上げた。班昭もプルタルコスとディオゲネス・ラエルティオスと肩を並べる英雄列伝の著者だが、彼女の記述には歴史や家系や人柄に対する儒学者ならではの視点が生かされていた。

劉向（紀元前77〜紀元6年）の『列女伝』に見られるような一義的な大著の発展は、班昭の支援者で弟子でもあった鄧綏皇后（81〜121年）の政策によって本格化した。皇后は師の導きに従って歴史研究を強く擁護し、「五経」（『易経』『春秋』『書経』『詩経』『礼記』から成る儒家の5大経典）の標準化に中心的な役割を果たした。皇后の歴史教育推進計画は、宦官の蔡倫による製紙法の改良という重要な技術革新を正式採用することで促進された。まず、古着や植物をお湯で煮て繊維を取り出し、そこからパルプを作る。そしてそのパルプを筵の上に薄く広げて乾かし、実用的な紙にする。シルクや葦や竹からもっと安価な原料へ移行したことにより、これらの文献は各地に広まり、これまで以上に手に入りやすくなった。

政治が混迷した戦国時代が終わると、中国は統一国家としての道を歩み始めた。そうなると、当然のことながら、文化の国境線は厳重に監視されるようになる。大草原から急襲してくる部族であれ、交易ルートをたどった物品であれ、国家転覆につながりかねない新たな思想であれ、外国からの侵略や影響が懸念視された。そして、彼らが危惧した思想のなかに、私たちのよく知るインド文化があった。ゴータマ・シッダールタの哲学だ。

〈上〉

左丘明

『春秋左氏伝』

17世紀、中国、浮山県

大型の額に収められた『春秋左氏伝』。流儀と速さと筆遣いが重視される芸術、中国書道の優れた見本。

〈下〉

製紙工程

1600年、中国

2世紀初期に蔡倫が記したのと同じ製紙の主要工程を描いた5枚の木版画。左から順に、竹を切って水で湿らせている場面、竹を煮ている場面、パルプを成型している場面、パルプを圧搾している場面、薄くしたパルプを壁に貼り付けて乾かしている場面。

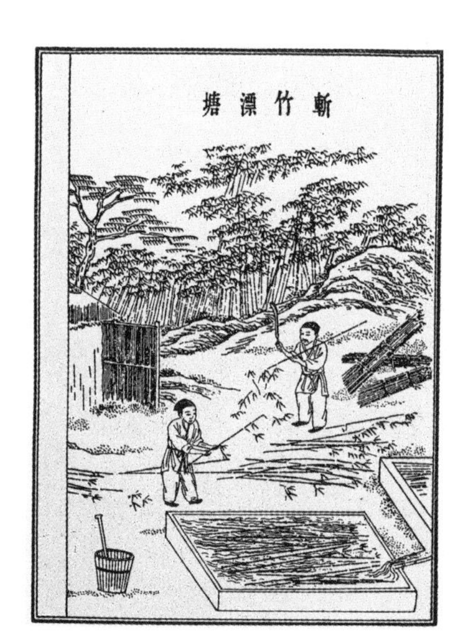

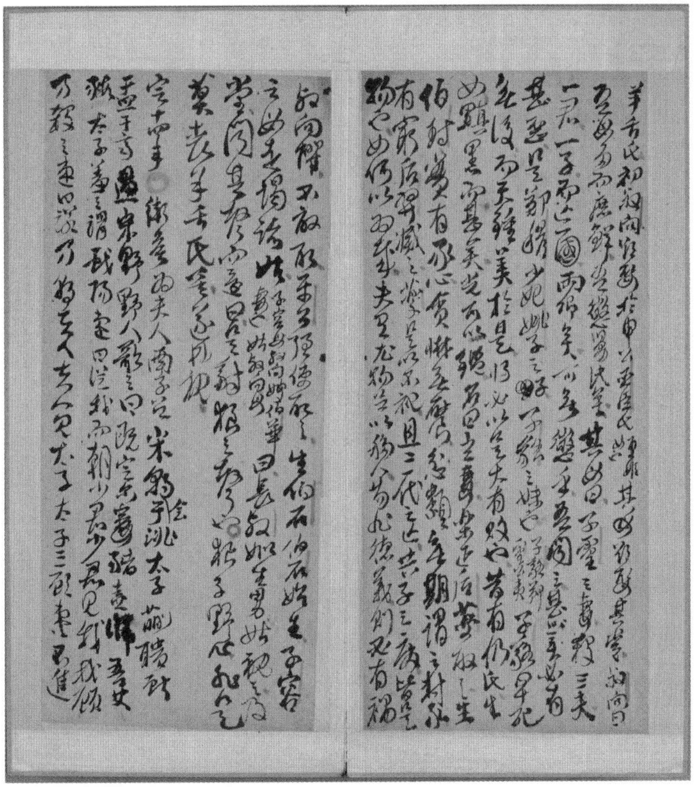

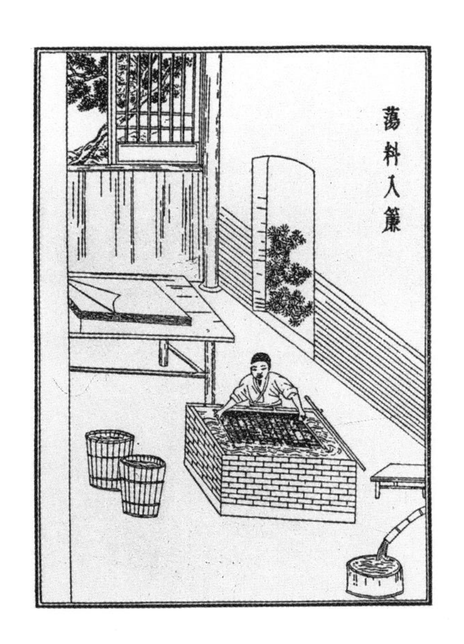
蕩料入簾

覆簾壓紙

透火焙乾

7 禁輸措置

仏教がいつ中国に伝来したのか、その正確な時期は不明だが、諸国を巡って修行する僧たちにより、1世紀には労働者階級に広まった。僧たちは「パーリ仏典」の勧めに従って財産と家族を捨て、くねくねと続くシルクロードをたどりながら禁欲と「無我」を説いて回った。そして彼らは受容と反発の両方を体験する。

禁欲と家族との離縁を推奨する仏教は、中国社会に大きな疑惑をかき立てた。なぜなら、このふたつは家族円満を完全統一社会のかけがえのない礎とする、大半の中国思想の根幹を否定するからだ。実際に、統一国家の概念と深く結びつく家族という概念は、孟子（紀元前371～289年頃）の『孟子』や曾子の『大学』を始めとする儒学書の永遠のテーマでもあった。この一連の文献には、優れたリーダーにするために、子供に徳と高潔な行動を身につけさせる場としての家庭の役割が丁寧に体系化されている。荀子（紀元前300～230年頃）が書いた『荀子』も例外ではない。紀元前20年頃に宮中の司書らが発見した322本の竹簡をもとに編纂されたこの文献には、君主は、親が子供の世話を焼くように臣民を世話するべし、と記されている。

〈左〉
鄧石如作
1796年以前、中国

書家の鄧石如が篆書体という漢字の古い書体を用いて書いた『荀子』の一部。現在も使われている漢字は、言語の語や形態素を表す「表語文字」だ。

〈右〉
孟子の母
15世紀もしくは16世紀、中国

孟子と母親と女中が引っ越しする様子をインクと顔料で描いたシルクの掛け軸。芸術家・詩人のWu Shi'en作。

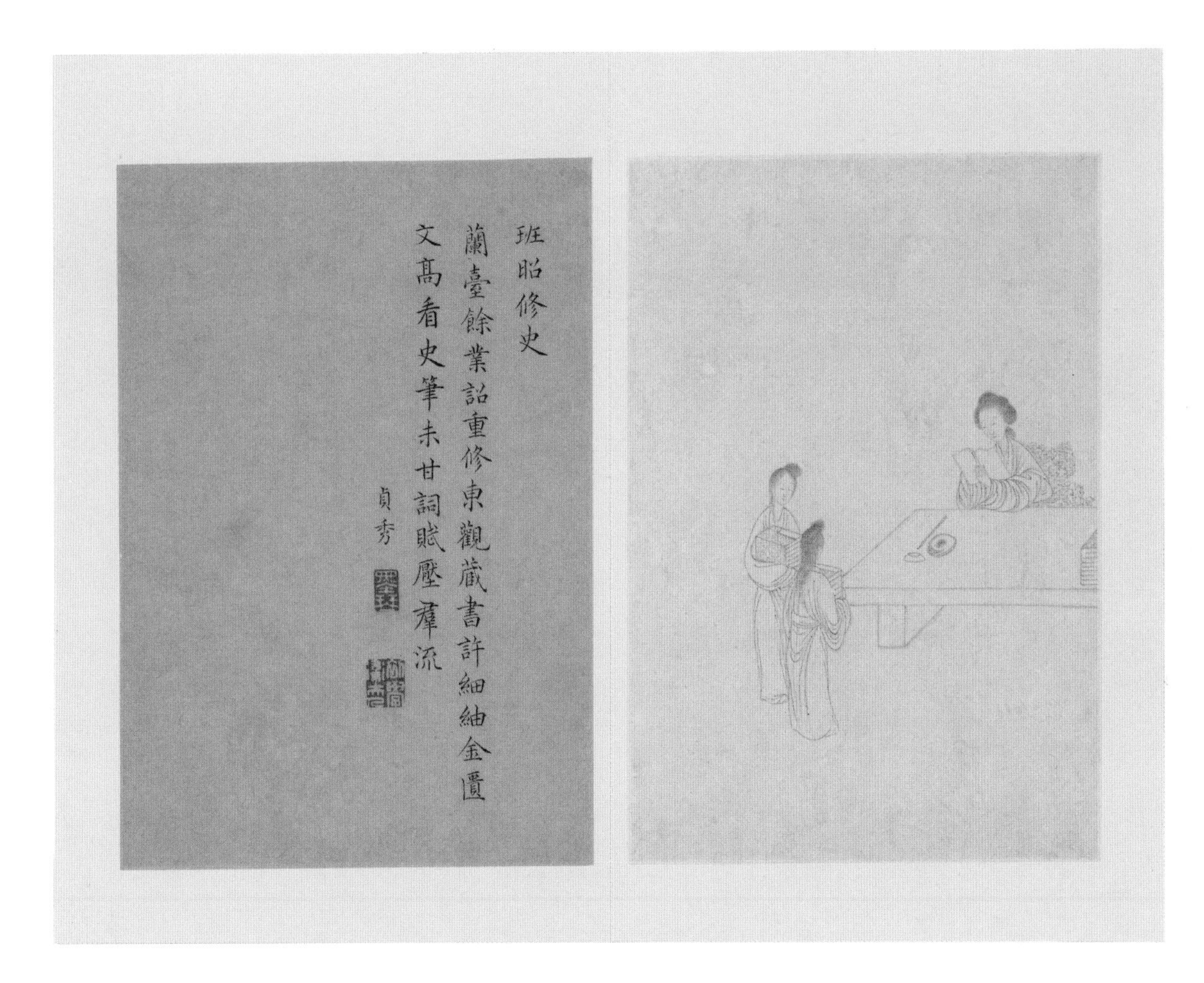

歴史書を書く班昭と
有名な女性たちを
テーマにした詩の一部
1799年、中国

書家の曹貞秀による詩と清改琦によるこの素描は、著名な女性たちを題材にしたイラスト入りの連作詩16篇の一部である。

班昭の他の著作にも同様の傾向が見られる。女性向けの道徳書『女誡』は、当時のみならず歴代王朝の貴族階級に多大な影響を与えた。この道徳書には、特に円満な家族関係の促進に向けたさまざまな教えが記されている。自慢や噂話をとがめ、早起きを推奨し、家族間のヒエラルキーの遵守を求め、たとえば姑が「間違ったことを言ったとしても」嫁はそれに従うべきだと説いた。また、社会の結束は知識や学問を通して育まれると考えた班昭は、歴史研究を中心とした女性の教育の権利を熱心に擁護し、自分に教育の機会を与えてくれた両親を称え、娘にその機会を与えない親たちを非難した。

家庭は社会統一の象徴であり、その実現を育む場でもあった。この国家的概念に反する姿勢を取った仏教は、社会を乱す思想と見なされた。当時、ゴータマの教えはすでに労働者階級の間で普及していたが、中国主流の学問に組み込まれたのは、6世紀にインド仏教と中国哲学思想を融合させた禅宗が誕生してからのことだった。

8 すべての道が続く先は……

儒学者たちが儒教の国教化に注力し、インドが遠近を問わずさまざまな国に仏教を輸出していたとき、地中海西部では新たな巨大貿易国家が誕生しつつあった。当初、共和制を敷いていた都市国家ローマは、巨額の軍事投資と農業事業の成功により強大な勢力を持ち始め、2世紀には、この一帯で強大な勢力を誇っていたカルタゴやシラクサといったアフリカ系ギリシャ人国家を支配下に治める。そして——アレクサンドリアを侵略し、アレクサンドリア図書館を焼失させて——エジプトを属領にし、さらにははるか北に進軍してスペイン、ネーデルラント、沼地だらけの島であるブリタニアをも征服した。

キティオンのゼノン
年代不詳

陰影を背景に、見る者の視線を避けて円形枠の外に目をやるゼノン。いかにも貨幣や紙幣に見られるようなこの構図は、彼の地位と名声の高さを印象づけている。

当時のローマ政権は強大な軍事力を有していたが、ローマ流「華夏」とも言うべき自民族礼賛の意識に乏しかった。その理由は、(帝国への移行期にあった) ローマ人が、新たな臣民や同胞たちの文化・思想を積極的に取り入れていたからと思われる。ローマ人のギリシャ文化への傾倒を受けて、古代ギリシャ思想を翻訳・要約する出版産業が誕生し、繁栄した。当時出版された思想書のなかで最も有名なのは、ローマ人政治家・哲学者のマルクス・トゥッリウス・キケロ (紀元前106〜43年) の著作だ。彼の (『国家論』などの) 政治や法律に関する対話集と、(プラトンの『ティマイオス』などの) 翻訳集は、ギリシャ・ローマ哲学の急激な発展に大きく貢献した。

キケロはストア哲学者としても有名だ——ストア哲学とは、ストア派の拠点だったアテネの広場の講堂「彩色柱廊 (ストア・ポイキレ)」にちなんで名前がつけられた思想体系である。ストア派はキュニコス派と密接なつながりがあり、創始者のひとりであるキティオンのゼノン (紀元前335〜263年) も、キュニコス派のヒッパルキアとクラテスから哲学を学んだ。キュニコス派と同じく、ストア派も喜びより知恵と徳を重視したが、その教えは禁欲主義とはだいぶ遠いものだったことがゼノンやキケロの著作からうかがわれる。ストア派は寺院や従来の教育制度の廃止を主張する一方、裸足で歩き回ったり社会規範を無視したりすることには関心がなかった。そのため、あらゆる社会階級のローマ人がストア派に加わった。

そのひとりである『エピクテトスの提要』の著者、エピクテトスは、紀元60年頃に (現在のトルコにあたる) フリギアの奴隷階級に生まれた。解放された後はローマで皇帝ネロに仕えたが、その後、今のギリシャ西部にあたるニコポリスに移り住んだ。彼と対照的なのが、ローマ皇帝マルクス・アウレリウス・アントニヌス (121〜180年) だ。『自省録』というタイトルでおなじみの主著は、出兵の最中の個人的な思索を書き留めたもので、そこには優れたリーダーとしての資質と徳の高い生き方の実践手段が論じられていた。『自省録』と『エピクテトスの提要』には同じテーマが見て取れる。それはすなわち、喜びに価値はなく、情念に振り回されない無情念 (アパテイア) の生き方を実践することで逆境を乗り越えられる、というものだ。エピクテトスの著作の主要テーマであるこのアパテイアの概念は、英語のアパシー (無関心・無感動) と関係しているが、アパシーのような否定的な意味合いはなく、情念からの解放と幸福の源を意味する。キュニコス派や仏教徒たちのように、ストア派もまた、「魂の平安」を求めていた。また、ストア哲学は単なる知識体系ではなく、ひとつの「生き方」であり、アパテイアは「涅槃」や「アタラクシア」のように、修行によって会得できるものであった。

QVANQVAM MHI
SEMPER FREQVENS
CONSPECTVS VESTER
MVLTO IVCVDSSIMVS
HIC AVTEM LOCVS
ADAGEND VM: AMPLI
ssimus ad dicendum ornatissimus est uisus Quirites: tamen hoc aditu à
laudis qui semper optimo cuiq; maxie patuit nō meam [illegible]
meae rationes ab ineunte aetate susceptae probibuerunt. Nam cum
[illegible] aetate nōdum hui auctoritatē loci cōtingere auderem. sta
tueremque nihil huc nisi perfectum ingenio elaboratum industria af
ferri oportere [illegible] temporib [illegible]
dum putaui. Ita neque hic locus uacuus unquam ab ils: qui uestras
causam defenderent: et meus labor in puatorz periculis caste: int
greque uersatus ex uestro iudicio fructum est amplissimum consecutus.
Nam cum propter dilationē comitiorz ter Praetor primus Centuriis
cunctis renuntiatus sum facile intellexi Quir. & quid de me iudicare

キケロの弾劾演説の一場面
1480〜1490年

凝った装飾の細密画で描かれた、マルクス・トゥッリウス・キケロの『カティリーナ弾劾』の冒頭ページ。赤字と青字のラテン語のテクストと、演説に耳を傾ける群衆の詳細な絵が、（画家の技量と創作力が発揮された）さまざまなポーズを取る天使たちと植物、架空の構造物の絵で縁取られている。

マルクス・アウレリウス・
アントニヌス
1560年、アントニオ・ラフレリ：
イタリア、ローマ

ファンファーレが鳴り響くなか、称賛の眼差しを浴びながら馬車で凱旋するマルクス・アウレリウスの姿を描いたニコラス・ベアトリゼの彫刻。ベアトリゼは錯視を利用した遠近法の技法（クアドラトゥーラ）を用い、アウレリウスの馬車の側面にギリシャ神話の神々を浮き彫りにした。

9 持つ者と持たざる者

本章が取り上げた500年の間にさまざまなタイプの書物が執筆されたが、その多くが禁欲主義に傾倒していた。この思潮は禁欲主義が理論的・宗教的な関心事のみならず、政治的な関心事でもあったことを示している。

ある意味、禁欲主義は持たざる者たちに力を与える。その力を得た仏教はバラモン教の階層制度に異を唱え、人生の豊かさの尺度は物質的な豊かさでなく霊的次元の高さだと説いた。さらに、こうした思想とつながりがある懐疑派も――通常、富者（バラモン階級やギリシャ・ローマの貴族階級）の領域である――学習と教育は真理の獲得につながらないと考えた。懐疑主義はいろいろな意味で平等主義だ。教育を受けた裕福なエリートも権利を剥ぎ取れば庶民と同じ。農夫だって哲学学校（リュケイオン）で学んだ貴族階級に負けないほどの知識があると見なされた。

しかし、哲学的思想の本質は政治に歪曲され得る。ストア哲学がギリシャ・ローマ社会の上流階級にも人気があったことからわかるように、謙虚さと自制を求める理念は優雅な暮らしと矛盾するものではなかった。それどころか実際には、ストア哲学者は著しい物質的不平等を擁する現状維持に一役買った。社会経済的弱者の貧困を正当化し、称賛さえする手段を上流階級に提示したからだ。その結果、質素な暮らしは富者が享受する特権であり、貧者が耐え忍ぶ現実となった。これから詳しく見ていくが、たいていの思想は――過激な思想ですら――こうして国家に都合良く利用されてきたのだ。

EPICTETI ENCHIRI-
DION, ANGELO PO-
litiano interprete.

Quæ in nobis ſint, quæue non, qualidue quæq; ſint.
CAPVT PRIMVM.

ORVM quæ ſunt, partim in nobis eſt, partim non eſt. In nobis eſt opinio, conatus, appetitus, declinatio: & ut uno dicam uerbo, quæcunq; noſtra ſunt opera. Non ſunt in nobis, corpus, poſſeſſio, gloria, principatus: & uno uerbo, quæcūq; noſtra opera non ſunt. Quæ igitur in nobis ſunt, natura ſunt libera, nec quæ prohiberi impediri'ue poſſint. Quæ in nobis nō ſunt, ea imbecilla, ſerua, & quæ prohiberi poſſint, atq; aliena.

Quid ex eorum quæ noſtra, quæq; aliena ſint, ignoratione notitiaq; eueniat. CAP. II.

Si quæ natura ſunt libera, ſerua putabis, & aliena quæ ſunt, propria, impedieris, dolebis, turbaberis, incuſabis deos atq; homines. Si uerò quod tuum eſt, id ſolum tuum eſſe putabis, & alienum quod reuera eſt alienū, nemo te coget unquam, nemo prohibebit, neminem culpabis, neminem accuſabis, inuitus nihil ages, nemo te lędet, inimicum non habebis.

a Quod

〈左〉
エピクテトス
1715年、エドワード・アイヴィー：
イギリス、オックスフォード

筋肉質で裸足のエピクテトスがペンを握って書き物机に向かい、肩越しに暗闇をぼんやり眺めている様子を描いた版画。肘と腿で挟んでいる松葉杖は、哲学の無力さを象徴している。

〈右〉
エピクテトス
『エピクテトスの提要』
1554年、ヨハネス・オポリヌス：
スイス、バーゼル

アンジェロ・ポリツィアーノがラテン語に翻訳した『エピクテトスの提要』の冒頭ページ。追跡場面を加えた文頭の頭文字「E」には凝ったデザインが施されている。

3

同化

ASSIMILATION

200〜600年

1　伝統支持者たち

思想は驚くほど逆境に強い。少しくらい苦労しても、わりとすんなり人から人へ伝わる――そして、いったん頭のなかに入り込んだら、取り除くのは不可能とは言わないまでも、困難なことは間違いない。だが、なかには煙たがられる思想もある。ある種の生き方や統治体制を脅かしかねないものがそうだ。西暦が始まった頃、ローマ帝国を始めとするさまざまな国家が、自分たちの足元を揺るがしそうな危険思想を弾圧するシステム作りに莫大な投資を行った。キリスト教も、当局から危険視された思想のひとつである。そんななか、真っ先に導入されたのが、教育の制度化と教育カリキュラムの構築だった。

それ以前の教育システムは、公式・非公式を問わず多様性に富んでいた。思想は諸子百家のような諸国を巡る学者たちや、班昭のような家庭教師たちによって広められていた他、アテネやローマの街角で生まれたキュニコス派とストア派の哲学者集団、そして『ウパニシャッド』に記されているような中庭や、シリア人思想家でローマ皇帝妃のユリア・ドムナ（160～217年）の邸宅などに集まった知的エリートたちも重要な役割を果たしていた。紀元前の学問の拠点と言えば、せいぜいアケメネス朝最古の都市、タキシラの僧院か、プラトンがアテネに開設した大学（アカデメイア）くらいだったが、ローマの発展、そして中国における北魏やインドにおけるグプタ帝国の勢力拡大に伴って、こうした学術機関の数が前代未聞の速さで増加していった。

地中海沿岸地域では、マルクス・アウレリウス（121～180年）がアテネに4つの哲学学科を設けた大学を開設し、国家が教育に関与する流れを作った。今では天皇（あるいは大統領）が直々

アレクサンドリアのヒュパティア
19世紀、イギリス

ロバート・トレウィック・ボーンが水彩絵の具と茶色のインクを用いて描いた、ドーリア様式神殿の階段に立つヒュパティア。片手を挙げながら熱弁をふるう彼女と熱心に耳を傾ける人々の姿は、研究者のあるべき姿と見なされた。

に大学のカリキュラムに口を出すというのは想像しがたいことだが、アウレリウスはその政治的効用をはっきり認識していた。この4学科にはアリストテレス派、プラトン派、エピクロス派、そして――アウレリウス自身の思想背景を考えればごく当然のことながら――プラトン派が充てられた。これでこの4学派の活動は事実上、国からのお墨付きを得たことになる。一方、型破りなキュニコス派はカリキュラムから排除され、その活動は非合法と見なされた――この時代以降のキュニコス文献がほとんど残っていないことを考えれば、その影響は大きかったと言えるだろう。

その後、何世紀にもわたり、ローマ帝国中に哲学学校（アカデミー）が次々に誕生する。それ以前は版図を広げるのに無我夢中だったローマ人は、広大な領土を守るべき人員が足りないことに気づくと、それ以上の領土拡大をやめて権力基盤の構築に注力し、他国に負けない文化施設を作ることにしたのだ。ローマのエジプト人思想家、プロティノス（205～270年頃）は、プラトン思想の独自の解釈を広め、発展させるためにアカデミーを開設した。5世紀のエジプトでは、同じプラトン派であるアレクサンドリアのヒュパティア（370～415年頃）によって、ムセイオンと呼ばれる学堂が建てられた。

ヴェーダ思想と仏教思想の経典がそれぞれ確立していったように、ローマ思想とギリシャ思想が別個にカリキュラム化されたのもこの時期だった。マルクス・アウレリウスが開設した4つの学科では、注目に値する伝統学派だけを扱い、ヒュパティアのムセイオンとプロティノスのアカデミーは、プラトンとその弟子たちの著作物に焦点を合わせた。これらのシステムは現代の教育カリキュラムと同様、学徒たちが切磋琢磨する知的環境を創出したが、それと同時に、一部の思想に合法のお墨付きを与え、他の思想には非合法のレッテルを貼るライセンス許諾のメカニズムとして機能した。こうして学徒たちは特定の思想家にのみ注目し、物議を招きそうな文献とは距離を置くように暗に仕向けられたのだ。
（「重要」文献とそうでない文献のふるい分けの仕組みと融合した）教育カリキュラムの構築は、極めて政治的なプロセスだったと言えるだろう。そしてそれは、「重要な」哲学書に関する本の執筆が、なぜこれほどまでに困難で対立を生むのかという問いに対する答えのひとつでもある。

2　文学ジャンル

教育機関の誕生だけでなく、しばしば教育に配慮して作られる新たな表記・参照システムの誕生についても見ていこう。この時代には革新的な文学ジャンルと、思想を利用しやすい形で表記する参照体系が生まれた。

インド文学における言語の標準化を例に挙げてみよう。パーリ語やマガダ語などを含むプラークリット語よりサンスクリット語が好まれたのは、多言語に翻訳する必要がないからだった。それと同時に、経典（スートラ）や注釈書（バシャヤ）の形が確立したことで、インド哲学を特徴づける概念体系構築への道が開いた。スートラ――警句を多用する短い声明書――とバシャヤ――注釈書――がジャンル分けされているのもインド哲学の特徴のひとつだ。このふたつを融合させると「タントラ」という密教の経典になる。タントラは（大まかに言って）「織機」の意味だ。スートラとバシャヤを糸のように織り合わせてひとつにまとめた明快な知識体系、それがタントラだった。

ローマ帝国が領土拡大に励んでいたことから、教育カリキュラムの構築は翻訳という大きな課題にも直面した。キケロの著作がそうだったように、ローマ人たちは財を投じてギリシャ語の哲学書をラテン語に翻訳した。仏教思想が普及しつつあった中国北部では、「格義仏教」というジャンルが学者たちに仏典評釈の手段を与えた。格義仏教とは、インドの仏教思想を、道教（老荘）思想や儒教思想というなじみ深い中国古典の「概念に当てはめて」理解しようとする手法のことだ。たとえば、仏教用語のdharma（道徳的規範）はたいがいdao（道）と表現され、nirvana（涅槃）はwu wei（無為）の概念に当てはめられた。中国の翻訳者たちは、こうした「異国の」概念をなじみのある語にひとつひとつ当てはめて、利便性と信頼性の高い翻訳表を作り上げた。

翻訳は骨が折れる作業だ。現代と同様、当時の翻訳者とその顧客たちも、どの書物を後世に残すべきか、難しい選択を迫られた。そして今にかぎらず当時も、教育カリキュラムは学徒たちが入手しやすいテクストを中心に組まれる傾向にあった。それはすなわち、翻訳に選ばれなければカリキュラムから外れることを意味する。一部の作品が消滅しているのは、この記録管理の革新の結果だ。早くも2世紀には、班昭が漢の宮廷図書館で竹簡文書を紙に書写す

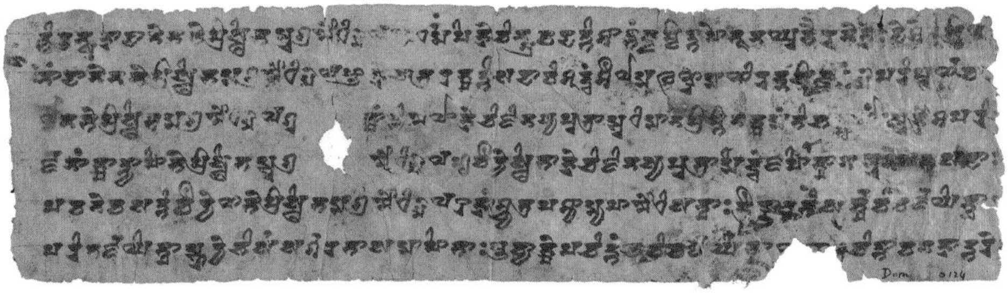

〈上〉
『Saddharmapundarikasutra（法華経）』
年代不詳
トルキスタン南部

『Saddharmapundarikasutra（法華経）』の写本の断片。この地域で一般的な黒いインクで書かれたサンスクリット文字は、古代インドで使われたブラーフミー系文字の初期形態だ。

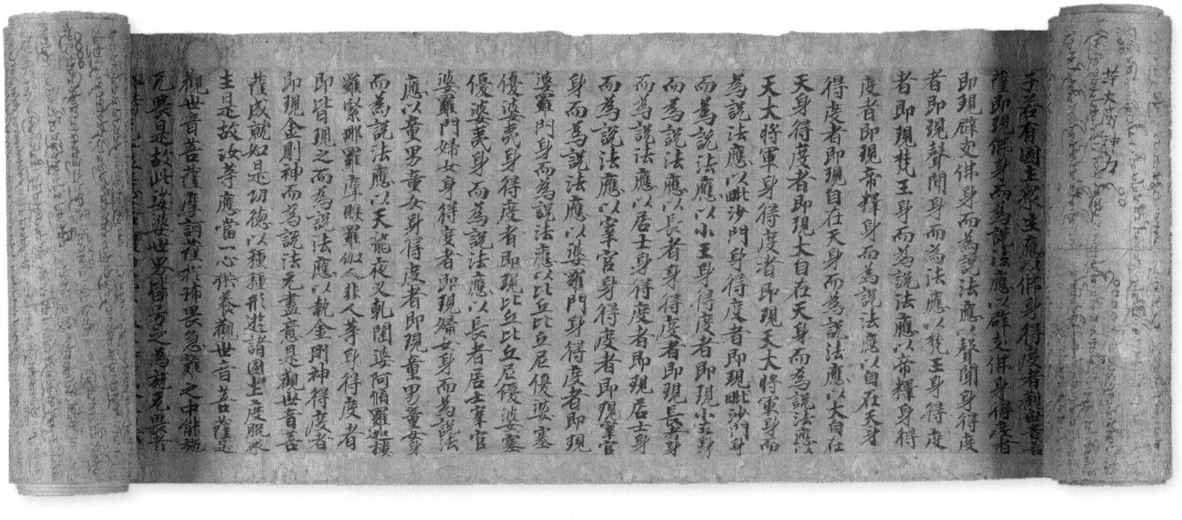

〈下〉
『法華経』
年代不詳、中国

このような巻物型の書物は持ち運びも保管も楽だが、写本型のように、異なるページに指を挟んで別の箇所を参照するということはできない。

る作業を監督している。ギリシャ・ローマでも同様だ。サッフォーの『アプロディテ讃歌』が扱いにくく持ち運びもしにくいパピルスに書かれていたであろうこの地でも、何枚もの紙を束ね、上下に表紙をつけて糸で閉じた、写本型のギリシャ語・ラテン語文献が登場し始めていた。

この変化によって、「正典」となるべきものが選り分けられた。アテネの各図書館に所蔵されていたごわつくパピルスの巻物もすべて、選択の対象とされた。全部のレコード盤がCDに取って変わられたわけではないように、全部のCDがクラウドにアップロードされたわけではないように、全部のパピルス文献が無事にこの更新プロセスをたどったわけではない。後世に残すべき文献か否かは、選択を任されたアーキビストたち自身がどの思想を重視しているかで決められた。地中海沿岸地域では、ストア主義とエピクロス主義の文献が数多く残存し、今も残っているこの時代の文献のほぼ半分がプラトンとアリストテレスの注釈書だ。これは、アーキビストたちの哲学的・政治的傾向の影響である。170年代にマルクス・アウレリウスが開設した学科を思い出してみよう。そこからわかるのは、アーキビストや司書たちの多くがストア派、エピクロス派、アリストテレス派、そしてプロティノスやヒュパティアと同じプラトン派だったということだ。

新たな教育機関の誕生が新たな表記システムと結びつき、文献のふるい分けに対する意識が高まった。そして大国の統治者たちは、このようなシステムを利用して自分たちに有利な思想を保護する一方、自分たちの権威を揺るがす思想の排除や再構成に努めたのだった。

3　百聞は一見に如かず

翻訳とジャンル分けという困難に直面した一部の著述家たちは、図版に注目し始めた。当時の最も画期的な文献のひとつ、『Ārdahang（アルジャング）』を例に挙げてみよう。『画集』とも呼ばれるこの文献は、のちにササン朝ペルシャに滅ぼされるパルティアのバビロニア人思想家、マニ（216～274年頃）の作品だ。

絶頂期のササン朝ペルシャは、現在のイラン、イラク、サウジ東部、レバント地方、コーカサス地方、エジプト、トルコ、さらには中央アジアとパキスタンの大半の地域を支配していた。ゾロアスター教はそこで何世紀も前から支配的なイデオロギーとして存在したが、その信条は、他の信仰やイデオロギーの繁栄を許す寛容なものだった。『アルジャング』は、ゾロアスター教が繁栄を許したマニ教の聖典だ。シリア語──アラム語の方言──で書かれたこの聖典は、特徴的な色鮮やかな図版が、文章とともにこの文献の欠かせない要素となっている。著者のマニはこのふたつの要素を融合させて誰もが感動し、理解しやすいフォーマットを作り、そのなかで多次元的な世界観を展開した。

この聖典は、ゾロアスター教の善悪二元論をベースにし、宇宙は善と悪が闘う場だと説く。だが、ゾロアスターは世界を主体にした二元論を唱えたのに対し、マニは個人を主体にしている。『アルジャング』には、私たちの魂は善なる、ときには聖なる究極的な存在で、有形物である私たちの肉体は悪の住処だと記されている。マニにとって、肉体と魂のこの一体化こそが人間の苦しみの原因だった。

『アルジャング』には、こうした不快な状況から逃れるための、次のような2段階プロセスも提

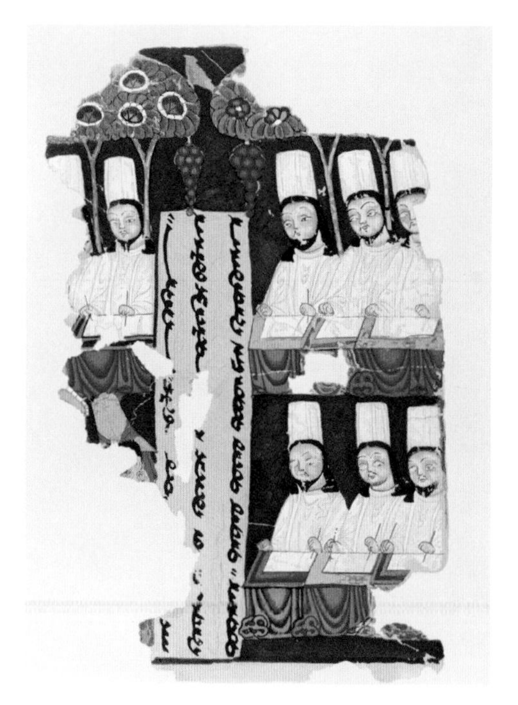

〈上〉
『画集』
10～12世紀
中国、新疆ウイグル自治区トルファン

ベラム紙にウイグル語で書かれたマニ著『画集』の複製の断片。果物がなる木の下で、書き物机を前に座るマニ教僧侶たちの姿が描かれている。発掘調査中のドイツ人考古学者がトルファンのイディクートシャーリ（高昌故城）で発見した。

マニ教の曼荼羅
1280年、中国南部

マニ教の悟りの境地をシルクに描いた美しい垂直断面図。上部は重層的な天国、中間は地上の世界、下部は地獄。世界的宗教の多くがこの構図を模倣している。

示されている。第1に、自分の現状を正確に把握し、堕落した肉体から距離を置く。第2に、その事実を仕事や生活に反映させる。断食や高潔な行動を実践する禁欲的なライフスタイルを追求することで、自らの醜い物質性を忘れることができるという。『アルジャング』には、ゾロアスター教と仏教の禁欲主義が意図的に取り入れられている。マニは自分の風雅な詩に、他宗教のなじみの要素を組み合わせることで人々をより引き付けられると知っていた。つまり、マニ教は、概念的な柔軟性と訴求力を念頭に作られた宗教だった、ということだ。図版もまた、人々を引き寄せる重要な要素だったのだ。顔料の調達にはコストがかかっただろうが、鮮やかで精緻な図版は多様な文化・言語背景の人々の心をとらえ、彼らが内容を理解するのに役立った。わざわざ翻訳する必要もない。中世キリスト教に彩色絵本があるように、この図版と文章の組み合わせは数千年後に定番となる（あなたが今、手にしている本もそのひとつだ）。

マニ
8世紀
中国、新疆ウイグル自治区トルファン

うっすら髭を生やし、穏やかな笑みを浮かべて立つマニの姿を描いた、3色の壁画の断片。マニの背後にいる高弟たちは、師より地位が低いことを強調するためにマニより小さく描かれている。

4 同化

このような教義の開放性は、プロティノスの『エネアデス』（270年頃）にも見られる。弟子のテュロスのポルピュリオス（232〜303年頃）が編纂したこの文献には、おそらく弟子への教えと思われる全54篇の論文が9篇ずつ——9はギリシャ語でエネア（enneas）という——6巻に分けて収録されている。その内容は倫理的問題から始まり、自然哲学、心理学、認識論へと進み、因果性〔事象間における原因と結果の結びつき〕とプロティノスが「一者」と呼んだ「第一原理（神）」の分析で締めくくる。プラトンの『ティマイオス』の論考形式に基づく形而上学的なその概念は、ひどくシンプルだ。万物の根源は異なる要素の複合体ではなく、唯一絶対の自己原因的原理である、とプロティノスは唱えた。この世の事象はすべて、「一者」に関連付けて説明できる——彼のこの主張は、キリスト教を筆頭とする一神教が増えつつあった時代に強い共感を呼んだ。

過去数世紀、ローマ帝国は多神教世界だった。一神教崇拝のキリスト教徒たちは迫害され、拷問され、磔刑に処され、血生臭いエンターテインメントのために頻繁に闘技場に投げ込まれてきた。それなのに（いや、おそらくはそのせいで）キリストの教えは労働階級間で支持を得て、3世紀にはローマ社会の上流階級に属すプロティノスの同胞たちのなかで勢いをつけ始めた。そのプロセスはゆっくりと進んだが、初のキリスト教信者の皇帝となったコンスタンティヌス1世（272〜337年）の勅令により、キリスト教は公式に認可され、帝国の求心力になり始めた。こうしてキリスト教が優勢に転じたのは、少なからず、『エネアデス』に見られた概念の開放性なるもののおかげだった。『エネアデス』は、プラトン主義とキリスト教神学のかけ橋となった。そしてこの橋はその後、ヒッポのアウグスティヌス（354〜430年）の著作へとつながる。

〈上〉
コンスタンティヌス1世
325～370年、ローマ

煩悩から解放された平然とした表情で、見る者を見つめ返すローマ皇帝コンスタンティヌス1世の大理石像。

〈下〉
大理石の墓石の断片
4世紀後半、ローマ

ローマのある墓石の側面から発見された大理石製のレリーフ。アーチ形のアルコーブの下には、立っている人物、片手を挙げて演説している人物、教えを説いているキリストと思しき人物などが刻まれているが、時代の流れや破壊行為によって、なかには顔が破損しているものもある。

アウグスティヌスの著作は、当時の主潮だったプラトン主義に妥協することも、キリスト教を棄てることも拒んだヴィビア・ペルペトゥア（182～203年頃）とフェリキタス（203年没）のような、それ以前のキリスト教思想家たちの流れを汲んでいる。『Passio sanctarum Perpetuae et Felicitatis（聖ペルペトゥアと聖フェリキタス、そしてふたりの仲間たちの情熱）』——ペルペトゥアの死後に出版された、本人の手記による殉教録——には、たとえば出産間近の身で投獄され、闘技場で無残な死を見世物にされるという、キリスト教信仰の代償について記されている。このような迫害に直面したキリスト教思想家たちは、自分たちの信仰の過激な要素を見直し、世間になじみのあるプラトン主義やストア主義の用語を使って教義を表現し直した。たとえば、アマジグ人著述家のクイントゥス・セプティミウス・フロレンス・テルトゥリアヌス（155～240年頃）は、『プラクセアス反論』のなかで「三位一体」の説明にストア哲学の実体論を用い、ひとつの実体が3つの異なる本質を結合させていると主張した。また、アレクサンドリア学派のオリゲネス（185～254年頃）の『諸原理について』も、魂の先在と転生というプラトン主義の概念がベースになっている。さらに、世界の終末には人類もサタンも含むすべての被創造物が救われる、とするストア主義的な「万物回帰説（アポカタスタシス）」を、のちに「メシア時代〔メシアの統治によって地球上に平和が訪れる時代〕」と呼ばれる概念に融合させた。

アウグスティヌスは、聖マクリナ（330～379年頃）の『peri psyches kai anastaseos（魂と復活について）』の影響も受けていたと言って間違いない。この文献は、死の床で「不滅の魂」というプラトン主義の概念を再解釈したマクリナの言葉を、弟であるニュッサのグレゴリオス（335～395年）が筆録したものだ。それによると、魂は分割できない——何が欠けてもばらばらにならないし消滅もしないから、破壊もできない——完全な統一体だという。私たちの「肉体という衣装」は死によって消滅するかもしれないが、世界の終末にもっと繊細で美しい衣装が「織り直される」——このように、彼女は「織物」というメタファーを用いて、鮮やかなイメージがかき立てられるエレガントな持論を展開した。

ヌミディア人思想家のアウグスティヌスは、この思想を背景に『告白』を著した。ヌミディア（現在のアルジェリア、チュニジア、リビア）での青年時代の罪深い生活を振り返ったこの自伝のなかで、彼は自分がマニ教信者だったことや性的放埓な生活を送ったことを告白し、その後、

スチェヴィツァ修道院の壁画
1535年、ルーマニア

ルーマニアのスチェヴィツァ修道院の壁から見つかったこのフレスコ画の断片には、王冠と赤いマントを身に着け、文書を掲げながら天を仰ぎ見るテュロスのポルピュリオスが描かれている。これは、「エッサイの木」と呼ばれるイエス・キリストの系図の一部と思われる。

〈左〉
マルシリオ・フィチーノ
『「ピレボス」注解』
16世紀、イタリア、フィレンツェ

植物と天使で縁取られた、ラテン語の美しい彩色写本の1ページ。円形枠内の貴人たちはこの作品のパトロンたちではないだろうか。最上部にメディチ家の紋章が見える。

抽象的な論考を展開する。テルトゥリアヌスやオリゲネス、マクリナの流れを汲む彼の「自由意志」に関するこの論考には、プラトン主義の影響が濃厚に現れている。たとえばアウグスティヌスは、プラトンの『ティマイオス』に登場する宇宙の創造主、デミウルゴスのように「第一動者」としての役割を果たす第一原理を仮定した。この第一動者――神――は永遠の存在で、愛と慈しみに満ちた心を持って万物を創造した。アウグスティヌスの言葉によれば、神の永遠性とはつまり、神の創造行動に時間枠など存在しないことだという。時間は私たち被創造物世界に固有のものであり、過去や未来はすべて現在を起点にした私たちの心の働きにすぎない。そして、個々の人間が救われるか滅びるかは、天地創造以前に神によって定められている。アウグスティヌスはこのように、人間の運命は神によって決められているとする既存の予定説を、プラトン主義という枠組みでとらえ直した。だが、この説は「自由意志」の概念と対立したことから、アウグスティヌスは今も神学者たちを悩ませる神と自由意志の矛盾に苦悩した。私たちの運命が神によってすでに決められているのなら、どうやって人間の行動に意義を持たせられるのだろう？

『告白』は、現代の基準に照らせばジャンル分けできない文献だ。教義、形而上学、精神的な教え、自伝がミックスされている。この「自伝」という要素は重要な意義をもたらした。（脚注、巻末注、参考文献目録などの）出典の記載形式がまだ完成されていなかったこの時代、著者た

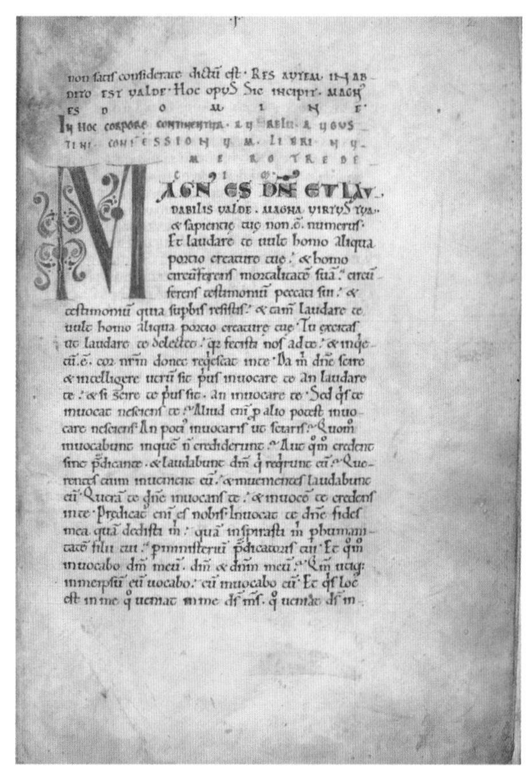

ヒッポのアウグスティヌス
『告白』

（左）11世紀にフランスで複製された『告白』の扉口絵。キリストの足元に侍るアウグスティヌスと、フランク人司教の聖ヴァースト（540年没）に巻物を献じる「アラルドス」と思しき写字生が描かれている。
（右）11世紀にイギリスで作られた最古の『告白』のひとつ。

ちは自伝を著作に加えることで、自分の思想が他者の影響によって形成されていると改めて自覚できたからだ。アウグスティヌスの著作に、タガステのアマジグ人、聖モニカ（332〜387年頃）の見解が記されているのは、単に彼女がアウグスティヌスの母親だったからではない。聖モニカは節制と禁欲を熱心に説く敬虔なキリスト教徒で、子供たちの自制心を養うために彼らが水を飲むことさえ制限した。彼女が、マニ教信者だったアウグスティヌスのキリスト教改宗に中心的な役割を果たしたことは間違いない。

5　システム理論

キリスト教がアフリカ・地中海沿岸地域の文学に浸透し始めていたとき、仏教はインダス川流域に広がり続けていた。ブッダの教えは西暦が始まった頃にはすでに普及していたが、クシャン帝国の正式な後ろ盾を得たことでこの地の諸民族にも受け入れられ、さらに発展した。北インドから中央アジアにかけて栄えたクシャン帝国では、カニシカ王（在位：127〜150年）を始めとする歴代の王たちが社会階級を正当化するために仏教思想を積極的に利用した。さらにはブッダとの直接的なつながりを主張して、自分たちの権威と「救世主」「精神的リーダー」としての立場を固めた。

ここにも王権神授説が見て取れる。これは仏教思想にとって、決定的な転機となった。それまでの仏教は個人が出家して修行を積み、悟りを開くことを目的としていたが、この時点から師の忠告と手助け、ひいては第三者（クシャン帝国の統治者）の影響力を必要とする精神教育システムへと変化したのだ。それと同時にクシャン帝国は寺院建立への出資を開始した。全域に財政豊かな寺院が誕生し始めると、膨大な数の仏典が集められ、チームを組んだ熱心な僧たちの手で複写作業が進められた。

それまで、正式な教育は個人教授を受けるか、誰かと知的な議論を交わすか、諸国を巡る思想家の教えを聞くか、あるいは「グルクラ」と呼ばれるシステム ── 通常、義援金をもとに生徒が師の家に住み込んで勉強する一種の寄宿学校 ── を利用するのが主だった。アケメネス朝ペルシャで開設されたタキシラの大学のような教育機関もいくらかすでに存在していたが、クシャン帝国はそれ以上に教育に投資して、インド北東部にナーランダー僧院を創設（427年）。この僧院は仏教教学を中心に天文学、政治、数

カニシカ王の肖像
130年頃、パキスタン、ガンダーラ地方

広く流通する硬貨に肖像を刻むのは、臣民たちに統治者の存在を忘れさせないための効果的な手段だった。写真の金貨にはクシャン帝国のカニシカ1世の姿と、その縁にはカローシュティー文字という古代文字が刻まれている。

〈左〉
ブッダ像
2世紀もしくは3世紀
パキスタン、ガンダーラ地方

灰色の千枚岩に彫られたクシャン帝国時代のブッダの座像。真剣で穏やかな表情で「結跏趺坐」という形に足を組み、両手を膝の上で重ねている。このブッダ像はウェルズリー大学デイビス博物館に収蔵されているが、他の多くの工芸品と同様に「非公開」になっている。

学など多様な研究を行う世界最古の総合大学で、巨大な学生寮と9階建ての図書館を併設し、13世紀まで何らかの形で運営が続けられていた。こうした施設は国家の研究部門としての役割を担い、グプタ帝国ではその権威を固める文献を作成・複製することで、統治者の権力と神性というふたつの概念の統合に努めた。

折しも、仏教自体も標準化の道を歩み始めていた。ナーガールジュナ（150～250年頃）が『中論』を書いたのも、この（ジョナルドン・ガネリがいうところの）「スートラの時代」だった。ナーガールジュナは『中論』のなかで、すべてのものは実体がなく「空」である、という仏教の原初からあった考えを擁護した。ナーガールジュナは、「『我』のようなものは一切存在しない（ただし、現象（ダルマ）には何らかの実体がある）」と説いたアビダルマの見解を発展させ、「一切の現象に不変の本質は存在しない」とする「空」の理論を打ち立てた。

ナーガールジュナは、インド大乗仏教の中観派の祖と言われる。中観派はこの数世紀後に、現在のパキスタン北西部ペシャワール地方にあたるガンダーラ王国で活躍したヴァスバンドゥとアサンガ兄弟に影響を与えた学派だ。この学派は複雑な問題も提起した。私たちの心も「空」だとしたら、すべてのものが「空」だとどうやって認識できるのか——ヴァスバンドゥが抱いたこの疑問は、その後、何世紀にもわたって仏教界で権勢をふるう瑜伽行派の教義の根幹のひとつを形成した。

アビダルマ（abhidharma）の語源は少々曖昧だ。アビ（abhi）には「より高く」「～について」、ダルマ（dharma）には「教示」「原理」の意味がある。翻訳がどうあれ、仏典の思想体系を上位視点から分析した注釈書であることは間違いない。この体系化の広範なプロセスによって、仏教は口頭伝承から（パーリ仏典などの）経典研究、そして包括的な学問体系へと発展し、その文献は僧たちの手でサンスクリット語から中国語、チベット語、モンゴル語、ウイグル語に翻訳され、西は地中海沿岸地方、北はアジアを横断して中国に持ち込まれた。

6　ニッチ市場の開拓

バラモン教も、仏教のこうした発展に後れを取るまいと近代化を図る。バラモン教を積極的に保護したグプタ帝国が勢力拡大を続けていた3世紀に、教義の体系化に着手し、仏教の一部の特徴を導入した。依然として『ウパニシャッド』などのヴェーダ文献を土台にしていたサーンキヤ学派とヨーガ学派も、次第に高まる仏教人気に追いつくべく、ヴェーダの思想体系を仏教の思想体系に融合し始めた。

たとえば、パタンジャリの『ヨーガ・スートラ』には、欲望を排除すれば輪廻（サンサーラ）のサイクルから脱出できる、と綴られている。2世紀から4世紀の間に現在の形に編纂された警句の多いこの文献は、ヨーガ学派の中心的な経典のひとつだが、そこには「苦行は悟りに至る道」というヴェーダ思想から離れた、むしろ仏教の「自己犠牲」に近い考えが示されており、現代の健康施設で実践されているヨーガとは似ても似つかない深い瞑想と禁欲が奨励されている（『ヨーガ・スートラ』の「超自然力の章（ヴィブーティ・パダ）」という教えには、瞑想と禁欲を極めれば超常的な能力が身につく、と書かれている）。これは、仏教の禁欲主義と煩悩からの脱却という思想をバラモン教に取り入れようという、パタンジャリの意識的な行動だった。

राम॰ ।।श्रीगणेशायनमः अथद्वितीयःपादः उद्दिष्टःसमाहितचित्तस्य
१ योगः कथंव्युत्थितचित्तोपियोगयुक्तः स्यादित्येतदारभ्यते तपस्वा
ध्यायेश्वरप्रणिधानानिक्रियायोगः १ नातपस्विनोयोगःसिध्यति
अनादिकर्मक्लेशवासनाचित्राप्रत्युपस्थितविषयजालाचाशुद्धि
र्नांतरेणतपःसंभेदमापद्यते इतितपसउपादानंतच्चचित्तप्रसा
दनमबाधमानमनेनासेव्यमितिमन्यतेस्वाध्यायः प्रणवादिप
वित्रमंत्राणांजपःमोक्षशास्त्राध्ययनंवा ईश्वरप्रणिधानंसर्व
क्रियाणांपरमगुरावर्पणं तत्फलसंन्यासोवा सहिक्रियायोगः शिव॰
समाधिभावनार्थः क्लेशतनूकरणार्थश्च २ सहिआसेव्यमा १

नःसमाधिंभावयति क्लेशांश्चप्रतनूकरोति प्रतनूकृतक्लेशान्
प्रसंख्यानाग्निनादग्धबीजकल्पानप्रसवधर्मिणःकरिष्यति ते
षांतनूकरणात्पुनःक्लेशैरपरामृष्टासत्त्वपुरुषान्यतामात्रख्या
तिः सूक्ष्मप्रज्ञासमाप्ताधिकाराःप्रतिप्रसवायकरिष्यति तेषां
तनूकरणात्पुनःक्लेशो अथपुनःक्लेशाःकेकियंतोवेति अविद्या
क्षेत्रमुत्तरेषांप्रसुप्ततनुविच्छिन्नोदाराणां ४ अत्रअविद्याक्षे
त्रंप्रसवभूमिरुत्तरेषां अस्मितादीनां चतुर्विकल्पानांप्रसुप्त
तनुविच्छिन्नोदाराणां तत्रकाप्रसुप्तिः चेतसिशक्तिमात्रप्रतिष्ठा
नांबीजभावोपगमः त[illegible]प्रबोधआलंबनेसंमुखीभावः

राम॰ क्षीयमाणांचाविद्यामनुक्षीयंतइति तत्राविद्यास्वरूपमुच्यते अ
३ नित्याशुचिदुःखानात्मसुनित्यशुचिसुखात्मख्यातिरविद्या ५
अनित्येकार्येनित्यख्यातिः तद्यथा ध्रुवापृथिवीध्रुवासचंद्र
तारकाद्यौः अमृतादिवौकसइतितथाशुचौपरमबीभत्से
काये। उक्तंच स्थानाद्बीजादुपष्टंभान्निस्यंदान्निधनादपि काय
माधेयशौचत्वात्पंडिताह्यशुचिंविदुरित्यशुचौशुचिख्यातिर्दृश्य
ति नवेवशशांकलेखाकमनीयेयंकन्यामध्वमृतावयवनिर्मि
तेवचंद्रंभित्वानिस्सृतेवज्ञायते नीलोत्पलपत्रायताक्षीहावगर्भाभ्यां शिव॰
लोचनाभ्यांजीवलोकमाश्वासयंतीवेति कस्यकेनाभिसंबंधः ३

パタンジャリ
『ヨーガ・スートラ』
18世紀

サンスクリット語のバシャヤ（注釈書）がついている『ヨーガ・スートラ』の複製。文字は黒インク、余白には覚書が記され、ところどころサフランの粉でオレンジ色の線が引かれている。ペンシルバニア大学所蔵。

アルママライ洞窟の
ジャイナ教岩壁画
8世紀
インド、タミル・ナドゥ州
マラヤンパトゥ村

アルママライ洞窟の岩壁画の一部。ジャイナ教の核心的な物語を描いた絵が雨風から守られ、今も残っている。アルママライと同じように何世紀もの間、ジャイナ教寺院として機能してきた同州シッタナバサル洞窟の岩壁画と様式が似ている。

同じ頃、イーシュバラクリシュナ（生没年不詳。5世紀に活躍）はサーンキヤ学派の基礎を成す文献のひとつ、『Sāmkhyakārikā（サーンキヤ頌）』を執筆していた。これはヴェーダ思想の中心的概念と原理を詳説した綱要書だ。隙なくまとめられたこの文献には、プルシャとプラクリティの対立という、マニ教に似た二元論が提示されている。プルシャはすべての意識状態の根底にあるもの、すなわち純粋意識を意味し、プラクリティはより自然に近い、根源的なものを意味する。『サーンキヤ頌』によると、この違いを理解すれば（物質に根差した）欲望が消えて悟りが開けるという――この考えも明らかに仏教思想の影響だ。

ジャイナ教もまた、教義の体系化を試みていた。ウマースバーティー（生没年不詳。5～6世紀頃に活躍）は、ジャイナ教2大教派のディガンバラ派とシュヴェーターンバラ派両方の教理を取り入れた『Tattvarthsutra（タットヴァールタ・スートラ）』を著した。魂に関する形而上学、苦行の実践方法、実践倫理学をひとつにまとめたこの書には、総合的なジャイナ哲学が展開されている。この文献の中核となるのは「3つの宝」だ。正しい信仰・正しい知識・正しい行動によって解脱への道が開く、とするジャイナ教の基本的心得を、ウマースバーティーが明確な言葉でまとめている。このように、メッセージを明確に伝えて人々を引き付ける発見的手法の出現によって完全な変化を遂げたのは、ジャイナ教思想の中身ではなく、むしろその形態の方だった。

7　身内の問題

ヴェーダ思想とジャイナ思想が体系化を果たしたが、仏教思想の伝播力は他の追随を許すことなく、西暦が始まって最初の1000年の間に、東西を結ぶ交易路に沿ってパミール高原を超え、各地に広がった。当初は、東西交易に従事する少数のソグド商人くらいしか関心を示さなかったが、3～4世紀に中国が国家間戦争によって（再び）分裂し、漢王朝の滅亡によって国教だった儒教の勢いが衰えて華北が思想の空白状態に陥ると、潮目が変わった。

華北を統一した北魏（386～534年）の統治者は、自分たちと政敵との差別化に躍起になった。仏教が儒教に代わるイデオロギーとして注目されたのはこのときだ。北魏が仏教に目をつけた理由は、中国発祥の思想ではなく、教えを説く師たちも概して「外国人」だったからだ。つまり、漢代の中国人学者連中に頼らずとも民衆を教育できる、という明確な政治的利点があった。こうして北魏もクシャン帝国のように、自国の正当性を強調するために仏教を利用し、その普及に努めた。そしてカニシカ王のように、自分たちを、聖なる力を持つ君主という立場に置き、（たとえば現在の「大同市」にあたる城区や洛陽市にあるような）仏教寺院やブッダ像を建立することで、戦争に勝利した自分たちを宇宙の覇者に仕立て上げた。ここでもまた、もとは草の根運動だった仏教が、領土拡大を正当化したい国家に利用されたのだ。

ディーパンカラ（燃燈仏）
489～95年
中国、大同市

砂岩に刻まれ、顔料がうっすら残るディーパンカラと思しき仏像。ディーパンカラは、前世で修行中だったゴータマ・シッダールタに、悟りを開き釈迦仏になるだろうと予言した仏だ。ここでは片手を下ろして穏やかな笑みを浮かべ、小さな人物たちに囲まれている。これらの人物は着衣から判断して、北魏を建国した中国北東部の民族、鮮卑だと思われる。

中国での仏教人気が高まるにつれ、中国語の仏典がどんどん製作された。その多くは、前述した格義仏教という、仏教の概念を道教・儒教という中国古典の概念に当てはめたものだった。だが、この格義仏教も4世紀には衰退し始める。本来の概念が誤訳されてしまうのではないか、仏教哲学の新機軸が正当に評価されないのではないか、たとえば既存の道教思想に直結させた仏教思想は、もはやオリジナルとは言えなくなってしまうのではないか、という懸念が芽生えたからだ。

この頃、仏教の概念は、中国の読者に向けて仏教を擁護する護教論のなかに表現の場を見出し始めていた。2世紀後半に牟氏が書いた『Disposing of Error（牟子理惑論）』を始めとする護教論の目的は、仏教思想を儒教・道教思想に当てはめることではなく、仏教思想と中国固有の思想との共通点を指摘し、対立点になりかねない教義については読者の共感を得られるように丁寧に説明することだった。牟子は『Disposing of Error』のなかで、剃髪の実践や輪廻転生の概念、僧の不淫の習慣などに見られる仏教思想の「異質性」も論じている。生涯、性的に禁欲し独身を貫く「不淫」の概念は儒教思想と相容れず、中国の生活様式にそぐわないと見なされたが、牟子はそれが中国の伝統にいかに調和するかを証明しようと努め、このような仏教徒の習慣を補完するようにも読める老子と孔子の言葉を取り上げて当局にアピールした。このレトリカルな戦略は、プラトンを引き合いに出したキリスト教思想家たちを彷彿とさせる。北魏が仏教のイデオロギーの勢いをうまく利用したように、牟子を始めとする仏教思想家たちも、できるだけ多くの人間にアピールするために、中国固有の思想を利用したのだった。

8　翻訳の新たな可能性

中国仏教は、仏教僧のクマーラジーヴァ（344～413年）が長安に来た401年にもうひとつの転機を迎える。歴史家たちによると、クマーラジーヴァは皇帝の後ろ盾を得て、大乗仏教の中心的仏典の翻訳や注釈に従事する大掛かりな研究会を発足した。こうして仏教の護教論は、インド生まれの多層的な注釈書の類へと姿を変えた。『金剛般若経』『法華経』『阿弥陀経』に関する彼の注釈書は――ヒュパティアやアテネのアスクレピゲニア（430～485年）の注釈書のように――単なる「副読本」以上の役割を果たした。他の著作物や文学体系も生き延び繁栄できる、文学的・概念的枠組みを構築したからだ。

このクマーラジーヴァの働きは、玄奘三蔵（602～664年）の『成唯識論』などに漢訳されたヴァスバンドゥの論典が受け入れられる道を開いた。今も残る10巻構成のこの『成唯識論』には、「一切は私たちの心の産物にすぎないゆえに空である。物体は幻にすぎないが、私たちの心だけは幻ではない」という、瑜伽行派の教義の骨子が中国の読者に合うように説明されている。

当然のことながら、中国の学者たちはインドの文献をそっくりそのまま中国語に翻訳したわけではない。自国の人々に受け入れてもらうには、中国の文化風土に合わせて教義を変える必要があった。その結果、3、4世紀に中国仏教思想のさまざまな学派が誕生する。その筆頭がチャン学派だ（「静慮」を意味するサンスクリット語のdhyanaの音訳、channaの短縮形が名前の由来）。英語を母語とする人々には、「禅宗」という日本由来の名称で知られている。

〈前ページ上〉
ブッダと支援者たちを刻んだ石碑
528年、中国

石灰石に彫られた、菩薩に守られているブッダと僧と動物たち。石碑建立の支援者たちの姿も見える。中央部は精密な植物と建築的な模様で縁取られ、下部には説明文が刻まれている。

『法華経』
960～1279年、中国

『法華経』に描かれた、緑豊かな庭園で座するブッダと彼を拝跪する人物。右側の赤枠に囲まれた本文には朱印が押され、強調と審美的効果のために、一部、巨大な筆記体が使われている。

〈89ページまで〉
『法華経』
960〜1279年、中国

5世紀に活躍した仏教学者、クマーラジーヴァが中国語に翻訳したと言われる『法華経』。挿入されている図版は、読者に「神の視点」を与えるような構図で細部まで丁寧に描かれている。

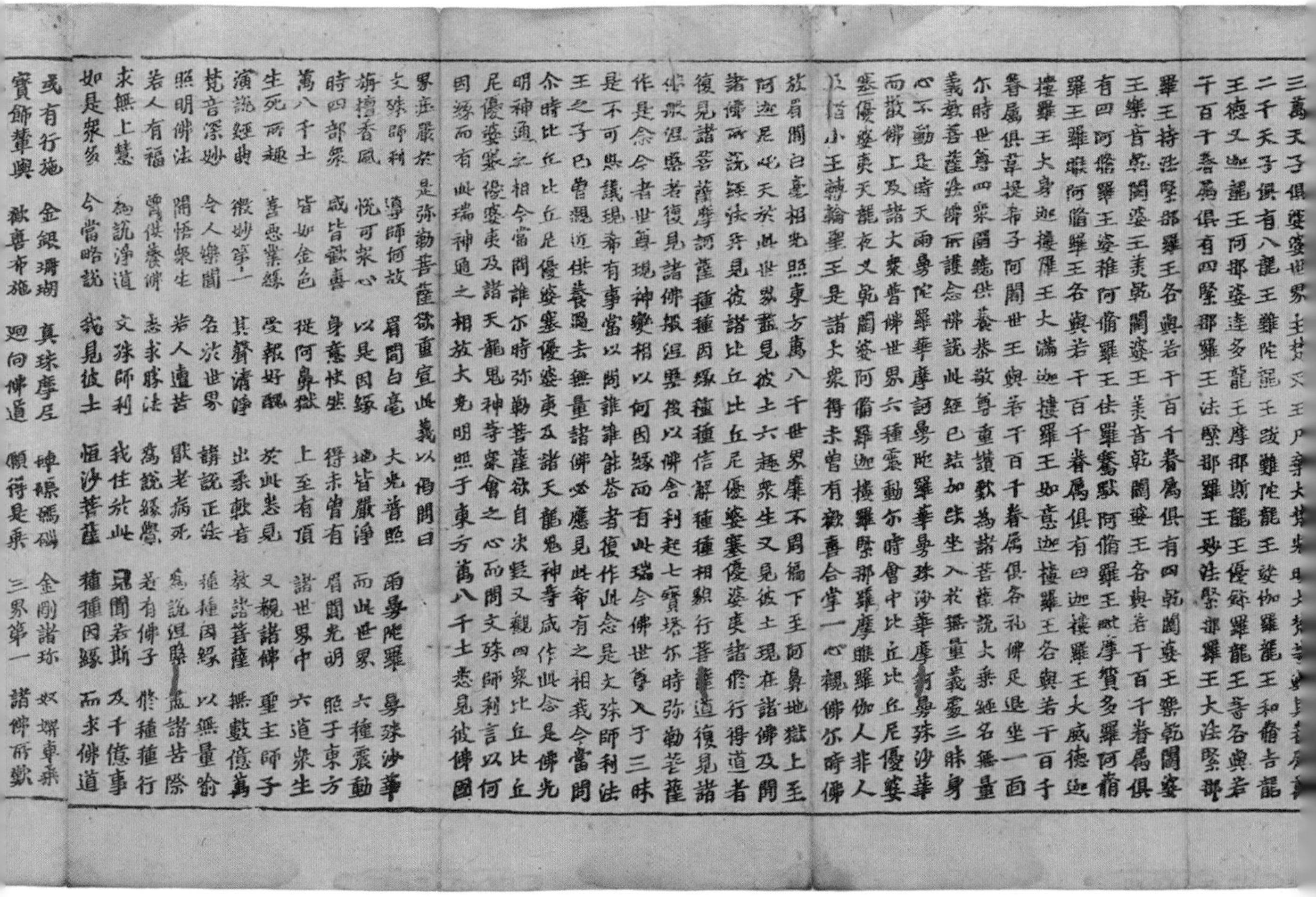

三萬天子俱娑婆世界主梵天王尸棄大梵光明大梵等
二千天子俱有八龍王難陀龍王跋難陀龍王娑伽羅龍王和脩吉龍
王德叉迦龍王阿那婆達多龍王摩那斯龍王優鉢羅龍王等各與若
干百千眷屬俱有四緊那羅王法緊那羅王妙法緊那羅王大法緊那
羅王持法緊那羅王各與若干百千眷屬俱有四乾闥婆王樂乾闥婆
王樂音乾闥婆王美乾闥婆王美音乾闥婆王各與若干百千眷屬俱
有四阿脩羅王婆稚阿脩羅王佉羅騫馱阿脩羅王毘摩質多羅阿脩
羅王羅睺阿脩羅王各與若干百千眷屬俱有四迦樓羅王大威德迦
樓羅王大身迦樓羅王大滿迦樓羅王如意迦樓羅王各與若干百千
眷屬俱韋提希子阿闍世王與若干百千眷屬俱各禮佛足退坐一面
尒時世尊四眾圍遶供養恭敬尊重讚歎為諸菩薩說大乘經名無量
義教菩薩法佛所護念佛說此經已結加趺坐入於無量義處三昧身
心不動是時天雨曼陀羅華摩訶曼陀羅華曼殊沙華摩訶曼殊沙華
而散佛上及諸大眾普佛世界六種震動尒時會中比丘比丘尼優婆
塞優婆夷天龍夜叉乾闥婆阿脩羅迦樓羅緊那羅摩睺羅伽人非人
及諸小王轉輪聖王是諸大眾得未曾有歡喜合掌一心觀佛尒時佛
放眉間白毫相光照東方萬八千世界靡不周遍下至阿鼻地獄上至
阿迦尼吒天於此世界盡見彼土六趣眾生又見彼土現在諸佛及聞
諸佛所說經法并見彼諸比丘比丘尼優婆塞優婆夷諸修行得道者
復見諸菩薩摩訶薩種種因緣種種信解種種相貌行菩薩道復見諸
佛般涅槃者復見諸佛般涅槃後以佛舍利起七寶塔尒時弥勒菩薩
作是念今者世尊現神變相以何因緣而有此瑞今佛世尊入于三昧
是不可思議現希有事當以問誰誰能答者復作此念是文殊師利法
王之子已曾親近供養過去無量諸佛必應見此希有之相我今當問
尒時比丘比丘尼優婆塞優婆夷及諸天龍鬼神等咸作此念是佛光
明神通之相今當問誰尒時弥勒菩薩欲自決疑又觀四眾比丘比丘
尼優婆塞優婆夷及諸天龍鬼神等眾會之心而問文殊師利言以何
因緣而有此瑞神通之相放大光明照于東方萬八千土悉見彼佛國
界莊嚴於是弥勒菩薩欲重宣此義以偈問曰
文殊師利　導師何故　眉間白毫　大光普照　雨曼陀羅　曼殊沙華
栴檀香風　悅可眾心　以是因緣　地皆嚴淨　而此世界　六種震動
時四部眾　咸皆歡喜　身意快然　得未曾有　眉間光明　照于東方
萬八千土　皆如金色　從阿鼻獄　上至有頂　諸世界中　六道眾生
生死所趣　善惡業緣　受報好醜　於此悉見　又觀諸佛　聖主師子
演說經典　微妙第一　其聲清淨　出柔軟音　教諸菩薩　無數億萬
梵音深妙　令人樂聞　各於世界　講說正法　種種因緣　以無量喻
照明佛法　開悟眾生　若人遭苦　厭老病死　為說涅槃　盡諸苦際
若人有福　曾供養佛　志求勝法　為說緣覺　若有佛子　修種種行
求無上慧　為說淨道　文殊師利　我住於此　見聞若斯　及千億事
如是眾多　今當略說　我見彼土　恒沙菩薩　種種因緣　而求佛道
或有行施　金銀珊瑚　真珠摩尼　硨磲碼碯　金剛諸珍　奴婢車乘
寶飾輦輿　歡喜布施　迴向佛道　願得是乘　三界第一　諸佛所歎

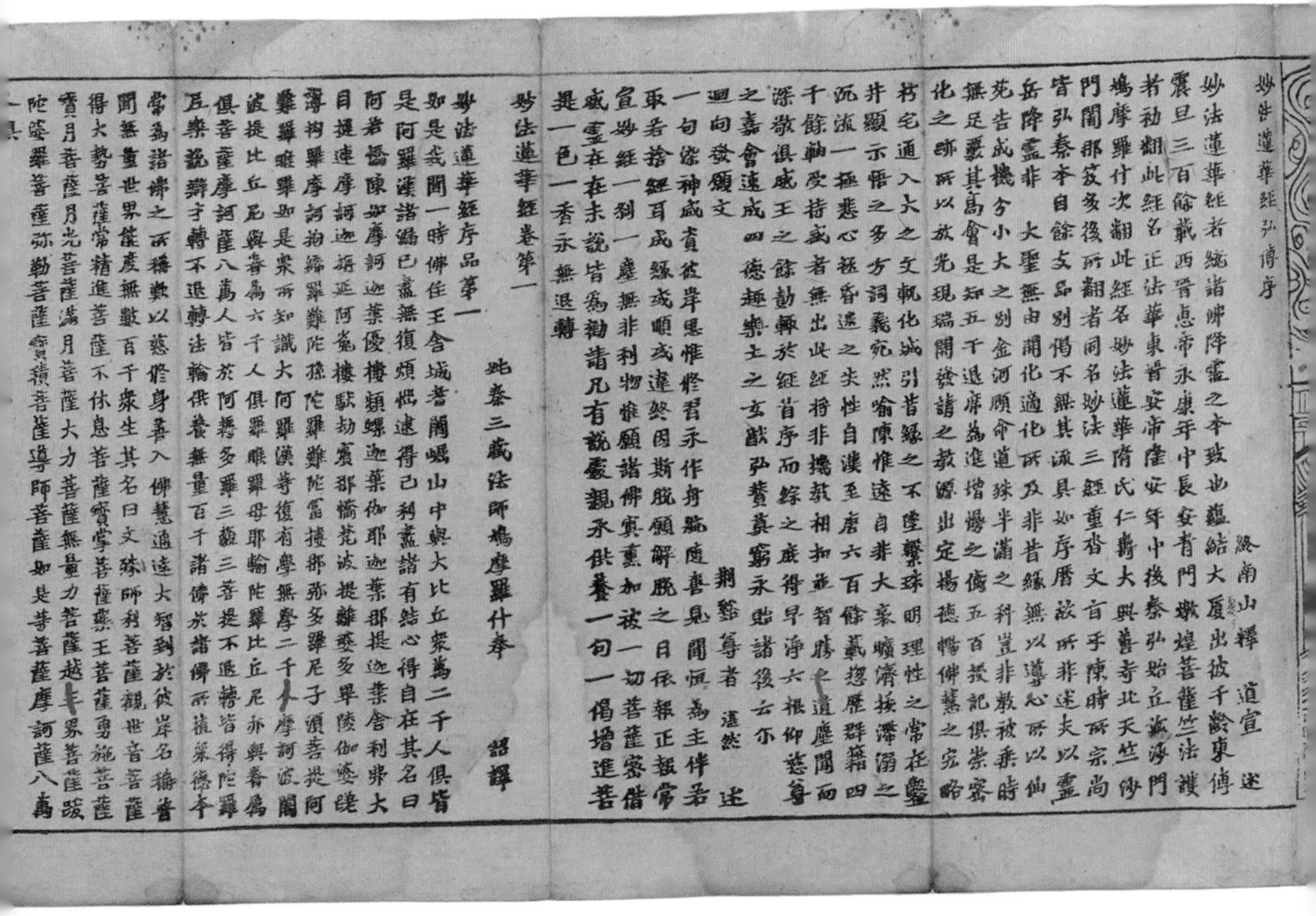

妙法蓮華經弘傳序

終南山釋　道宣　述

妙法蓮華經者統諸佛降靈之本致也蘊結大夏出彼千齡東傳震旦三百餘載西晉惠帝永康年中長安青門燉煌菩薩竺法護者初翻此經名正法華東晉安帝隆安年中後秦弘始丘茲沙門鳩摩羅什次翻此經名妙法蓮華隋氏仁壽大興善寺北天竺沙門闍那崛多後所翻者同名妙法三經重沓文旨互陳時所宗尚皆弘秦本自餘支品別偈不無其流具如序曆故所非述夫以靈岳降靈非大聖無由開化適化所及非昔緣無以導心所以仙苑告成機分小大之別金河顧命道殊半滿之科豈非教被乖時無足覆其高會是知五千退席為進增慢之儔五百授記俱崇密化之迹所以放光現瑞開發請之教源出定揚德暢佛慧之宏略朽宅通入大之文軏化城引昔緣之不墜繫珠明理性之常在鑒井顯示悟之多方詞義宛然喻陳惟遠自非大哀曠濟拔滯溺之沉流一極悲心拯昏迷之失性自漢至唐六百餘載總歷群籍四千餘軸受持盛者無出此經將非機教相扣並智勝之遺塵聞而深敬俱威王之餘勳輙於經首序而錄之庶得早淨六根仰慈尊之嘉會蓮成四德趣樂土之玄猷弘贊莫窮永貽諸後云尒

廻向發願文

荊谿尊者　湛然　述

一句染神咸資彼岸思惟修習永作舟航隨喜見聞恒為主伴若取若捨經耳成緣或順或違終因斯脫願解脫之日依報正報常宣妙經一剎一塵無非利物唯願諸佛冥熏加被一切菩薩密借威靈在在未說皆為勸請凡有說處親承供養一句一偈增進菩提一色一香永無退轉

妙法蓮華經卷第一

姚秦三藏法師鳩摩羅什奉　詔譯

妙法蓮華經序品第一

如是我聞一時佛住王舍城耆闍崛山中與大比丘眾萬二千人俱皆是阿羅漢諸漏已盡無復煩惱逮得己利盡諸有結心得自在其名曰阿若憍陳如摩訶迦葉優樓頻螺迦葉伽耶迦葉那提迦葉舍利弗大目揵連摩訶迦旃延阿㝹樓馱劫賓那憍梵波提離婆多畢陵伽婆蹉薄拘羅摩訶拘絺羅難陀孫陀羅難陀富樓那彌多羅尼子須菩提阿難羅睺羅如是眾所知識大阿羅漢等復有學無學二千人摩訶波闍波提比丘尼與眷屬六千人俱羅睺羅母耶輸陀羅比丘尼亦與眷屬俱菩薩摩訶薩八萬人皆於阿耨多羅三藐三菩提不退轉皆得陀羅尼樂說辯才轉不退轉法輪供養無量百千諸佛於諸佛所殖眾德本常為諸佛之所稱歎以慈修身善入佛慧通達大智到於彼岸名稱普聞無量世界能度無數百千眾生其名曰文殊師利菩薩觀世音菩薩得大勢菩薩常精進菩薩不休息菩薩寶掌菩薩藥王菩薩勇施菩薩寶月菩薩月光菩薩滿月菩薩大力菩薩無量力菩薩越三界菩薩跋陀婆羅菩薩彌勒菩薩寶積菩薩導師菩薩如是等菩薩摩訶薩八萬人俱

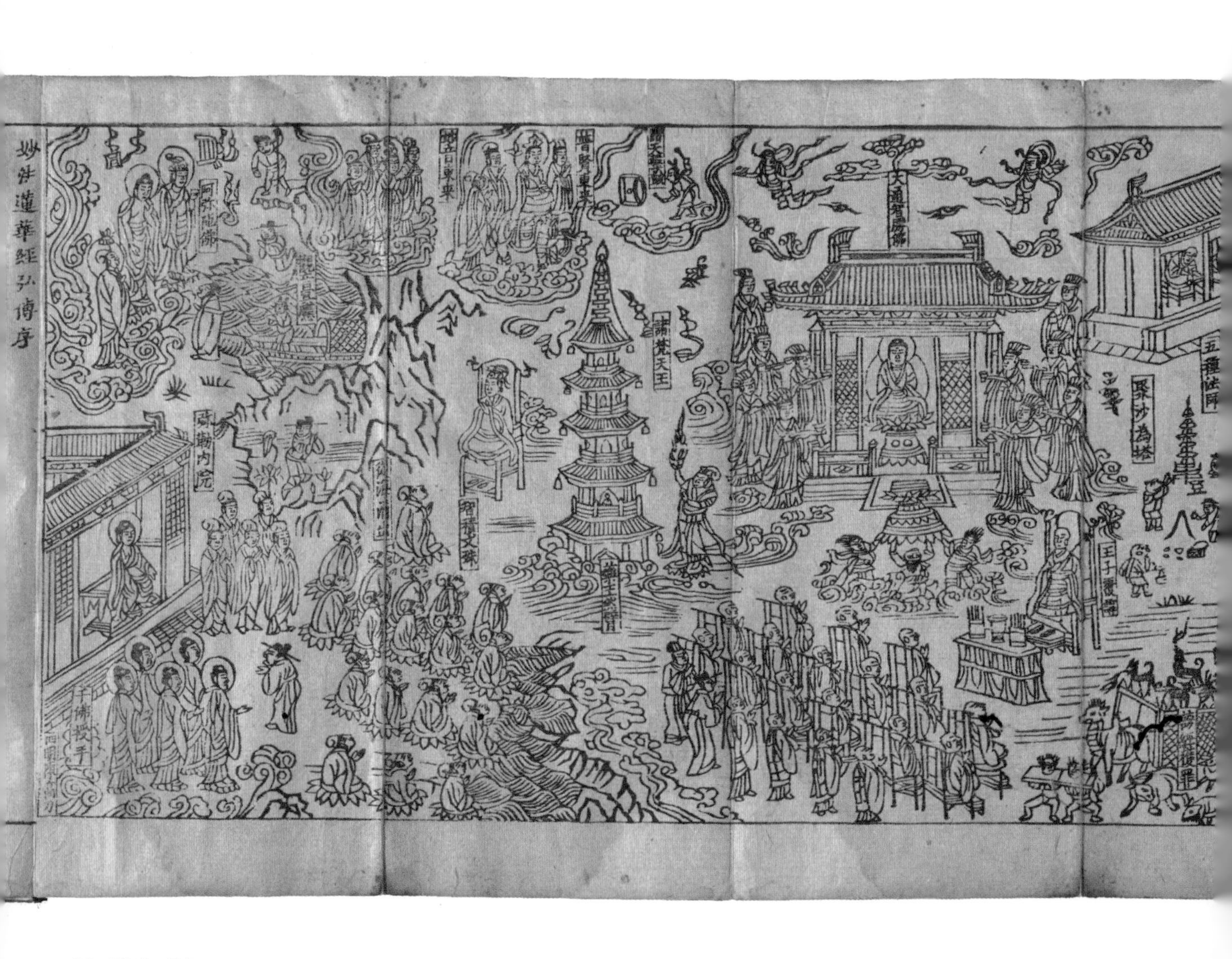
妙法蓮華經弘傳序
請梵天王
聚沙為塔

靈山妙會
魔王衆
三車出宅
不輕菩薩
授龍女記
授調達記
龍王衆

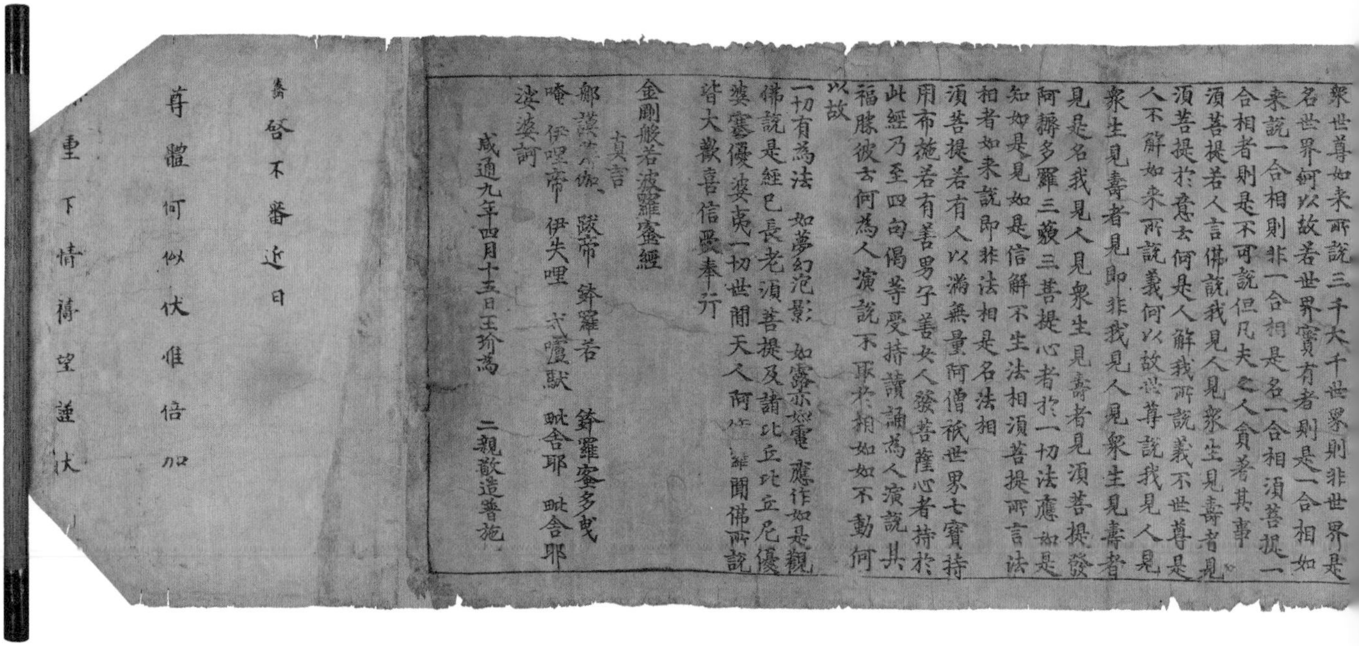
衆世尊如来所說三千大千世界則非世界是
名世界何以故若世界實有者則是一合相如
来說一合相則非一合相是名一合相須菩提一
合相者則是不可說但凡夫之人貪著其事
須菩提若人言佛說我見人見衆生見壽者見
須菩提於意云何是人解我所說義不世尊是
人不解如来所說義何以故世尊說我見人見
衆生見壽者見即非我見人見衆生見壽者
見是名我見人見衆生見壽者見須菩提發
阿耨多羅三藐三菩提心者於一切法應如是
知如是見如是信解不生法相須菩提所言法
相者如来說即非法相是名法相
須菩提若有人以滿無量阿僧祇世界七寶持
用布施若有善男子善女人發菩薩心者持於
此經乃至四句偈等受持讀誦為人演說其
福勝彼云何為人演說不取於相如如不動何
以故
一切有為法 如夢幻泡影 如露亦如電 應作如是觀
佛說是經已長老須菩提及諸比丘比丘尼優
婆塞優婆夷一切世間天人阿修羅聞佛所說
皆大歡喜信受奉行
金剛般若波羅蜜經
真言
那謨婆伽跋帝 鉢羅若 鉢羅蜜多曳
唵 伊唎底 伊失唎 輸盧馱 毗舍耶 毗舍耶
莎婆訶
咸通九年四月十五日王玠為 二親敬造普施
昏不審近日
尊體何似伏惟倍加
重下情禱望謹状

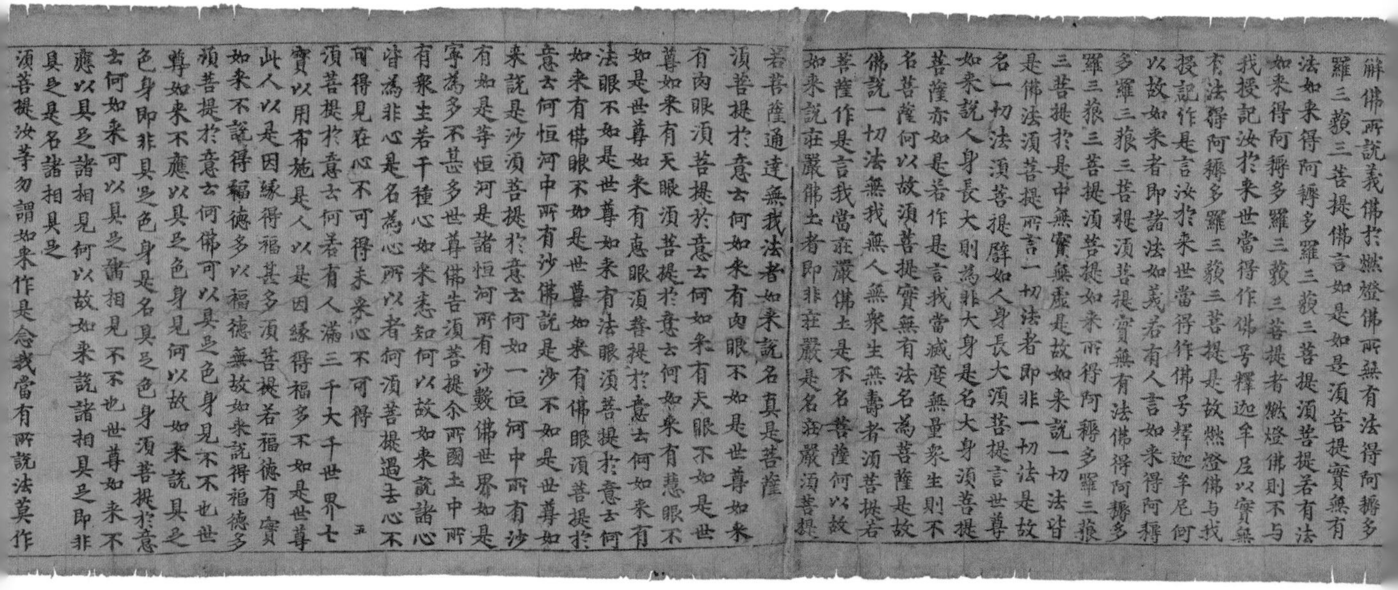
解佛所說義佛於然燈佛所無有法得阿耨多
羅三藐三菩提佛言如是如是須菩提實無有
法如来得阿耨多羅三藐三菩提須菩提若有法
如来得阿耨多羅三藐三菩提者然燈佛則不与
我授記汝於来世當得作佛号釋迦牟尼以實無
有法得阿耨多羅三藐三菩提是故然燈佛与我
授記作是言汝於来世當得作佛号釋迦牟尼何
以故如来者即諸法如義若有人言如来得阿耨
多羅三藐三菩提須菩提實無有法佛得阿耨多
羅三藐三菩提須菩提如来所得阿耨多羅三藐
三菩提於是中無實無虚是故如来說一切法皆
是佛法須菩提所言一切法者即非一切法是故
名一切法須菩提譬如人身長大須菩提言世尊
如来說人身長大則為非大身是名大身須菩提
菩薩亦如是若作是言我當滅度無量衆生則不
名菩薩何以故須菩提實無有法名為菩薩是故
佛說一切法無我無人無衆生無壽者須菩提若
菩薩作是言我當荘嚴佛土是不名菩薩何以故
如来說荘嚴佛土者即非荘嚴是名荘嚴須菩提
若菩薩通達無我法者如来說名真是菩薩
須菩提於意云何如来有肉眼不如是世尊如来
有肉眼須菩提於意云何如来有天眼不如是世
尊如来有天眼須菩提於意云何如来有慧眼不
如是世尊如来有慧眼須菩提於意云何如来有
法眼不如是世尊如来有法眼須菩提於意云何
如来有佛眼不如是世尊如来有佛眼須菩提於
意云何恒河中所有沙佛說是沙不如是世尊如
来說是沙須菩提於意云何如一恒河中所有沙
有如是等恒河是諸恒河所有沙數佛世界如是
寧為多不甚多世尊佛告須菩提尒所國土中所
有衆生若干種心如来悉知何以故如来說諸心
皆為非心是名為心所以者何須菩提過去心不
可得見在心不可得未来心不可得
五
須菩提於意云何若有人滿三千大千世界七
寶以用布施是人以是因緣得福多不如是世尊
此人以是因緣得福甚多須菩提若福德有實
如来不說得福德多以福德無故如来說得福德多
須菩提於意云何佛可以具足色身見不不也世
尊如来不應以具足色身見何以故如来說具足
色身即非具足色身是名具足色身須菩提於意
云何如来可以具足諸相見不不也世尊如来不
應以具足諸相見何以故如来說諸相具足即非
具足是名諸相具足
須菩提汝勿謂如来作是念我當有所說法莫作

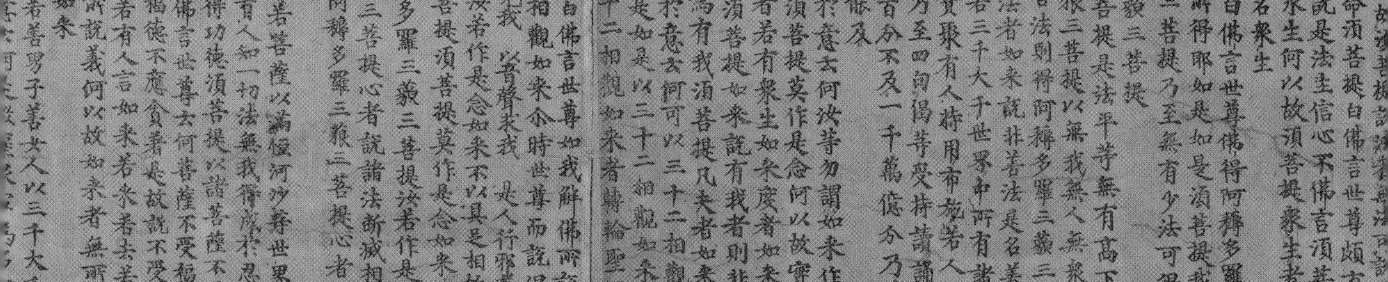

尒時慧命須菩提白佛言世尊頗有衆生於未
來世聞說是法生信心不佛言須菩提彼非衆
生非不衆生何以故須菩提衆生衆生者如來說非
衆生是名衆生
須菩提白佛言世尊佛得阿耨多羅三藐三菩
提為無所得耶如是如是須菩提我於阿耨多
羅三藐三菩提乃至無有少法可得是名阿耨
多羅三藐三菩提
復次須菩提是法平等無有高下是名阿耨
多羅三藐三菩提以無我無人無衆生無壽者
脩一切善法則得阿耨多羅三藐三菩提須菩提
所言善法者如來說非善法是名善法
須菩提若三千大千世界中所有諸須弥山王如
是等七寶聚有人持用布施若人以此般若波
羅蜜經乃至四句偈等受持讀誦為他人說於
前福德百分不及一千萬億分乃至筭數譬
喻所不能及
須菩提於意云何汝等勿謂如來作是念我當
度衆生須菩提莫作是念何以故實無有衆生
如來度者若有衆生如來度者如來則有我人衆
生壽者須菩提如來說有我者則非有我而凡夫
之人以為有我須菩提凡夫者如來說則非凡夫
須菩提於意云何可以三十二相觀如來不須菩
提言如是如是以三十二相觀如來佛言須菩提
若以三十二相觀如來者轉輪聖王即是如來
須菩提白佛言世尊如我解佛所說義不應以
三十二相觀如來尒時世尊而說偈言
若以色見我　以音聲求我　是人行邪道　不能見如來
須菩提汝若作是念如來不以具足相故得阿耨多羅
三藐三菩提須菩提莫作是念如來不以具足相故
得阿耨多羅三藐三菩提汝若作是念發阿耨多
羅三藐三菩提心者說諸法斷滅莫作是念何
以故發阿耨多羅三藐三菩提心者於法不說斷
滅相
六
須菩提若菩薩以滿恒河沙等世界七寶持用布
施若復有人知一切法無我得成於忍此菩薩勝前
菩薩所得功德須菩提以諸菩薩不受福德故須
菩提白佛言世尊云何菩薩不受福德須菩提
菩薩所作福德不應貪著是故說不受福德
須菩提若有人言如來若來若去若坐若卧是人
不解我所說義何以故如來者無所從來亦無所
去故名如來
須菩提若善男子善女人以三千大千世界碎為

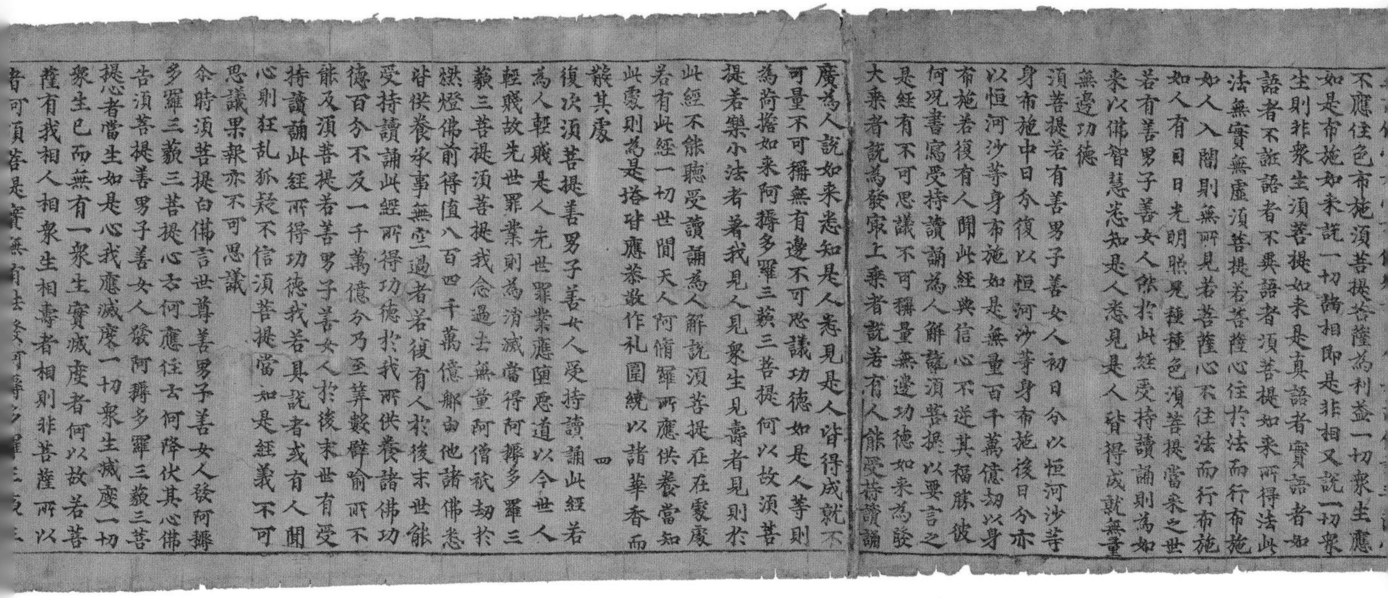

不應住色布施須菩提菩薩為利益一切衆生應
如是布施如來說一切諸相即是非相又說一切衆
生則非衆生須菩提如來是真語者實語者如
語者不誑語者不異語者須菩提如來所得法此
法無實無虛須菩提若菩薩心住於法而行布施
如人入闇則無所見若菩薩心不住法而行布施
如人有目日光明照見種種色須菩提當來之世
若有善男子善女人能於此經受持讀誦則為如
來以佛智慧悉知是人悉見是人皆得成就無量
無邊功德
須菩提若有善男子善女人初日分以恒河沙等
身布施中日分復以恒河沙等身布施後日分亦
以恒河沙等身布施如是無量百千萬億劫以身
布施若復有人聞此經典信心不逆其福勝彼
何況書寫受持讀誦為人解說須菩提以要言之
是經有不可思議不可稱量無邊功德如來為發
大乘者說為發最上乘者說若有人能受持讀誦
廣為人說如來悉知是人悉見是人皆得成就不
可量不可稱無有邊不可思議功德如是人等則
為荷擔如來阿耨多羅三藐三菩提何以故須菩
提若樂小法者著我見人見衆生見壽者見則於
此經不能聽受讀誦為人解說須菩提在在處處
若有此經一切世間天人阿脩羅所應供養當知
此處則為是塔皆應恭敬作礼圍繞以諸華香而
散其處
四
復次須菩提善男子善女人受持讀誦此經若
為人輕賤是人先世罪業應墮惡道以今世人
輕賤故先世罪業則為消滅當得阿耨多羅三
藐三菩提須菩提我念過去無量阿僧祇劫於
然燈佛前得值八百四千萬億那由他諸佛悉
皆供養承事無空過者若復有人於後末世能
受持讀誦此經所得功德於我所供養諸佛功
德百分不及一千萬億分乃至筭數譬喻所不
能及須菩提若善男子善女人於後末世有受
持讀誦此經所得功德我若具說者或有人聞
心則狂亂狐疑不信須菩提當知是經義不可
思議果報亦不可思議
尒時須菩提白佛言世尊善男子善女人發阿耨
多羅三藐三菩提心云何應住云何降伏其心佛
告須菩提善男子善女人發阿耨多羅三藐三菩
提心者當生如是心我應滅度一切衆生滅度一切
衆生已而無有一衆生實滅度者何以故若菩
薩有我相人相衆生相壽者相則非菩薩所以

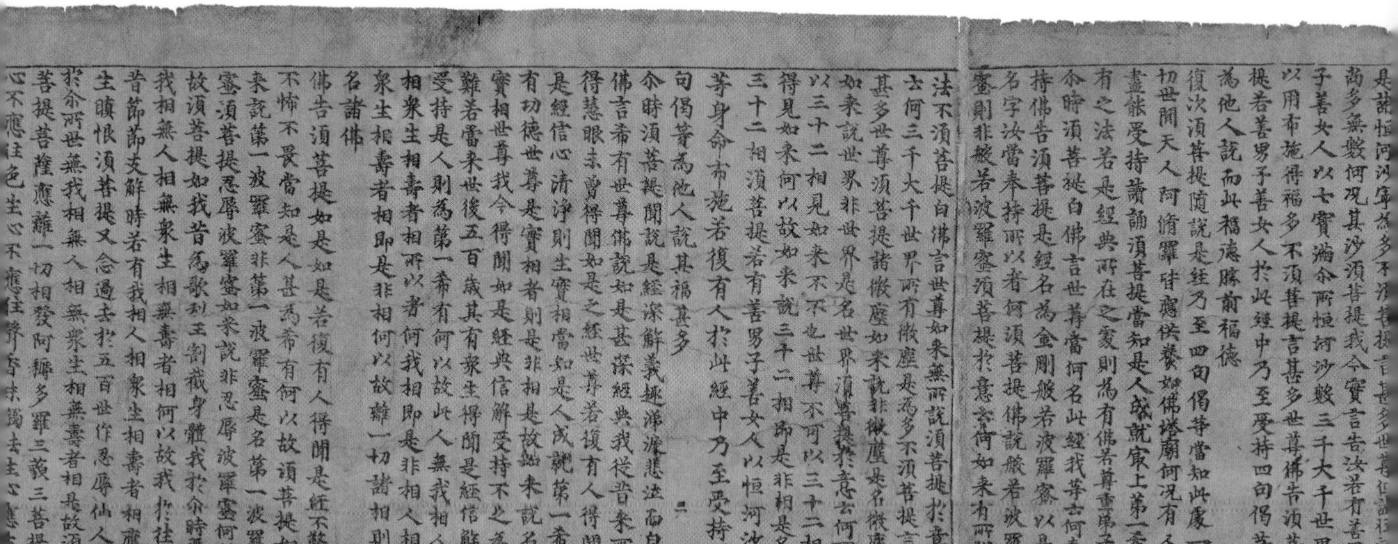

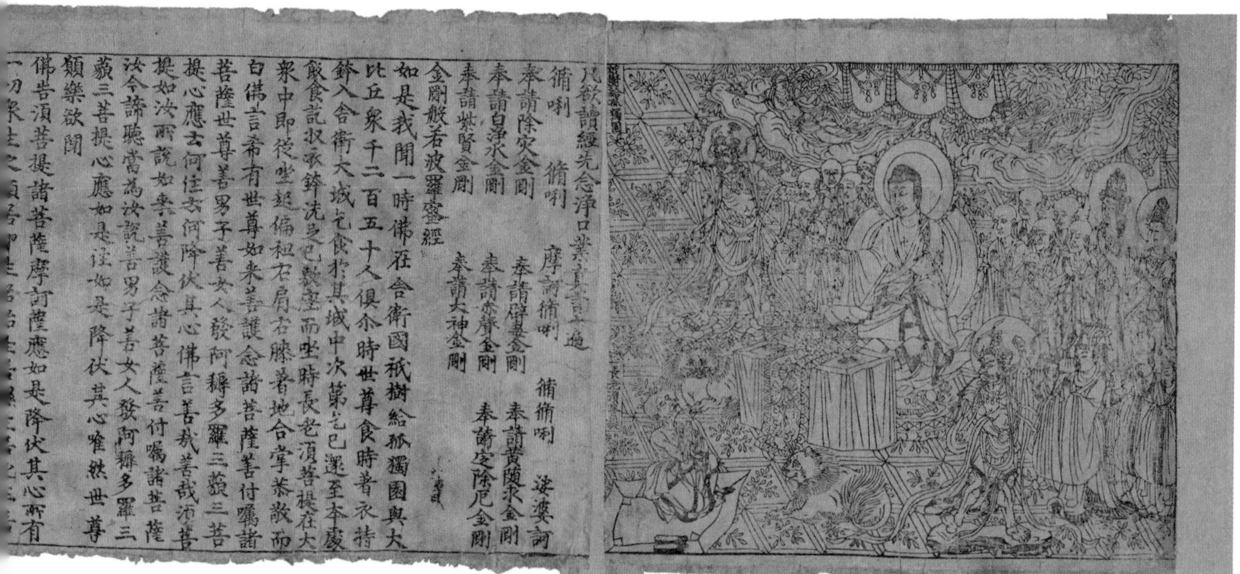

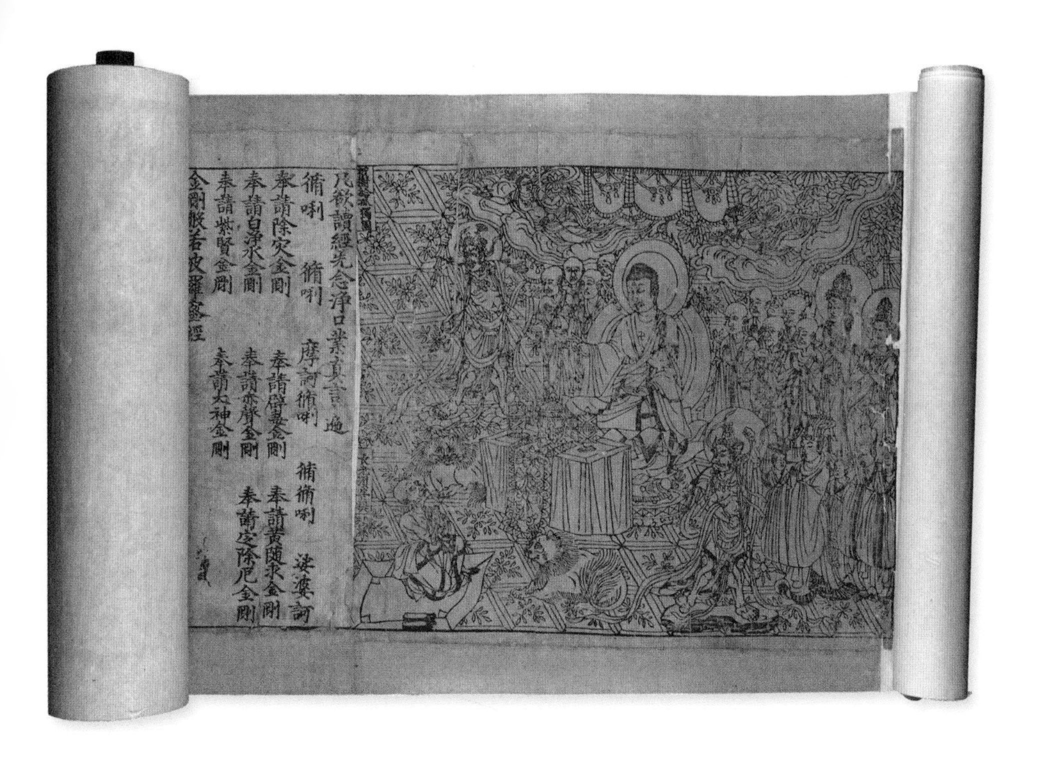

〈90～93ページ〉
868年、中国、甘粛省

完全な状態で現存する最古の印刷本と認定された、9世紀の巻物状の仏典。きっちり枠に収めた文章と、中央にブッダを配置した精密画が木版で印刷されている。
（左）大英図書館の「宝」とも言うべき『金剛般若経』の複製。1900年に中国人僧、王円籙によって発見され、1907年にイギリス人探検家オーレル・スタインによって中国から持ち出された。

玄奘三蔵
9世紀、中国、甘粛省

仏教思想を広めるために、仏典を背負ってシルクロードを旅する仏教哲学者の玄奘三蔵。虎を従え、「ハエ払い」(もしくはハエ叩き)を手に、煙を宙に漂わせている。

〈次ページ右上〉
アニキウス・マンリウス・セウェリウス・ボエティウス
1130年頃、イギリス、カンタベリー

12世紀に発見された、ボエティウスの『On Music (音楽教程)』の複製。写真は――音楽は神と心を通わす手段だと信じている――著者が腰かけて楽器を弾いている絵。

『Treatise on the Two Entrances and Four Practices (二入四行論)』(明らかな理由により、『長巻子』とも呼ばれる)は、禅宗哲学最古の典籍のひとつだ。これは、5、6世紀に活躍したインド人仏教僧、ボーディダルマの業績・言行をまとめたものだと言われているが、その真偽は現代の学者たちの議論の的である。ボーディダルマは経典に頼りすぎないようにと説き、反学究的な姿勢を示した。悟りの境地は言葉で教えられるものでなく、心から心へ直接的に(タイトルの「entrances」はこの意味)、あるいは修行を通して伝わるものだと考えたからだ。人は苦を受け入れ、欲を避け、自然秩序に思考を合わせるために自らを鍛えなければならない。ボーディダルマの言う修行には高い精神力を要した。

このアプローチは道生(360～434年頃)の著作、なかでも『法華経』や『大般涅槃経』の注釈書に具体的に記されている。道生の注釈には仏教思想と道教思想が融合されていた。たとえば彼は「一切皆空」を認めつつも(大乗仏教僧たちが推奨する世俗の超脱に抵抗し)世間とのかかわりは継続すべきだと主張した。彼の最大の業績は仏典翻訳の手法だ。道教思想家たちは何世紀にもわたり、インド仏典の翻訳に利用されてきた自分たちの思想が誤訳によって誤って伝わってしまうのではないかと危惧してきたが、道生は『荘子』の一節、「魚を得て筌を忘る」のごとく、内容をいったん咀嚼して比喩の裏に隠された真意を見出し、適切な言葉で表現し直した。つまり、「諸行無常」の概念を体現するような方法で、道教思想を仏教体系に当てはめたのだった。後半の章で論じるが、この思潮はやがてはるか日本に届くことになる。日本では飛鳥時代(538～710年)に仏教が伝来し、鎌倉時代(1185～1333年)に禅宗が成立する。

9　新たな世界秩序

学術機関は政治と無縁ではない。前述した教育カリキュラムの制度化は、国策の一環であり続けた。大学とそのカリキュラムが既存の社会秩序を正当化する――すると概念の対立によって、知的な挑戦は非合法と断じられるか、既存の思想に吸収される。過激な思想が既存のフレームワークに押し込まれることもある。クシャン帝国や北魏が自分たちの支配権を確立するために仏教を利用したように、ローマ帝国も自国統一のためにキリスト教の人気を利用した。

しかし、概念的国境と地理的国境の両方を守るのは大きな犠牲を伴う。5、6世紀には、ローマ帝国もササン朝ペルシャも領土を広げすぎていたため、ローマにとってはキリスト教の国教化も国家衰退を防ぐのに十分ではなかった。ローマ帝国は407年にブリタニアから撤退――これが、410年の西ゴート族による「ローマ略奪」(失意のアウグスティヌスを『神の国』の執筆に駆り立て、首都陥落はキリスト教の責任ではないと論じさせた出来事)につながる領土縮小の始まりだった。ローマのグローバルパワーのこの突然の消滅は、(アッティラ王率いる)フン族やゴート族などの大草原地帯の遊牧民が政治力を強めたことが一因だった。やがて北方からの侵攻を受

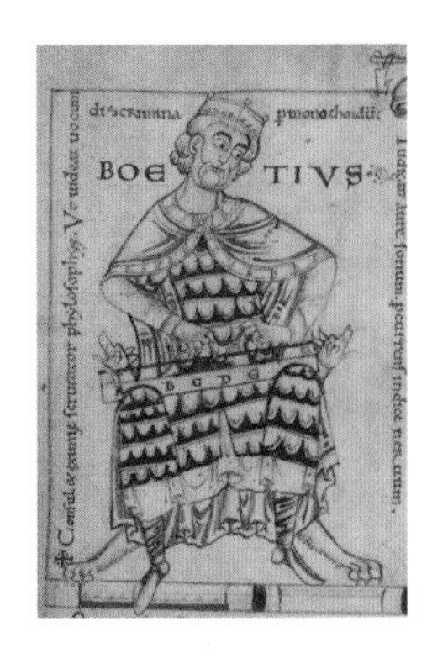

けたローマ帝国は、自国に不利な条件でササン朝ペルシャと和平条約を結ばざるを得なくなった。

ローマ帝国の崩壊は、文学界に必然的な変化をもたらした。アニキウス・マンリウス・セウェリウス・ボエティウス（480～524年頃）が『哲学の慰め』を書いたのは、当時のローマ世界に社会的・精神的不安が蔓延していた証拠である。貴族階級出身のボエティウスは、東ゴート王国のテオドリック王に仕官しながら哲学の研究に打ち込んでいた。アリストテレスとプラトンの著作をラテン語に翻訳するという志を持っていたが、493年にイタリア王となっていたテオドリックによりパヴィアに投獄され、その夢がついえてしまう。テオドリックの中傷者たちを擁護したことで反逆の嫌疑をかけられ、いつの間にか監獄に入れられて死刑を宣告されたのだった。

『哲学の慰め』は、収監中のボエティウスと、彼のもとを訪れて慰めの言葉をかける擬人化された「哲学」（知の女神）との対話という形で話が進む。ストア派哲学の象徴であるこの女神はボエティウスに対し、現状を嘆き悲しんでも無駄である、運命の歯車が止まるのを嘆き悲しむことに意味はない、と説く。さらに、幸福な生活を送っているかのように見える悪人たちの身にも、神の大いなる計画によって必ず不幸が訪れると説明し、神義論的な思索に彼を導いたうえで、家族の繁栄と、苦しみは義人になるための試験だという考えに慰めを見出すよう提言する。

ボエティウスは最後に、未来の事柄は必然か否かを女神に問う。女神はアウグスティヌスも思索を重ねたこの問いに対し、神が認識している以上、それは必然だと答える。この答えは、人間は自らの意志で行動できるという考え——ボエティウスが信じる「自由意志」——に矛盾するが、神は永遠の現在において万物を見給い、しかも事物の本質や特質を変えることも判断を混同することもない、唯一無二の慧眼の持ち主だという結論を彼自身が下すのだ。自由は自分の一時的な立場に根差すもの、という現代の認識論的方向性とはかなり異なる見解である。

ボエティウスの論には、避けられない運命に対する藁にもすがるような思いが表れている。目前に迫る自身の処刑への不安と、哲学から得られる慰めは、帝国の陥落と「蛮族」の侵略を体験した読者たちの深い共感を呼んだことだろう。国家主導のイデオロギーは文明が崩壊しても、一時的とはいえ、まだ役に立ったのだ。

この社会的混乱はその後、数世紀の間に加速していった。ローマとササンの両帝国が内外の緊張によって次第に分裂していくなか、東方では、急進的な新思想の誕生によって「イスラム黄金時代」の幕が上がる。

エマヌエレ・テサウロ
「ローマ略奪」

『The Kingdom of Italy Under the Barbarians（蛮族の支配下にあるイタリア王国）』という大著に挿入された一場面。17世紀のイタリア人たちが古代世界をどんなふうに想像していたかがわかる。

アニキウス・マンリウス・セウェリウス・ボエティウス
『哲学の慰め』
14世紀、フランス

当初、マインツのカルトジオ修道会の修道院が所蔵していたボエティウスの『哲学の慰め』の一部。散発的に左右両端を揃えて分割されたこれらのページには昔の大文字が使用され、余白には覚書が付されている。

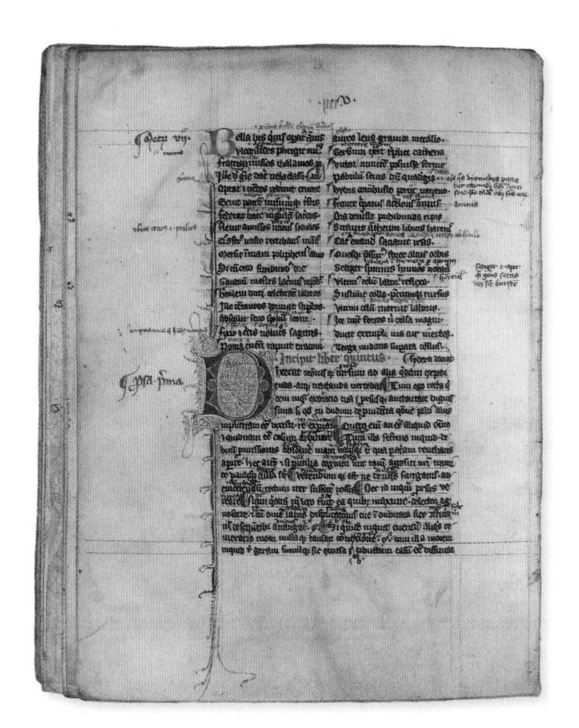

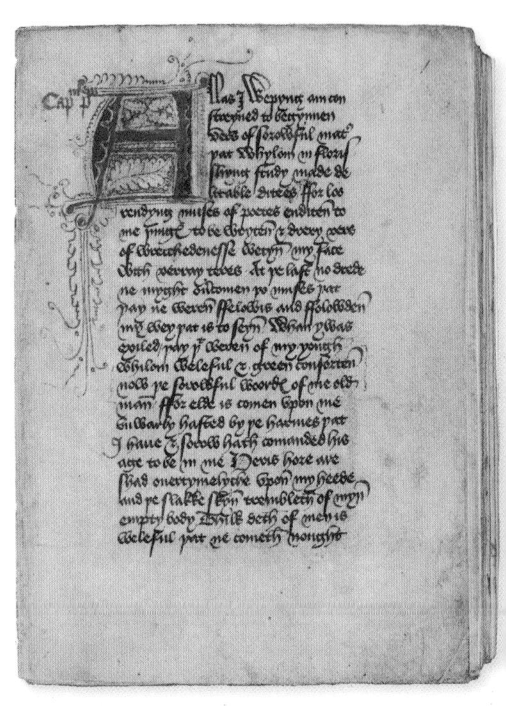

〈右上〉
『哲学の慰め』
15世紀、イギリス

『カンタベリー物語』の著者、ジェフリー・チョーサーは翻訳家としても活躍した。ボエティウスの『哲学の慰め』も彼の翻訳作品のひとつだ。写真のページ先頭のゴシック体の大文字は、葉っぱをモチーフに赤と青のインクで書かれている。

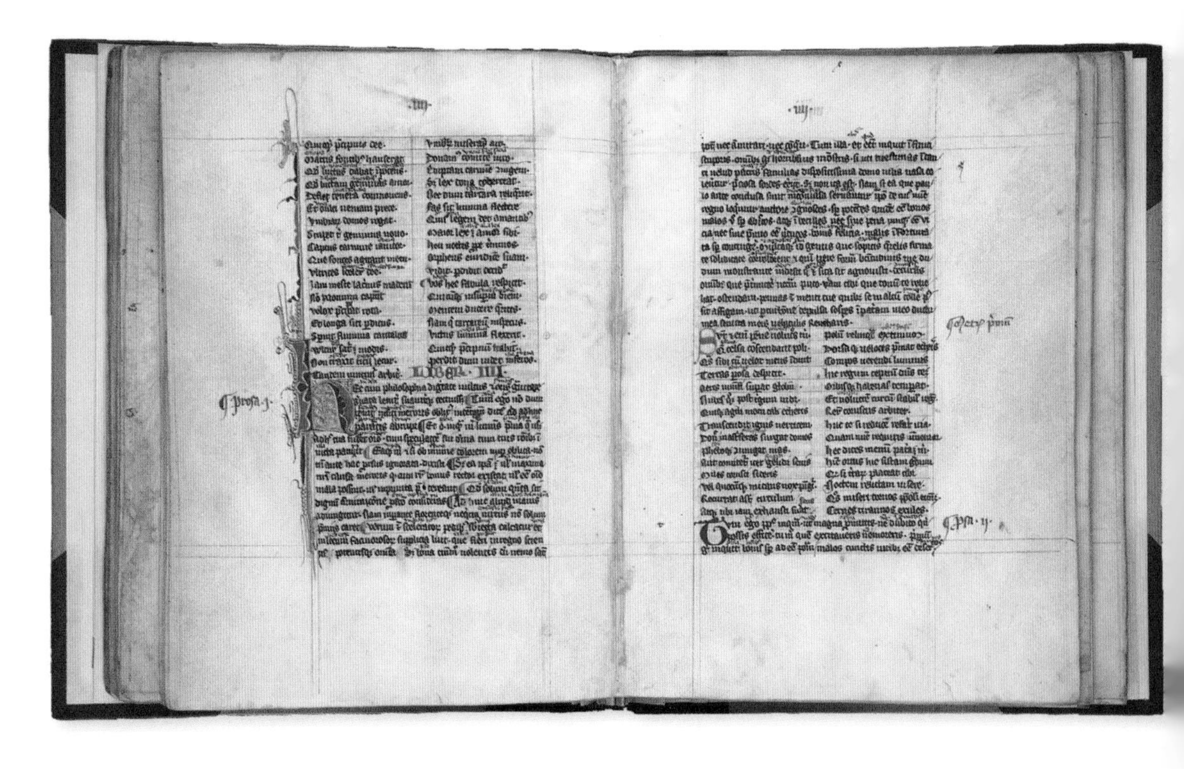

アニキウス・マンリウス・セウェリウス・ボエティウス
『哲学の慰め』
1477年、フランス

ラテン語版とフランス語版の『哲学の慰め』に挿入された、芸術家ジャン・コロンブ作と推定される細密画。このページには遠近法や仕切りを用いて、複数のエピソードがひとつにすっきりまとめられている。右上には、臨終の場面を思い描きながら書物をぱらぱらとめくっているボエティウスが、その下には、タイトルページを掲げている赤と青の羽をつけた小さな天使たちが描かれている。

真理の体制

REGIMES OF TRUTH

600～1000年

1　イスラム教の拡大

クルアーン（コーラン）はこの時代にかぎらず、いつの時代においても最大の影響力を有する書物のひとつだ。7世紀の初めに預言者ムハンマドが神から託されたと言われる啓示を、スーラと呼ばれる章立てにしてアラビア語でまとめたイスラム教の正典である。アラビア半島に社会的混乱が広がるなか、ローマとササン朝ペルシャ両帝国の衰退が大きな誘因となって生まれたクルアーンには、人々の精神的・社会的救いとなる大胆かつ明快なメッセージが含まれている。クルアーンが説くのは「団結」の教えだ。当時、ムハンマドとその支持者たちは、この団結の教えに従ってアラビア南部の諸部族を次々と帰順させ、ついにはアラビア半島を統一して近隣諸国に勢力を伸ばした。そして、たちまちその地域に前代未聞の領土と文化を誇る一大国家が誕生したのだった。

彼らの成功の一因は、「コミュニティ」を意味する「ウンマ」の概念にある。クルアーンでは、マケドニア・ペルシャ帝国の発展要因と同じ、寛容な姿勢が重要視されている。イスラム帝国は一神教のキリスト教徒とユダヤ教徒との連帯を宣言し、言葉と国境を越えて信者同士の結束を目指す国家という社会的アイデンティティを意図的に構築した。彼らが注力したのは精神的な事柄だけではない。経済政策の面でも抜かりはなかった。たとえば戦利品として得た新たな領土をイスラム教徒たちにより多く配分することで領内の非イスラム教徒を取り込み、帝国を新たな世界勢力に押し上げることに意欲的な信者を増やしていった。戦争での勝利は、ムハンマドのメッセージに半信半疑な人たちへの絶好の説得材料となったのだ。クルアーンの言う通り、アッラーの神を信じる者は報われ、偽善者は罰を受ける。戦争——と勝利——はアッラーの思し召しだ。そう彼らは受け取ったにちがいない。

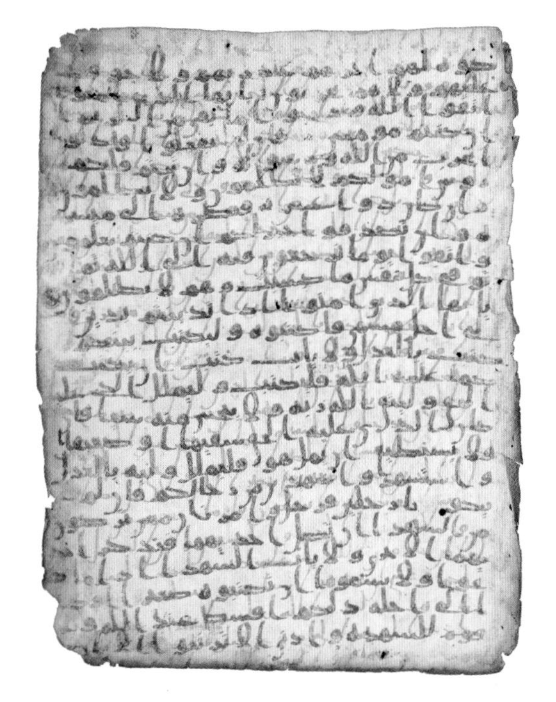

クルアーン
7世紀中頃、サウジアラビア

羊皮紙にヒジャーズという古いアラビア語の方言で書かれたクルアーンの「パリンプセスト」。「パリンプセスト」とは、以前に書かれた文字を消し、別の内容を上書きして羊皮紙を再利用した写本のことだ。

東西ローマ帝国は、ローマとペルシャの度重なる軍事衝突の影響で、6世紀末には領土が急激に縮小した。そこに経済不況と黒死病の蔓延、さらにはフランク族・ゴート族・フン族らによる頻繁な北部侵攻が重なる。ひとたびかつての強大な支配力がしぼみ始めるとすぐに、権力の真空状態が生じ、そこにイスラム帝国が食い込んだ。イスラム帝国は隙のない外交術と洗練された戦術を駆使し、地元の生活基盤を破壊することなく勢力を拡大した。そうして新たに誕生した都市はどこも道路や排水路が完備され、郵便制度まで設置されるほど環境が整備された。だから民衆は徴税されても文句を言わなかったのだろう。こうしたバランスの調整による漸次的な財源の増加が、コーカサス地方をまたいで中央・南アジア、北アフリカ、スペイン南部へと勢力を広げた正統カリフの時代（661～750年）とウマイヤ朝の誕生をもたらした。このイスラム帝国の勢力拡大によって、文化と思想が大きく開花する時代が幕を開ける。

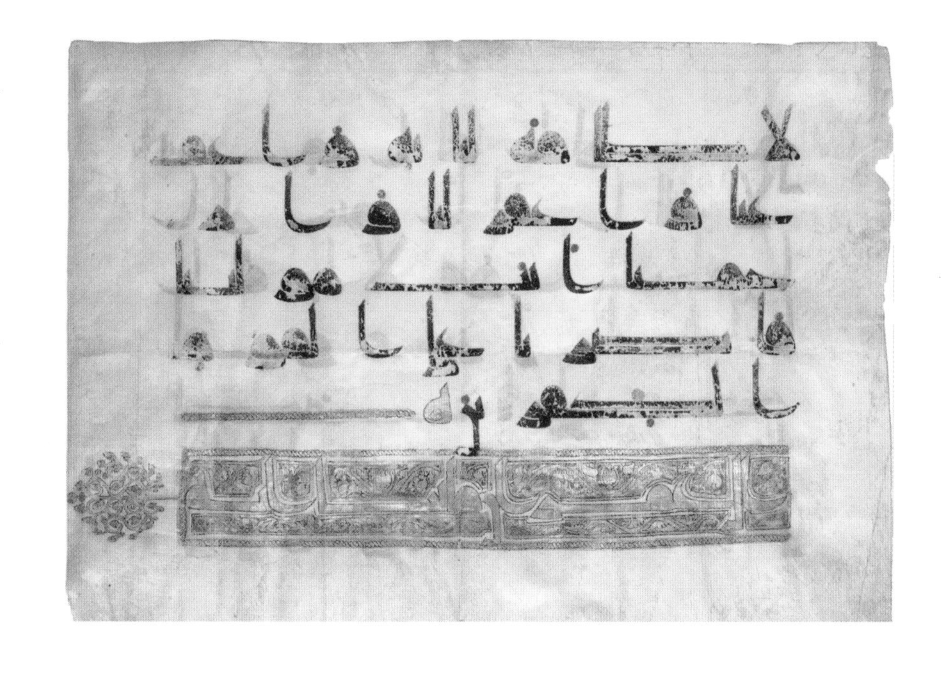

クルアーン
568〜645年

羊皮紙にヒジャーズ方言で飾り書きにした、クルアーンの第18章から第20章の部分。イギリスのバーミンガム大学所蔵。当大学が放射性炭素年代測定法を使って制作年代を推定した。

クルアーン
9〜10世紀
中央イスラム圏

黒字に赤の付加記号がついたクルアーンのテクスト。アラビア文字最古の書法で、装飾的なカリグラフィーに用いる角張ったクーフィー体で書かれている。一番下の「カルトゥーシュ」と呼ばれる金の枠内に、第3章のタイトルが記されている。

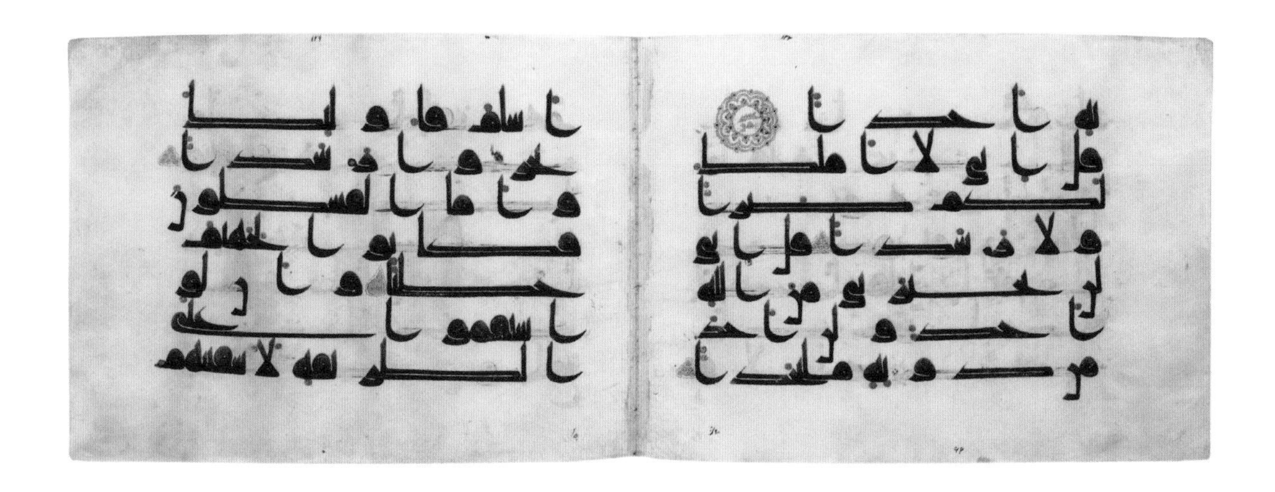

クルアーン
9世紀後半〜10世紀
北アフリカ、もしくは中央イスラム圏

「ビフォリウム型」に広がる黒字のクーフィー体に赤い付加記号がついた、クルアーンのテクスト（「ビフォリウム型」とは、葉が対になった形のこと）。上部の円形模様は正当なものである証だ。

クルアーン
9世紀後半〜10世紀中頃
チュニジア

北アフリカで作成されたクルアーンの複製。藍染の羊皮紙に、贅沢な金を使って美しい文字が記されていることから、富裕層の所有物だったと思われる。

クルアーン
9世紀
中央イスラム圏

かなりのコストがかかったと推定されるこの赤く染色された羊皮紙から、パトロンの気前の良さとこのメッセージの価値がうかがわれる。

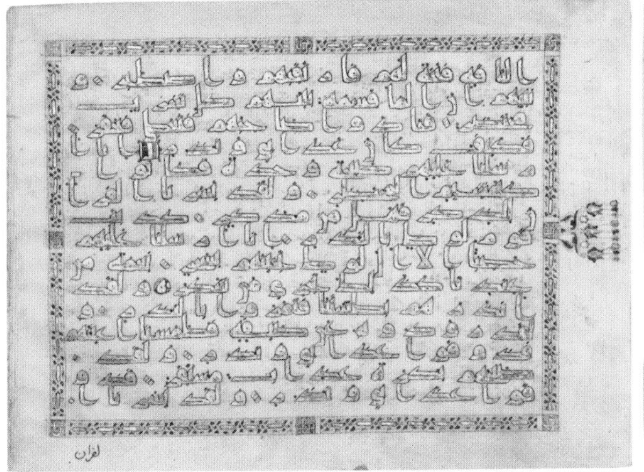

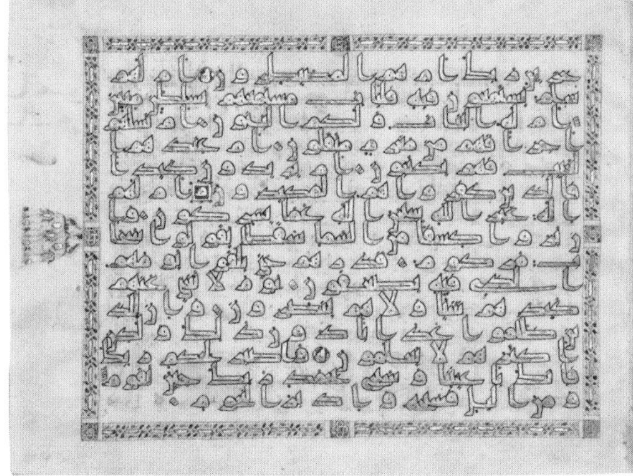

クルアーン
9世紀

金色のクーフィー体のテクストを赤と黒のインクで縁取り、木の葉模様と幾何学模様をあしらったクルアーンの一部。右側は第53章の冒頭部分。偶像崇拝が禁止されていたイスラム教では、文献にカリグラフィーアートを取り入れることが極めて多かった。

2　言葉の科学

財政が潤い統治体制が安定すれば、国はすぐに芸術や教育に投資を始める。だが、「文化」は常に勝手に進展するとはかぎらない。権力基盤を固める手段として、国家が後押しする場合もある。真理の体制が構築されるのはこのときだ。「真理の体制」とは、何が真理かを確定し、真理を語る者に権威を与えるメカニズムのことである。イスラム帝国はクルアーン思想に立脚し、それを擁護する論文の保護に資力と人材と費やした。7、8世紀の哲学書は、クルアーンに含まれる広範な形而上学的・倫理的問題を検証する釈義書が中心だったが、残念なことに、その初期の文献の多くは消失したか、あるいは断片しか残っていない。

だが、アッバース朝（750～1258年）の時代に始まった思想運動、なかでもイスラム教の思弁神学、カラーム（イルム・アル＝カラームの略語）については明らかになっていることが多々ある。イスラム教の教義の明確な解説を組織的に目指したカラーム学者たち（アラビア語でムタカリムン、「語る人」の意味）は、アッラーの啓示をまとめたクルアーンと、預言者ムハンマドの言行録『ハディース』との間に見られる明らかな矛盾点の解消に力を注いだ。イスラム教徒にとって、このふたつは「明らかにされた」真理が含まれる大切な聖典だ。ムタカリムンたちは理性や論理の構造に逆らって、これらの真理の裏付けを目指した。

カラームに最大の影響力を発揮したのは、8世紀前半にワースィル・イブン・アター（700～748年頃）が創設したムゥタズィラ学派だった。この学派の文献も多くが失われてしまったか、不完全なものしか残されていないが、彼らが人間の理性をかなり重視していたことは間違いない。神性は啓示によって理解できるようになるが、善悪の判断は啓示だけに頼るべきではない。人間固有の理性も十分にその判断基準になり得る、とムゥタズィラ派は主張した。

それは、経典に記されたものこそが真理であり、そこに人間の理性が入る余地はない、という立場を取ってきた従来のイスラム思想と大きく異なる思想だった。ムゥタズィラ派の神義論には、ある葛藤が見られる。有神論者たちには、アッラーは全知全能の神だという揺るぎない信条がある。でも、そうだとしたら、世界に悪が存在するのはなぜなのか？　私たちは何に信頼を置くべきなのか？　『Babylonian Kohelet（バビロニアのコヘレト）』の「友人」は、人間には神の偉大なる計画が理解できないだけだと語っている（18ページ参照）。この答えに与するのは、理性よりも信仰を選ぶことを意味した。それに対し、ムゥタズィラ学派の学者たちは次のように説く。悪は、人間には悪い選択もできる自由意志があることを示すために存在する。ゆえに、悪の存在は神の神性と矛盾しない。アッラーがこの世のすべての属性を持つ以上、悪も存在が許される。だからこそ、啓示は理性的な分析を必要とするのだ。

3　知恵の館

勢力争いでアッバース朝がウマイヤ朝とイドリース朝に勝利すると、イスラム世界の商業と学問の拠点はダマスカスから新都バグダッドに移った。アッバース朝第2代カリフのマンスール（在位754～775年）は、そのバグダッドにバイト・アル＝ヒクマ、「知恵の館」と呼ばれる宮廷図書館を設立したと言われている。

アッバース朝第7代カリフ、
マアムーン
1593年頃、インド

ムガル帝国アクバル大帝の命で編纂された『History of Millennium（千年の歴史）』に挿入された、アッバース朝カリフのマアムーンに忠誠を誓う臣下たちの水彩画とその説明文。レイアウトの関係で全体像はつかめないが、謁見を待つ臣下たちの列がテクストを囲むように延びているのがわかる。このテクストには、単語の横幅を引き延ばすために使用される連結線、「カシーダ」が使われている。

知恵の館は膨大な蔵書数と独創的な研究だけでなく、翻訳システムでも名を馳せた。当時最大の体系的な文化交流振興プロジェクトの一環として、ギリシャ語文献をアラビア語に翻訳する「翻訳運動」が行われた。この図書館では、ササン朝から引き継いだペルシャ語文献だけでなく、数学・天文学中心のサンスクリット文献も翻訳されている。ビザンティウムや北アフリカ、そしてかつてのローマ帝国の領土から集められたギリシャ語文献にも注目し、アリストテレス全集やアリストテレスに関する無数の注釈書、ギリシャ時代の多様な（ユークリッドからアルキメデスなどの）数学書、（プトレマイオスの）天文学書、（ガレノスの）医学書なども翻訳された。その一方で、倫理学や政治学の論文は少なかった。このテーマに関しては、司書やパトロンたちが自分と同じ社会文化的背景から生まれた文献を選り好みしていたようだ。でも、プラトンの『国家』は、彼の他の対話篇の要約とともに翻訳のラインアップに含まれていた。

歴史書の翻訳は必ずしも容易ではない。バイト・アル＝ヒクマの学者たちはみんな優秀だったが、まったくミスを犯さないわけではなかった。プロティノスの『エネアデス』は長い間、『The Theology of Aristotle（アリストテレス神学）』として流布された。プロクロスの名著、『神学要綱』もアリストテレスの著作として翻訳され、アラビア語版には『Book of the Pure Good（純粋なる善の書）』、ラテン語版には『Book of Cause（原因の書）』というタイトルがつけられ広まった。この間違いは、トマス・アクィナスという名の読者の洞察力によって、ようやく訂正されたのだった。

ヤヒヤ・イブン・マフマード・アル＝ワシチ
1240年頃、イラク、バスラ

紙にグワッシュ（不透明水彩）絵の具で描かれた、アブー・ザイドの巧言にうっとりする図書館の学者たち。イスラム教学者のムハンマド・アル・カーシム・イブン・アリー・イブン・ムハンマド・イブン・「ウスマーン・アル・ハリーリー」の『マカマート』の一場面。フランス国立図書館所蔵。

さまざまな言語グループが互いに協力し合い、理解の壁を壊しながら文献の解読・翻訳作業にあたった。苦労だらけの翻訳作業には多様な視点が必要だ。利用できる資料が多ければ多いほど理解は進む。たとえば、今、あなたが読んでいる本は著者の語学力に縛られている。エチオピアの哲学書がなかなか手に入らない理由のひとつは、その地域の翻訳書が少ないせいだ。バイト・アル＝ヒクマの学者たちがこれほどまでに翻訳に重点を置いたのは、クルアーンに明示された共同体主義と寛容な姿勢に沿った概念の開放性を、彼らが体現していたからである。

4 永遠の謎

『Kitāb al-Fihrist（目録の書）』（987年）は、10世紀の愛書家の垂涎の的だった。バグダッドの筆耕職人にして書籍商のアブル・ファラジュ・ムハンマド・イブン・イスハーク・アル＝ナディームが書いたこの書物には、彼が知り得るかぎりのアラビア語書籍すべての概要が記されていた。その数、およそ1万種。なかにはマニ教や仏教、ヒンドゥー教、中国思想なども含まれており、広範な地域や宗教のさまざまなジャンルを取り揃えていた。また、この目録には「アラブの哲学者」の異名を持つ9世紀の博学者、アブー・ユースフ・ヤアクーブ・イブン・イスハーク・アル＝サバーハ・アル＝キンディーの著作を始め、当時、増えつつあったアラブ人作家の作品も記録されている。

アッバース朝初期に活躍したアル＝キンディー（801〜873年頃）は、バグダッドで教育を受けた後、カリフに学識を買われて「知恵の館」に呼ばれた。彼の著作のなかで最も有名なのは、おそらく『Fī Al-Falsafah Al-Ūlā（第一哲学について）』だろう。この作品で彼は、実存の本質を広い視野で追求しながら「第一原理」、すなわちアッラーの神について探求すると同時に、マケドニアやローマ、アフリカの哲学にも通ずる「世界（宇宙と宇宙の万物）の永遠性」を説いた。

彼の世界永遠性説は、天地創造を信じる一神教信者たちの疑念を呼んだ。彼らにしてみれば、唯一絶対の創造神によって創られたはずの世界が永遠だという考え――始まりも終わりもなくずっと存在するという考え――は受け入れられないものだったからだ。アリストテレスを（「ギリシャ一の哲学の泰斗」と呼んで）大いに尊敬していたアル＝キンディーは、万物の根源に関する彼の形而上学の基本的な部分は受け入れつつも、世界の永遠性に関してはアリストテレス派の見解を否定し、ムゥタズィラ派のように、世界はイクス・ニイロ、「無」から創られたと主張した。その論理は無限に対する彼独自の概念に基づいている。また、彼はアリストテレスと同じく、「無限の存在」（どこにでも同時に存在できる無限性）というものはあり得ないと主張し、宇宙を含むすべての事象の有限性を唱えた。時間にもこれと同じ理屈を当てはめれば、宇宙は必ずしも永遠ではなく、ある時点で神によって創られたということになる。

アブル・アル＝ファラジュ・ムハンマド・イブン・イスハーク・アル＝ナディーム
987〜1000年、イラク、バグダッド

イブン・アル＝ナディームの『目録の書』の写本。左側は書名を金の枠で囲んだタイトルページ。右側は丸みを帯びたナスフ体の小ぶりの文字で書かれた本文。ナスフ体はとても読みやすく書きやすいため、現在もクルアーンに使われている。

5　医学知識

『目録の書』にはアル＝キンディーの論文が200種以上リストアップされている。その一部は形而上学的・神学的問題を論じたものだが、その他は幾何光学や生理学といった、より実際的な問題を取り上げたものだった。当時の思想家たちは現代人と違い、専門分野の枠にとらわれていなかった。このような包括的なアプローチは、アブー・バクル・ムハンマド・イブン・ザカリヤー・アル＝ラーズィー（854～925年頃）の著作にも見られる。テヘラン近郊のレイで生まれ、バグダッドで教育を受けたアル＝ラーズィーは、医学知識に精通し、医師としても優秀だった。天然痘と麻疹の違いに最初に気づいた人間で、それに関する彼の論文は広く世に出回った。彼には他にも、アラビア・シリア・インド・ギリシャの医学知識を体系化した『Kitab al-Hawi fi al-tibb（包括的な医学書）』や、『al-Tibb al-ruhani（精神医学）』などの名著がある。

彼は「精神医学」をプラトン（と、彼が「我が導師」「聖なる隠遁者」と呼ぶソクラテス）の思想に準拠して説明した。生活バランスの重要性を説く際にも、それを論拠にしている。『精神医学』によれば、身体的健康は体液や気質のバランスに左右され、「過剰な」偏りがなければ健康的な生活が送れるという。「理性」はそれを実現する鍵だと彼は主張した。アル＝ラーズィーはプラトン派と同じく、「強い」理性と「弱い」欲求を区別し、度を越しやすい食欲や怒りなどの欲求は理性で「制御」すべきだと説いた。また、マケドニアのアレクサンドロス大王を精神病患者の例に挙げ、彼が見境なく領土を広げ続けたのは、「支配」という強迫観念に取りつかれていたからだと結論づけた。

アブー・バクル・ムハンマド・イブン・ザカリヤー・アル＝ラーズィー
1964年、イラン

画家、フセイン・ビフザードの作品をもとに、幾何学的に正確なデザインが施されたカラー印画。アブー・バクル・ムハンマド・イブン・ザカリヤー・アル＝ラーズィーが、診察に訪れた子供の口のなかを診ている。その周囲に乱雑に置かれた医療器具や書物、水薬の容器などから、この哲学者の関心が多岐にわたっていたことがわかる。

『精神医学』は、実用医学の最初の手引書のひとつである。そこには過度の不安の理論的な説明だけでなく、その療法も記されていた（たとえば、不安解消の手立てとして、一時的な気晴らしが推奨されている）。この書物は節制の美徳を提唱しながら、何世紀も前からある禁欲の勧めに反し、自己犠牲の代わりに「中庸」を説いた。中庸はアル＝ラーズィーの晩年の著作『al-Sīra al-falsafiyya（哲学的生活）』のテーマにも取り上げられている。そこで彼は、一部のイスラム教徒

アブー・バクル・ムハンマド・イブン・ザカリヤー・アル＝ラーズィー
1674年頃、イラン

アラビア語のナスフ体で書かれた『包括的な医学書』の一部。最上部のタイトルには、金とピンクと青のインクで繊細な装飾が施されている。光沢紙に黒と赤のインクで書かれたテクストの右側に余白が設けられ、そこに傍注が付されている。

（とヒンドゥー教徒、マニ教徒、キリスト教徒）が積極的に実践している孤独の修行を非難し、こう書いた。ぎりぎりまで自分を追い詰めるのは行き過ぎだ。極端な行為は不健康のもと。哲学的思索であれ、学問であれ、根の詰めすぎにも怠けすぎにも要注意である、と。

> **両極端の間であれば何でも許されるし、開業医が哲学者の肩書を失うこともない。むしろ、［患者に中庸を守らせれば］その肩書を守れるだろう。**

6　集団思考

アブー・ナスル・ムハンマド・イブン・ムハンマド・アル＝ファーラービー（872～950年頃）もアル＝ラーズィー同様、バグダッドで学問を習得した。その後、アレクサンドリアやダマスカス、アレッポなど各地を転々としながら論理学、法学、錬金術、音楽、実験物理学に関する膨大な数の書物を執筆し、当時のイスラム哲学者たちから（アリストテレスに次ぐ）「第二の師」と崇められている。最も有名な著作は、非公式には『理想国家』と呼ばれた『有徳都市の住民がもつ見解の諸原理』である。

この『理想国家』は当時、アラビア語で書かれた数少ない社会政治哲学書のひとつだった。その内容は綿密に構成されており、因果性について論じた後、天使と天体の本質に関する説を検証し、次に魂と肉体の問題に移る。アル＝ファーラービーは特に認知プロセスに重点を置き、理性の問題に関しては、人間はある程度までしか理性的な判断ができない、という中立的な立場を取った。そして物事を完璧に理解するには、神と人間を仲介する一種の宇宙的存在、すなわち「能動的知性」の導きが必要だと結論づけた。

人間はひとりでは最大限の能力を発揮できないため、他人との協力が必要だ。それは都市規模の協力体制でも十分かもしれないが、世界規模で協力し合えばなおさら良い。人間は、協力する集団によってしか完全性を獲得できない――これが、「理想国家」の基礎的概念だった。この発想は一見して思うよりも共同体主義ではない。健康体なら手足の動きがうまく連動するように、国家も全体の善のために機能するには強い心臓――つまりは偉大な政治的支配者の存在――が必要だ、とアル＝ファーラービーは考えた。

この彼の思想から、プラトンが『国家』で述べた理想国家の君主、「哲人王」の概念がアラブ世界に移植されたことがわかる。アル＝ファーラービーは君主を、国家が一丸となって試みる知的努力の中心に位置付けた。彼にとって理想の君主とは、大衆がアッラーの啓示から真理を獲得できるように、彼らの知的能力の向上に献身できる人物、知の光を増幅して反射させるプリズムのような存在でなければならなかった。適切な（機能的な国家という）文脈でとらえれば、君主は単なるカリフや王ではなく、「未来を見通す予言者、あるいは将来の物事を予見し、現在ある特別な物事を人々に教える存在」ということになる。君主＝予言者はこの神聖なつながりを通して、市民を真の幸福へ導くという役割を果たすのだ。一見すると集合論の包括的な説明だが、蓋を開けてみると、これもまた、ひとつの「王権神授説」だと言える。

アル＝ファーラービーによると、アッラーとのつながりは集団的努力の結果として実現するとしても、他の人間には理解できない真理にアクセスできるという点で理想君主は特別だ。『理想国家』には、手に入れた真理を一般民衆に伝えるには、経典と同じく象徴や隠喩を用いるのが一番だと明示されていた。言葉にはしなくとも、このアドバイスから彼が、神の啓示は言葉によらない――だから、真理の獲得には、ロジックと明確な論拠を必要とする哲学（ファルサファ）が格好の手段だと考えていたことがわかる。

7　神の啓示

理性主義を標榜するイスラム思想家はアル＝ファーラービーだけではなかったが、アブー・ムーサー・ジャービル・イブン・ハイヤーン（721～815年頃）を始めとする他の多くの哲学者たちは、信仰と啓示に大きな信頼を置いた。イブン・ハイヤーンの『Kitab Al Ahjar（石の書）』は、ピタゴラス学派の神秘思想に影響を受けている。本書では、「神秘思想」という言葉を、真理を探究する超常的手法を識別するための専門的な意味で用いていることをお断りしておこう。『石の書』には、「神聖幾何学」の研究や予言のサイクル、グノーシス主義、クルアーンの段階的解釈などを特徴とするイスマーイール派との関連性が色濃く表れており、アブー・ハーティム・アフマド・イブン・ハムダーン・アル＝ラーズィー（811～891年）の『A‘lām al-nubūwah（予言の科学）』と同様、実存の本質と真理を平凡な理性以外の手段で理解できる、選ばれた読者のために書かれたものだった。

サアディア・ベン・ヨセフ・ガーオーン（882～942年）は、『Kitāb al-amānāt wa-al-i‘atiqādāt（信仰と臆見の書）』（933年）で信仰と理性の和解を模索した。エジプト生まれのユダヤ教徒で、職業人生の大半をバグダッドで過ごしたガーオーンは、その深い学識を買われてスーラのアカデミーのラビ長となり、聖典や文法学の論文、辞書、神学に関する小冊子などのアラビア語の翻訳や注釈書の執筆を行った。ユダヤ・アラビア語（ヘブライ文字を使ったアラビア語）で書かれた『信仰と臆見の書』の目的は、読者に次の説明をすることだった。

真理の探求において［人々が］間違いを犯す理由と、その間違いの原因を取り除く方法

ガーオーンのこの試みは、必然的に理性と啓示両方への目配りを要した。そこで彼は、『信仰と臆見の書』で予言と神が明かした真理の正当性を擁護し、バラモン教と、ユダヤ教の啓示を否定するキリスト教・イスラム教を批判する。ガーオー

アブー・ムーサー・ジャービル・イブン・ハイヤーン
15世紀後半
イタリア、パドヴァ

哲学者・化学者のアブー・ムーサー・ジャービル・イブン・ハイヤーン（この『Latin Miscellany of Alchemy（ラテン世界の錬金術）』には「ゲーベル」の名で記されている）の薄く色づけされた肖像画。右上角に焼け焦げた跡がある。緩い傾斜のついた架空の岩石の上に立つハイヤーンの手ぶりは、いかにも演説をしているかのようだ。

サアディア・ベン・ヨセフ・ガーオーン
『Kitāb al-amānāt wa-al-iʿatiqādāt（信仰と臆見の書）』
12世紀

ヘブライ文字を用いてアラビア語の発音表記で書かれた羊皮紙写本。傍注を付したテクストは、スペースと細長く引き伸ばした文字を用いて左右の両端が揃えられている。

ンにとって、理性に基づいた探求は宗教的認識論と完全に合致するものであり、啓示は（感覚認識、理性的・論理的推測とともに）真理を解き明かすための合理的な資料のひとつだった。ガーオーンはアル＝ファーラービーとイブン・ハイヤーン両者の説に譲歩し、啓示は真理であると同時に、理性に基づいて説明できるものだと論じ、「理性主義」と「啓示主義」との間に線を引いたうえで、その両方が揃ってこそ、私たちは真理を獲得し、より良い人生を送ることができると説いた。

8　自己修養

イスラム帝国が財力と兵力を増大させていた頃、中国では唐王朝（618〜906年頃）が領土の拡大と文化の発展を享受していた。その影響力は国境を越え、仏教・儒教思想の伝播とともに現在の韓国と日本にも及んだ。

前述したように、儒教には、現在の問題の解決策を過去の出来事から学び取るという特殊な歴史分析が伴う。だから儒書は「伝統に従う」というスタンスで、（啓示ではなく）先人たちの権威に方法論的な焦点を当てている。儒学者たちにとって真理とは、僧たちの教えのなかではなく、伝統や習慣に反映された先人たちの行動のなかにあるものだった。たとえば、ある特定の儀式の重要性は、個々の頭では理解できない場合もあるだろう。だが、（儒学者たちに言わせると）限界のある人間の理性より、そういう古くからの慣例の方がよほど信頼できる。

唐王朝に仕官した儒教学者、宋若莘（768〜820年）が書いた『Women's Analects（女論語）』にも、これと同じ姿勢が見て取れる。自己修養と社交術に対する彼女の省察には、班昭の『女誡』（63ページ参照）と同様、社会的なエチケットに大きな比重が置かれ、評判を確立する方法や「婚家に従う」方法、客人の迎え方（「……軽い足取りで出迎え、袖のなかで組んだ両手を挙げて……」）など、具体的なことが記されている。さらには知的能力を向上させる手立てとして、勤勉（と早起き）を奨励するなど――徳と理性は習慣と儀式と礼儀作法を通じて身につくという――儒教流の自己修養の手段がたっぷり示されていた。

儒教は、唐王朝とそれに続く5つの王朝の文化財のひとつとして、新たな領土や東方の近隣諸国にも移植された。聖徳太子（574〜622年）の『十七条憲法』（604年頃）を読むと、儒教が日本にも大きな影響を及ぼしていたことがわかる。『十七条憲法』は、「神道」と呼ばれる古くからの土着思想と慣行を背景に書かれた。（古代の出来事を記録した）『古事記』（712年）と（日本の年代記である）『日本書紀』（720年）からわかるように、神道思想は、神羅万象に八百万（やおよろず）の神が宿るという仮説が軸となる。この神は風景や自然の威力や人間にまで宿る場合もある。神道支持者は、人間は神の意志に沿って生活し、儀式や浄化を通して神々に敬意を表するべきだと信じている。この思想構造が儒教・仏教思想にどこか通ずることは間違いない。これらの思想が融合され、複雑で広範な政治論へと昇華したものが『十七条憲法』だった。

歴史上で初めて成文化された憲法のひとつである聖徳太子の『十七条憲法』には、賄賂をやめて公明正大な判決を行うこと、人を評価する際には功績と過失を見極めてから（一代かぎりの）賞罰を下すことなど、政治家や役人のあるべき姿が具体的に綴られている。聖徳太子は「和を以て貴しとなす」と説いた。これは、身分の上下にかかわらず、各々が自らの役割を理解することで自然と物事は「うまく進む」、という意味だ。そして、孔子と宋若莘の思想と同じように、必然的に力の配分をもたらす社会的役割の遂行を重要視した。日本国統一を目指していた聖徳太子は、神に等しい絶対君主への「臣下たち」の服従を強く説いたが、それは、何世紀も前からさまざまな国家が統一のために唱え続けてきたことだった。

唐代の女性と思われる立像
8世紀、中国

着色されたこの陶製の立像は、唐王朝の宮廷に仕えていた女性を模ったものと思われる。髪を凝った形に結い、両手を袖のなかで組み、穏やかな表情でたたずんでいる。髪型は服装や被り物と同様に、社会的地位を示した。たとえば、唐代の若い未婚の女性は髪を下ろしていたようだ。

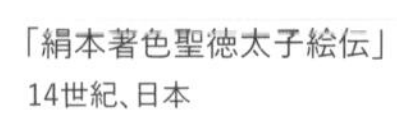

「絹本著色聖徳太子絵伝」
14世紀、日本

聖徳太子の人生を62の場面に分けて描いた掛け軸。絹地に墨と金箔を使って描かれ、ところどころに題字が記されている。このような掛け軸は、文盲の信者たちも足を運ぶ寺社に飾られた。

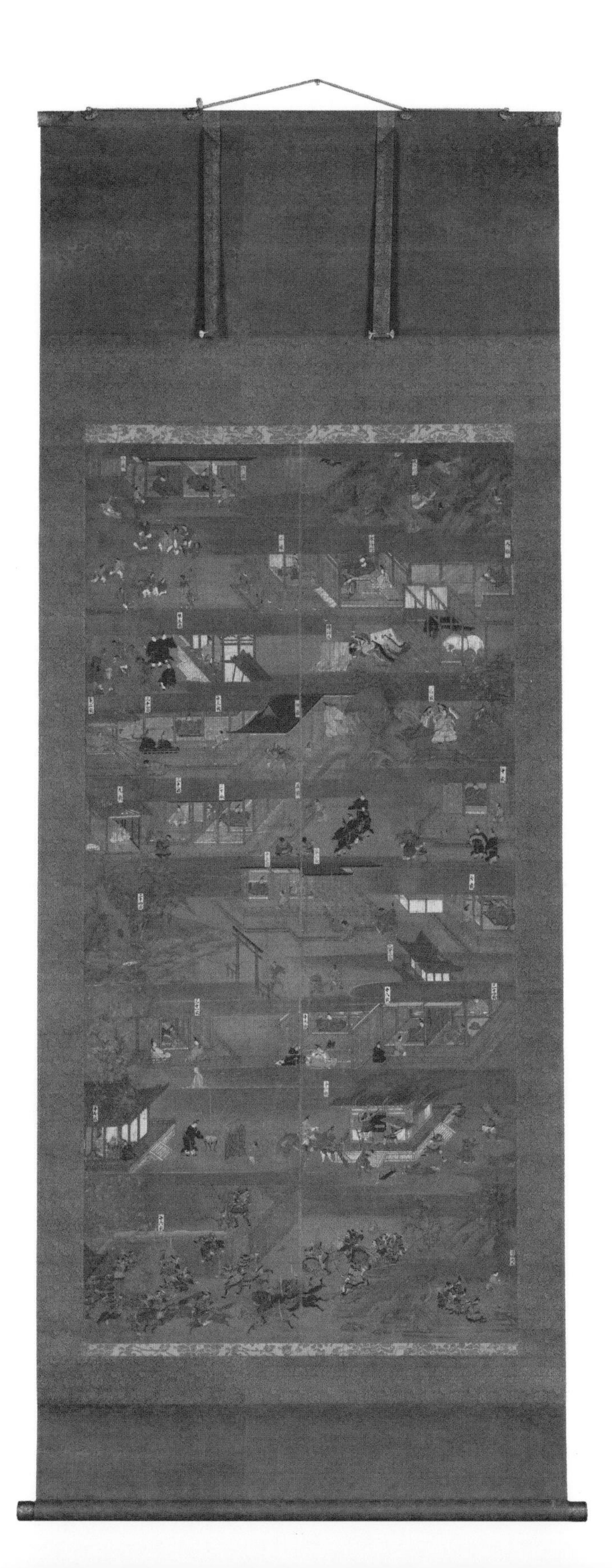

9　具現化された真理

『十七条憲法』には、儒教思想だけでなく、聖徳太子が自分の家庭教師だった韓国人仏教学者、観勒を通じて出会った仏教の要素も組み込まれ、仏教の「三宝」――仏陀・仏典・僧――に帰依することが唱道されている。これが、日本で仏教が広く受け入れられた一因だったにちがいない。

日本の仏教が提示する真理の概念は、空海（774～835年）の功績を見てもわかるように、「修行」という身体的経験と大きなかかわりがある。由緒ある家柄に生まれたこの破天荒な思想家は、社会福祉や教育学に関する書物を執筆するだけでなく詩や書にも才能を発揮した。空海は大学の儒教教育に幻滅し、山林修行という当時は型破りだった精神修養法を始める。そして最初の論文である儒教・道教・仏教の比較思想論、『三教指帰』を著した。そのなかで、真言と呼ばれるマントラを何万回も唱える禁欲的な瞑想法、虚空蔵求聞持法について説明し、悟りは理論的な思索を通してではなく、身体的修行と直接体験を通して開かれると説いた。のちに彼はこの考えをもとに、『弁顕密二教論』（814年頃）を書くことになる。

サンスクリット語のマントラも、日本語の真言も、普通の言葉では表現できない「秘密の教え」を意味する。空海が開いた「真言宗」の特徴は、真言を用いて心身をただちに「究極の体験」へと導く儀式を重視するという点だ。『弁顕密二教論』は、わかりやすい言葉で顕に説いた「顕教」と、難

解な、もしくは秘密の教えを説いた「密教」を明確に区別し、「密教」の優越性を主張した。空海の目には、顕教は真理を体験する実践的な方法には見えず、学問ばかり重視して教義の理解は正典任せにしているように映った。だが、真言宗はそれとは対照的に、隠れた真理を体で理解する身体的修行法を重視する。つまり『弁顕密二教論』は、仏典の研究を通じて真理をただ概念化するのではなく、瞑想の実践を通じて真理を体験する機会を人々に提供したのだった。

10　カテゴリーの崩壊

日本が勢力を強め、イスラム帝国もヨーロッパや北アフリカに領土を広げていた頃、インダス川流域では領土の争奪戦が苛烈さを増し、プシュヤブーティー朝、チャールキヤ朝、北プラティハーラ朝など、さまざまな王朝が誕生と衰退を繰り返した。絶頂期のプラティハーラ朝は、東はベンガル西部のシンド州から北はヒマラヤ山脈、南はナルマダー川へと領土を拡大し、最終的に北西インドを支配下に置いた。この王朝が8、9世紀にラーシュトラクータ朝とパーラ朝に取って代わられると、インド南部の肥沃なカーヴィリ川流域ではチョーラ朝が確実な地歩を築き始める。インドの哲学者、ジャヤラーシ・バッタ（生没年不詳。850年頃に活躍）は、そこで刺激的な書『Tattvopaplava-shmha（タットヴァ・ウパプラヴァ・シンハ）』を執筆したと言われている。『Tattvopaplava-simha』――英訳タイトルは『The Lion of the Dissolution of All Categories（各学派の原理を一掃する獅子）』――の現存する最古の複製は、1926年にネパールの都市、ラリットプール（別名パタン）の図書館で発見されたヤシの葉写本だ。そこに記されているのは、綿

舎人親王と太安万侶
『日本書紀』
9世紀、日本

優雅な漢文で記された『日本書紀』の巻物。ところどころ小さな墨字が付されている。右端の色つきの紙は、この文献を巻き上げたときにテクストを保護する表紙のような役割を果たす。

〈前ページ〉
空海
14世紀、日本

裸足で大きな椅子に座ってくつろぐ空海を描いた掛け軸。絹地に金色と淡い色合いが施され、露骨なほど贅沢な作りだ。

密な言語分析を通じて知識の論理的限界を検証する、複雑な認識論だった。正しい認識手段の確立は概念上不可能、というのが『Tattvopaplava-simha』の中心的信条である。正しい認識手段を得るには、認識対象に関する理解と、認識の正しさを立証するメカニズムの信頼性が必要だ。このジャヤラーシの論考の核となるのはプラマーナ、「正しい認識手段」であった。プラマーナも、感覚認識も、理性的な推論も、（無限に逆行し続けて）他のプラマーナを参考にしないかぎり、あるいは（何度も振り出しに戻りながら）それ自体を参考にしないかぎり立証できない。したがって、正しい認識手段の確立は不可能であると彼は主張した。

この過激な懐疑主義によって、理性主義や啓示主義、神秘主義、伝統主義に潜む、否定しようのない政治的課題が浮き彫りになった。たとえば理性主義のムゥタズィラ派は、名目上は（理性が全人類共通の能力であるかぎりにおいて）平等主義者の集団だが、実際に、この学派に属すのは教育を受けたエリートたちである。神の啓示に従う政権は神と神の代理人（宗教的指導者）の権威を絶対視するが、儒教では、「臣下」に対する特権を統治者に与える伝統と慣例に、真理を形成する役目があると考えられている。一方、難解な理論に挑む哲学者たちは、特に他学派の排除を目的として「秘密の教え」を説いた。このようなシステムに深く根付く政治的ヒエラルキーを明確に批判した極度の懐疑論、『Tattvopaplava-simha』は、バラモン教のエリートたちへのメッセージであり、さまざまな手段を使って真理を自在に操ろうとする政治体制への疑義の申し立てでもあった。

涅槃仏像
618年～907年
中国、甘粛省敦煌市

中国甘粛省敦煌市の「莫高窟」、別名「千仏洞」は仏教遺跡であると同時に、千年かけて制作を重ね、唐代（618～907年）に頂点を極めた世界最大規模の仏教美術でもある。一部の塑像や壁画は極めて保存状態が良く、1900年には壁のなかに封じられていた文書も発見された。ここには洞窟美術最大の塑像のひとつがある。それは、繊細な絵が描かれた壁と無数の小さな塑像に囲まれて横たわるブッダを表現した、極彩色の涅槃仏像だ。

11　必読書

『Tattvopaplava-simha 』の背景にあるのは『入菩薩行論』だ。その著者であるインド人哲学者・詩人のシャーンティデーヴァについては、残念ながらほとんどわかっていないが、ナーガールジュナが興した中観派と深い関りがある人物だったことは確かだ。

章立て韻文形式の『入菩薩行論』には、ジャヤラーシの晩年の著作にも似た、根本的な教えに対する批判的な姿勢が見られる。その核となるのはスヴァブハーヴァ、すなわち「自性」「本性」もしくは「実体」だ。すべての存在には実体（自性）がない、実体がないゆえに空である。これが『入菩薩行論』の中心的信条だった。

シャーンティデーヴァは肉体の存在についての謎を含む、一連の難問を軸に論を展開している。肉体は特定の形態を伴う物理的対象でありながら、子供時代から老年時代の間に劇的に変化して特定の形態を失ってしまう。しかし、肉体がそのような形態を持たない単なる抽象的概念だとしたら、私たちは肉体とどう関りを持てばいいのだろうか？　シャーンティデーヴァは、哲学的分析のための理論的な仮定と、私たちが日常的に取り扱う物理的対象の説明を両立させることは不可能だと結論づけ、ひいては個々の事象には本性があるという考えを否定した――この懐疑主義的な姿勢は、第2章で論じた「無我」の概念と完全に一致する。

シャーンティデーヴァの哲学的見解は不穏なものに見えるかもしれない。本性というものは存在せず、私たちを取り巻く世界には理解しがたい力が渦巻いている。『入菩薩行論』の著者はそう考えたが、彼には、私たちの日常生活を組み立てている知識体系を攻撃する意図はなかった。彼の目的はジャヤラーシと同じく、学者ぶった人間の野心を批判することだったのだ。シャーンティデーヴァはその目的を果たすため、「伝統として確立された」真理と「究極の」真理とを区別した。私たちの通常の活動を支えている前者は批判を免れたが、後者は、実在の本質について洞察する権限を主張する、見当違いの知識人たちが作ったものだと揶揄された。

12　理論の分裂

ジャヤラーシとシャーンティデーヴァは、ヴェーダ思想に体系化された自然の概念と本質にも反論している。当時、ゲルマン諸国やブリアニアで確立されつつあったアリストテレスの生物学にも反論したことだろう。ローマ・ササン朝両帝国崩壊後の西洋諸国は、多くのヨーロッパ中心主義者がその時代をいまだに「暗黒時代」と呼ぶほど文化が衰退した。この言葉を聞いて思い浮かぶのは、領土を取り合う兵士たちと、疫病に苦しむ民衆の姿だろう。もちろん、それが現実だった地域もあるが、北部はこうした文化の荒廃とは無縁だった。ゲルマン人の「フランク族」は7世紀の間に勢力を拡大し、カール大帝（748～814年）統治下のフランク王国（カロリング朝）が栄華を極めた。カール大帝は多くの先人たちと同じように、領土統一の手段として組織宗教――西方教会――を取り込み、800年12月にローマ教皇により「ローマ皇帝」として戴冠された。その後、この同盟関係は弱体化したが、これがフランク王国にキリスト教が根付くきっかけとなった。

キリスト教的プラトン主義は、ブリタニアとその近隣諸島などの遠隔地にも根付いた。当時、

『The Great Chronicles of France(偉大なるフランス年代記)』に描かれたカール大帝
1455〜1460年、フランス

この時代の芸術家は、ひとつの場面に複数のエピソードを盛り込むことが多かった。彩色写本作家のジャン・フーケによるこの挿絵の前景には、アーヘンに建設中の宮殿教会をカール大帝と立派な身なりの従者たちが視察に訪れた様子が描かれている。後景には、謀反を企て失敗し、修道院送りにされた大帝の庶出子ピピンの姿が、一番奥には宮殿教会の全景が見える。

聖ヨハネ
8世紀、アイルランド

ザンクト・ガレン修道院図書館で制作された「ヨハネによる福音書」の挿絵。ケルト美術で広く用いられた複雑な「結び目」模様の中央に、無表情の聖ヨハネが立っている。

「大スコティア」と呼ばれていた9世紀のアイルランドで特筆すべきキリスト教思想書と言えば、ヨハネス・スコトゥス・エリウゲナ（800～877年）の著作が挙げられる。エリウゲナとは「アイルランド人」という意味で、当時の彼のあだ名だった。

エリウゲナの『Periphyseon（自然区分論）』（867年頃）は全5巻から成り、教師と学生の長い対話という形式で書かれている。予定説の議論に関与し、プラトン学派の寛容な教義に立脚しつつ、「万物の創造者であり、何者によっても創造されない一者」の存在を説く。エリウゲナはジャヤラーシとは対照的に、万物には本性があるという考えに固執し、この著作を題名の通り、自然区分論に分類した。人間の本質・本性は昔から人々の大きな関心事で、エリウゲナも聖マクリナとニュッサのグレゴリオスの著作に端を発する一連の問いを引き継ぎ、人間の本質の創造と神への背反（堕罪）と性差について論じた。彼は、世間からいささかなおざりにされている一節のなかで、人間の本質は不可分であり、したがって無性だと述べ、男女の性差が生じるとすれば、それは堕罪と人間の本質に含まれていないもののせいであると断言した。

神の霊的な性格と神の創造性を精査した『Periphyseon』の根底にあるのは、宗教的な釈義と慎重な論理的思考のコンビネーションが真の「自然区分」の役に立つ、という憶説だった。このキリスト教的英知は、ドイツ・ガンダースハイム地方で活躍した別のキリスト教思想家の著作からもうかがい知ることができる……。

ヨハネス・スコトゥス・エリウゲナ
1493年、アントン・コーベルガー：ドイツ、ニュルンベルク

ミヒャエル・ヴォルゲムートとヴィルヘルム・プライデンヴルフによるヨハネス・スコトゥス・エリウゲナを描いた木版画の原本。他の聖人・女王・学者たちの肖像画に混じり、『The Book of Chronicles（ニュルンベルク年代記）』に初めて掲載された。木の葉に埋もれたエリウゲナはカールした顎髭を生やし、地味な帽子を被っている。突き出した人差し指は、演説か宣言の最中であることを暗示している。

13　キリスト教的英知

カール大帝の統治時代と時を同じくして、8、9世紀にはさまざまな北方勢力が領土拡大を求めて侵略活動を活発化させた。「ヴァイキング」と呼ばれるスカンジナビア人が東方に移動して黒海北部のハザール・カガン、ブリタニア、アイスランドに進出し、さらには（現在のベラルーシ、ウクライナ、ロシアの一部を含む）キエフ大公国を建設した。他の大国のように、彼らの資金源の一部は奴隷売買から得たものだった――一説によると、「slave（奴隷）」は彼らがさらって他国に売り渡していた「スラブ民族」が語源らしい。この非人道的な慣習は、奴隷は市民に支配されるように生まれついた不完全な人間だ、とするアリストテレスの思想によって正当化されていた。つまり、社会概念は自然概念と直接対応すると見なされていたのだ。たとえば、9世紀から13世紀にかけて成立した古ノルド語詩のひとつ、『Rigspula（リーグの歌）』（古ノルド語ではRigspula）には、北欧神話の神が「貴族、農民、奴隷」という3つの階級を作った経緯が語られている。

奴隷制と徴税が国家の経済力向上につながったというのは、スカンジナビア人国家にかぎった話ではなかった。ゲルマン系サクソン人国家の東フランク王国も成功を収め、10世紀にはオットー1世が自身の権力強化のために教会に土地を寄進し、その見返りとして教会を統制した。詩人ロスヴィータ（935～1000年頃）がいたガンダースハイムの有名な修道院もそのひとつだった。

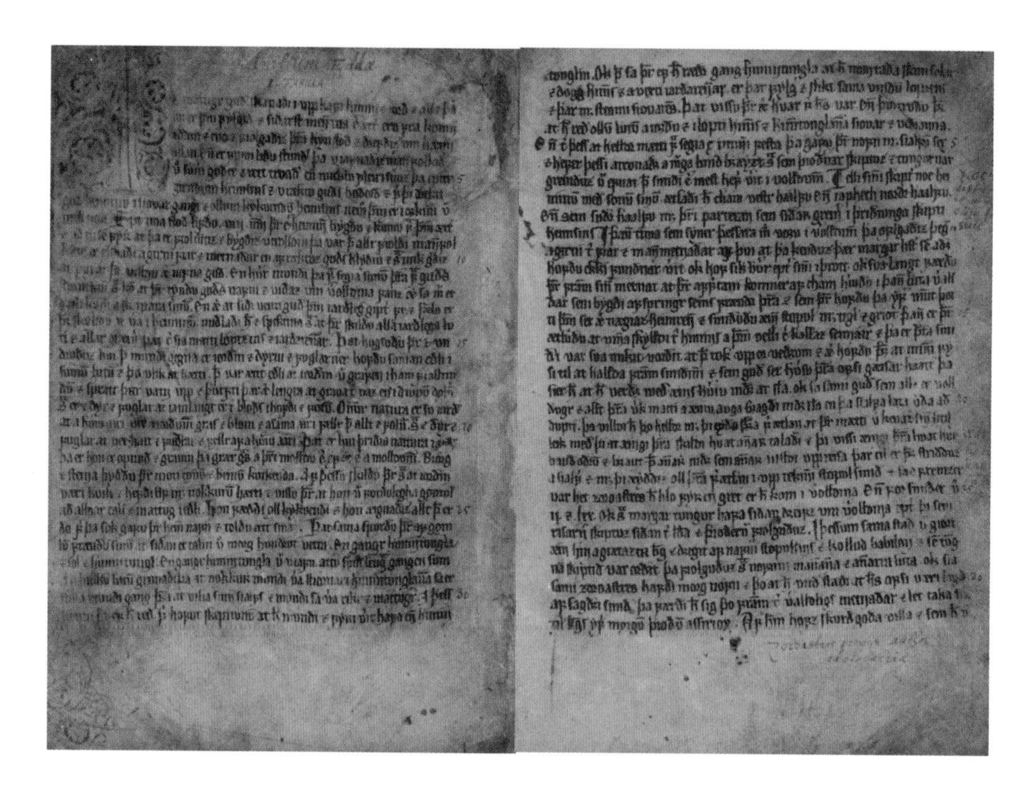

エッダ
14世紀中頃
アイスランド

「ヴォルム写本」と呼ばれるアイスランドの写本の一部。写真はゲルマン神話を綴った散文エッダのページ。『リーグの歌』もこの古写本に収録されている。テクストには小さなゴシック様式の文字が整然と並び、最初の文字はカラフルに装飾されている。この写本は1628年にルーン文字研究者のオール・ヴォームに贈られたことから、『ヴォルム写本』と名付けられた。

ロスヴィータの現存する最古の作品群は「ミュンヘン写本」に含まれている。これは、980年代にロスヴィータが書き留めた文章を本人指導の下、4、5人の筆耕が書写したものだ。この写本には、1作を除いた彼女の作品すべてが含まれている。10の叙事詩と6つの劇、ひとつの終末論的な詩、複数の祈祷文に、それぞれ異なる序文と献辞が付されていた。

ロスヴィータの極めて独創的な著作のなかに、キリスト教的英知の概念と、彼女が哲学を規範として分析したことに関連する作品がある。彼女はその写本の冒頭に置いた「学識ある支援者の方々へ」という手紙で、「哲学」である規範とそれに対する自分の熱意を謙虚な言葉で伝えている。この意図的な自己言及から、彼女が（ボエティウスの『哲学の慰め』などの）文学を解する人間であり、屈折したユーモアのセンスの持ち主だったことがわかる。私たち人間は神の助けがなければ何の知識も得られないということを、ロスヴィータはさまざまな表現を駆使して強く主張した。

私が芸術をある程度、理解できるのは神の御恵みによるものであることは否定いたしません。
私は「知を愛する生き物」ですから。
でも実は、自分ひとりの力では何もわからないのです。
（……）
これまでずっと可能なかぎり、「哲学」がまとう衣服の糸くずを拾い続け、

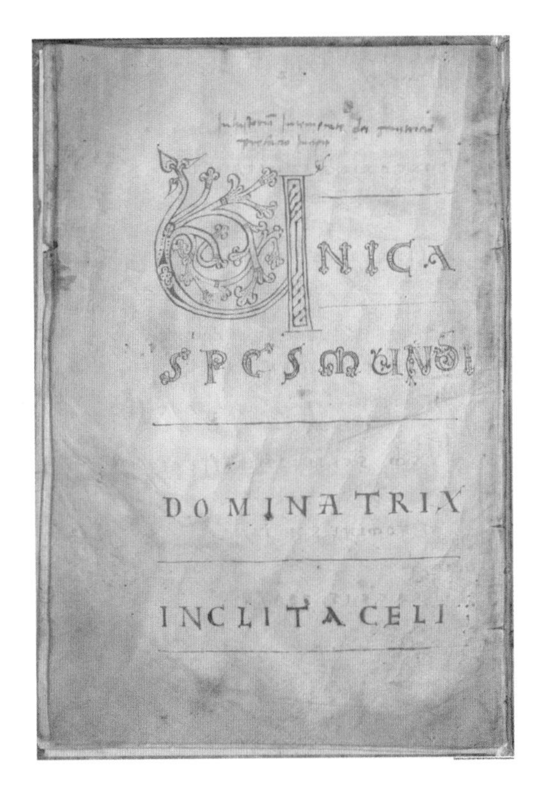

自分のささやかな作品に織り込もうとしてきました。
何の価値もない私の無知が、その高貴な要素を取り込むことで昇華できると願って……

彼女が書いた劇、『Sapientia（サピエンティア）』もこのテーマに立脚し、真理に対する極めてキリスト教的な思想を色濃く反映している。この劇の題名にもなっている主人公のサピエンティアは、キリスト教的英知の化身、理性と精神的献身の体現者だ。彼女は、神から与えられた理性はキリスト教という枠組みのなかでのみ発揮されることを知る、統合的な知識の持ち主として描かれている。ロスヴィータにとって、真理と知識は人間の認知能力からのみ得られるものでなく、キリスト教の神の力を必要とするものだった。人間には分析し反映する能力があるが、たとえば権力者が、何が真で何が偽かを確定できるかどうかは、その人物が神の代理人か否かに尽きるのだ（当然、ロスヴィータは後援者たちを神の代理人と見なしていた）。

アラビア半島周辺のイスラム帝国や、インドにおけるチョーラ朝を見てもわかるように、知識と真理の分野においても領土の拡大と衰退が生じた。20世紀のフランス人哲学者ミシェル・フーコーが「真理の体制」と呼んだものを、世界中の思想家たちが400年以上もの時を費やして確立・改善したという事実は、人間は物理的な空間だけでなく精神的な空間をも自分の領土にしたがる生き物であることを教えてくれる。

〈左〉
ガンダースハイムのロスヴィータ
『Songs of Hrotsvitha（ロスヴィータの歌）』
11世紀、ドイツ

羊皮紙に赤いインクで書かれた、このタイトルページの装飾的なテクストは、ロスヴィータの完全な形で現存する唯一の作品の一部だ。

〈右〉
ガンダースハイムのロスヴィータ
1501年、ツェルティス協会：ドイツ、ニュルンベルク

絢爛豪華な衣装をまとった神聖ローマ皇帝とその姪、ゲルベルガ2世に著作を献上する、質素な身なりのロスヴィータを描いたアルブレヒト・デューラーの版画。

5

均衡状態

BALANCED STATES

1000～1450年

1　信仰と理性

昔の思想家にとって、信仰の教義は実在の構造と知識の本質に関する問いと密接に結びついていたため、現代のように「神学」と「哲学」を区別しても、ほとんど意味がなかったにちがいない。第4章で見てきたように、学者たちはちょっとしたきっかけを得て、それぞれに真理の探究法を模索し始めた。ある者は神秘的な体験や経典が宇宙の仕組みを教えてくれると信じ、啓示を通じて隠れた真理を追究した。だが、それはある意味、人間の論理的な思考を否定する行為と見なされた。そしてある者は、理性的な論考によって解き明かした真理を軸に、独自の信念体系を構築した。彼らは、論理主義が命題の真偽を明らかにし、経験的観察が「自然哲学者」による「科学」という万物に関する研究を進化させる、と主張した。本章では、神学と哲学の関係がより明確になり、より緊張を高め始める時代を取り上げる。思想家たちは、しばしば排他的な態度を示しながら自分の手法を声高に訴えたが、その行動は自分を支援する君主の擁護につながった。その一方で、対立の仲介役を志した者もいる。彼らは信仰と理性の対立に必然性がないことを示し、概念の融合に努めたのだった。最も有名な仲介役のひとりに、アブー・アリー・アル＝フサイン・イブン・アブドゥッラーフ・イブン・アル＝ハサン・イブン・アリー・イブン・スィーナー（980～1037年）がいる。「アヴィセンナ」というラテン語名で呼ばれることの多い彼は、今のウズベキスタンの首都ブハラ生まれの、自他ともに認めるイスラム哲学の大家だった。自伝を読むと、彼の優秀さがよくわかる。まだほんの子供だった頃にクルアーンを全編暗唱し、医学まで習得したらしい。傲慢だったかどうかは別として、時代を特徴づける作品を書き続けたことは間違いない。たとえば彼の『医学典範』（1025年）は、15世紀に入ってもまだ、医学の標準的な教科書として使われていた。

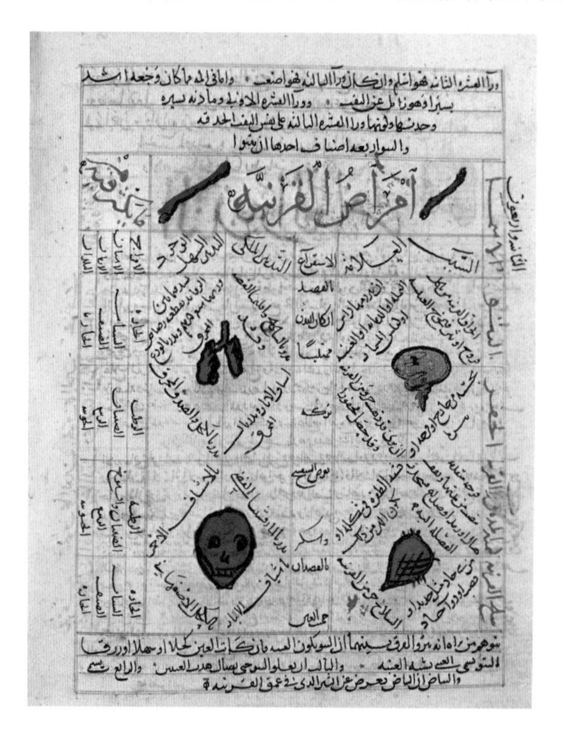

イブン・スィーナー
『医学典範』
14世紀、シリア

イブン・スィーナーの『医学典範』の複製。動物の皮（一般的には子牛の皮）を漂白し、枠にはめて伸ばしたベラム紙に書かれている。テクストに頭蓋骨の絵や図表がレイアウトされているなど、目を引く要素がたくさん含まれている。シリアのダマスカス国立博物館所蔵。

　イブン・スィーナーには他に、『治癒の書』（1027年）という主著がある。「無知な魂を癒す」ことを目的に書いたため、この題名がつけられた。この作品は、論理学・自然科学・（天文学と音楽を含む）数学的諸学・形而上学というイスラム教大学の伝統的な学科に合わせた4部構成になっている。内容にはアリストテレス哲学の影響が濃厚に現れているが、イブン・スィーナーはアリストテレスの様相理論に立脚しながら

「本質」と「存在」を斬新な視点で区別した。

「様相論」とは、存在のさまざまな「在り方」を知覚する概念のことだ。事物のなかには存在が必然的なものもある。つまり、それは存在しなければならない事物だ。一方で、存在が偶発的な事物もある。それは、その事物が存在しなかった可能性もある、ということだ。だが、「存在しない」ものを「存在しなかったかもしれない」とは言えない。現実概念と可能性の概念は両立できないからだ。イブン・スィーナーは「本質」への言及を通して様相理論を展開し、生物の特質こそがその個物の本質だと説いた。たとえば、「人間が哲学者になるのは可能である」と言えば、それは、哲学的思索と人間の本質が両立し得ることを意味する。存在もまた、人間の本質と両立し得る。が、その本質は存在だけでなく非存在（存在しなかった可能性）とも両立し得るため、人間は偶発的な生き物だということになる。

この文脈で言うと、人間は、たとえば「丸い四角」とは違うということだ。定義上、四角は単純に丸になり得ないため、存在と「丸い四角」の本質は両立しない。『治癒の書』は、こうした様相理論を用いて神の存在の宇宙論的証明を裏付けた。一連の偶発的な生物は今の形を永久に（アド・インフィニタム）とどめておくことはできない、とイブン・スィーナーは記している。「……［人間のような］偶発的な事物は、必然的に存在する理由によって消滅する」。「必然的な存在」——本質が非存在と両立しない存在——は、当然、アッラーだけだと彼は主張した。

信仰教義を支える理性の重要性を説いた『治癒の書』は、誰にでも歓迎されたわけではなかった。最も厳しく批判したひとりに、アブー・ハーミド・ムハンマド・イブン・ムハンマド・

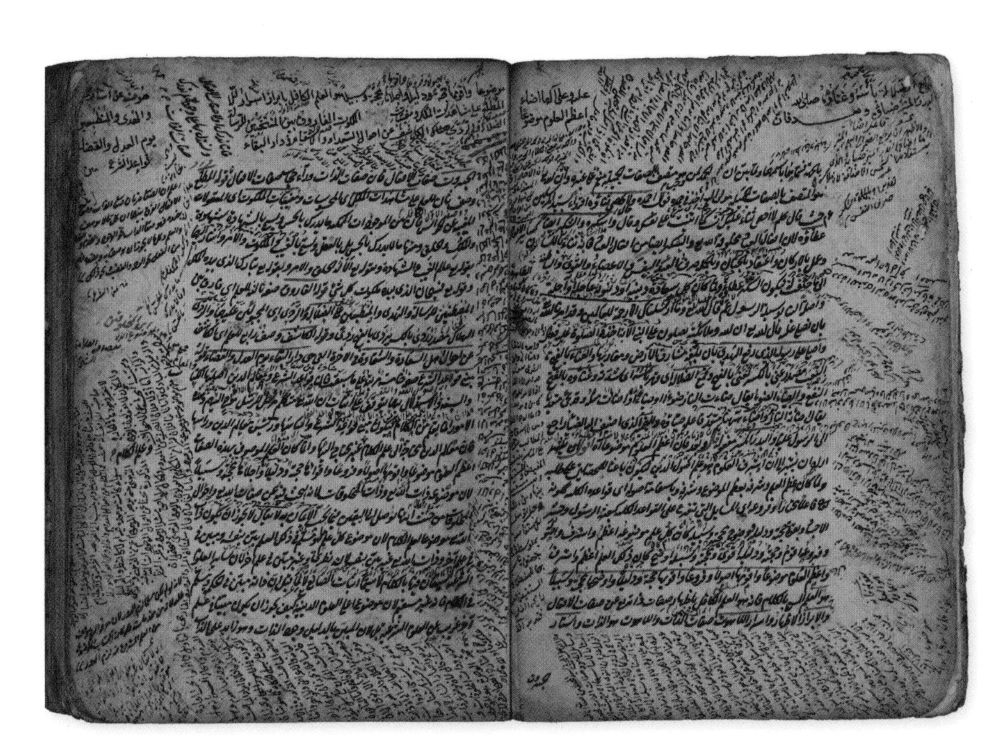

イブン・スィーナー
『治癒の書』
年代不詳

現代では、本に書き込みするのを良しとしないが、そもそも余白は見た目だけのために設けられていたわけではない。それは、読者がメモを取りながら重要箇所を解釈するのに必要なスペースだった。この書き込みぶりから、読者がいかに熱心に読み込んでいたかがわかる。

イブン・アラビー
『叡智の台座』
1395年、モロッコ

ナスフ体という丸みを帯びた小さな書体で書かれたアラビア語のテクスト。この書体は読みやすいことから、現在も書物や行政文書に用いられている。この余白にも、歴代の所有者によるさまざまなメモが残されている。

アル＝ツーズィー・アル＝ガザーリー（1058〜1111年）がいる。彼の『哲学者の自己矛盾』は、当時、人気があったアリストテレス哲学を始め、正当教義と対立する哲学を極めて明確な表現で論駁した書であった。

アル＝ガザーリーは、イブン・スィーナーとアル＝ファーラービー（110ページ参照）の思弁的な形而上学や、アリストテレス主義的な彼らの因果論をやり玉に挙げた。イブン・スィーナーが『治癒の書』で示した、ひとつの事物が別の事物の原因となる（そしてその事物も別の事物の原因となり、その事物も別の事物の原因となる）という機械的な因果論は、神の属性を否定するものだと強く非難し、アッラーを万物創造の主とするイスラム教の信条の正当性を訴えた。一片の綿が火に触れて燃えた、という因果関係も、アル＝ガザーリーに言わせれば、綿が燃えた究極の原因は火でなく、アッラーの力であった。『哲学者の自己矛盾』を読むと、彼が自説と対立する説を異端思想と断じていたことがわかる。

アル＝ガザーリーの見解は、スーフィズムというイスラム神秘主義思想に分類される。スーフィズムはイスラム教の広がりとともに8世紀に生まれ、ウマイヤ朝の富の独占に反発した庶民の間で9〜10世紀頃に人気が高まった。初期のスーフィーたちは人里離れた場所で隠遁生活を送りながら、神と一体になることを目指して修行に励んだ。12、13世紀のスーフィー文献には、『哲学者の自己矛盾』の他、アブー・アル＝フトゥーフ・シハーブッディーン・ヤフヤー・イブン・ハバシュ・イブン・アミーレク・アル＝スフラワルディーの『Hikmat al-Ishrāq（照明哲学）』（1186年）やアブド・アラー・ムハンマド・イブン・アリー・イブン・ムハンマド・イブン・アラビー・アル＝ハーティミー・アッターイの『叡智の台座（Fusūs al-Hikam）』（1229年）などがある。後者のイブン・アラビー（1165〜1240年）は、預言や啓示を積極的に取り込んで独自の方法学を構築した。前者のスフラワルディー（1154〜1191年）は、従来の分析プロセスを通じてではなく、「神が発する光の純度が高い世界」、すなわち「想像」を通じて得た知識を軸とする認識論を展開した。どちらの作品も、理性ではなく啓示を真理解明の手段に選んでいる。

2　矛盾

『哲学者の自己矛盾』の批判書は数多く存在した。アブー・バクル・ムハンマド・イブン・アブド・アル＝マリク・イブン・ムハンマド・イブン・ムハンマド・イブン・トゥファイル・アル＝カイシ（1105〜1185年頃）の『ヤクザーンの子ハイイの物語』（「ヤクザーン」は「目覚めている者」、「ハイイ」は「生きている者」の意）もそのひとつだ。孤島でカモシカに育てられた「ハイイ」を主人公にしたこの哲学的な物語には、ハイイが精緻な観察力と論理的思考によって、自然科学・哲学・信仰の究極の真理を見出す様子が描かれている。途中、ハイイはアサールという賢者から経典について教わる。だが彼は、そのような隠喩を多用する道具は、複雑な情報を大衆に理解させるのには役立つとしても、真理の探究には必ずしも必要ではないと判断するのだった。

> ……**御しやすいが理解力に難があるような人間にはこれしか救済の手段がないということを、彼も友人のアサールも承知していた。万一、そんな人間が推論という領域に押し上げられたらろくなことはない。天国にたどり着けないどころか、足元がぐらついて真っ逆さまに転落するという悲惨な末路をたどるだろう。**

イブン・トゥファイルによる孤独な生活の描写は、彼の師で、スペイン・アンダルシア地方で活躍した思想家、アブー・バクル・ムハンマド・イブン・ヤフヤー・イブン・アル＝サーイフ・アル＝トゥージービー・イブン・バーッジャ（1085〜1138年頃）の『Tadbīr al-mutawahhid（世捨て人のしきたり）』の影響を受けていることは間違いない。イブン・バーッジャはこの著作のなかで、世捨て人の存在は社会腐敗の防止に役立つと説いている。また、科学と真理を追究すれば充実した精神生活が実現できる、だから我々は知識に通ずる道から「雑草」（つまりは無知な都市生活者）を一掃すべきだと提言した。そういう彼もまた、イブン・トゥファイル同様、複雑な思想を大衆に理解させるための宗教的メタファーの必要性を認識していた。
『哲学者の自己矛盾』に対する批判書は多々あるが、そのなかに『「哲学矛盾論」の矛盾』という、いかにも批判書らしい題名の書物がある。コルドバ生まれの哲学者、アブー・アル＝ワリード・ムハンマド・イブン・アフマド・イブン・ルシュド——ラテン語名は「アヴェロエス」（1126〜1198年）——が対話形式で書いた『「哲学矛盾論」の矛盾』は、理性とイスラム信仰との調和について論じたものだ。この論考は、世界創造に関する問いと、世界の永遠性という昔ながらのテーマが軸となっている。アル＝ガザーリーはこの作品のなかで、世界の永遠性や死後の魂の存続とその必然性を説いたイブン・スィーナーを批判した。そして、クルアーン

[illegible]

ومن كلامه رضي الله عنه في تدبير المتوحد

قال ابو بكر بن الصائغ رحمه الله لفظة التدبير في لسان العرب تقال على معان كثيرة [illegible]

イブン・バーッジャ
『世捨て人のしきたり』
11世紀、スペイン

11世紀にサラゴサ生まれの哲学者、イブン・バーッジャ（ラテン語名アヴェンパーケ）が「精神的健康」の秘訣について書いた論文。このアラビア語文献の唯一現存する複製は、オックスフォード大学のボドリアン図書館に収蔵されている。

『Treatise on the Incoherence of Philosophers（「哲学者の自己矛盾」に関する論文）』
15世紀、トルコ

アル＝ガザーリーの著作を批判する哲学者はイブン・ルシュドだけではなかった。トルコ人神学者のムスタファ・イブン・ユースフ・アル＝ブルサウィ（別名ホジャザダー）によるこの論文は、オスマン帝国のスルタン、メフメト2世の指示で2冊書かれた『哲学者の自己矛盾』への反駁論の1冊だ。

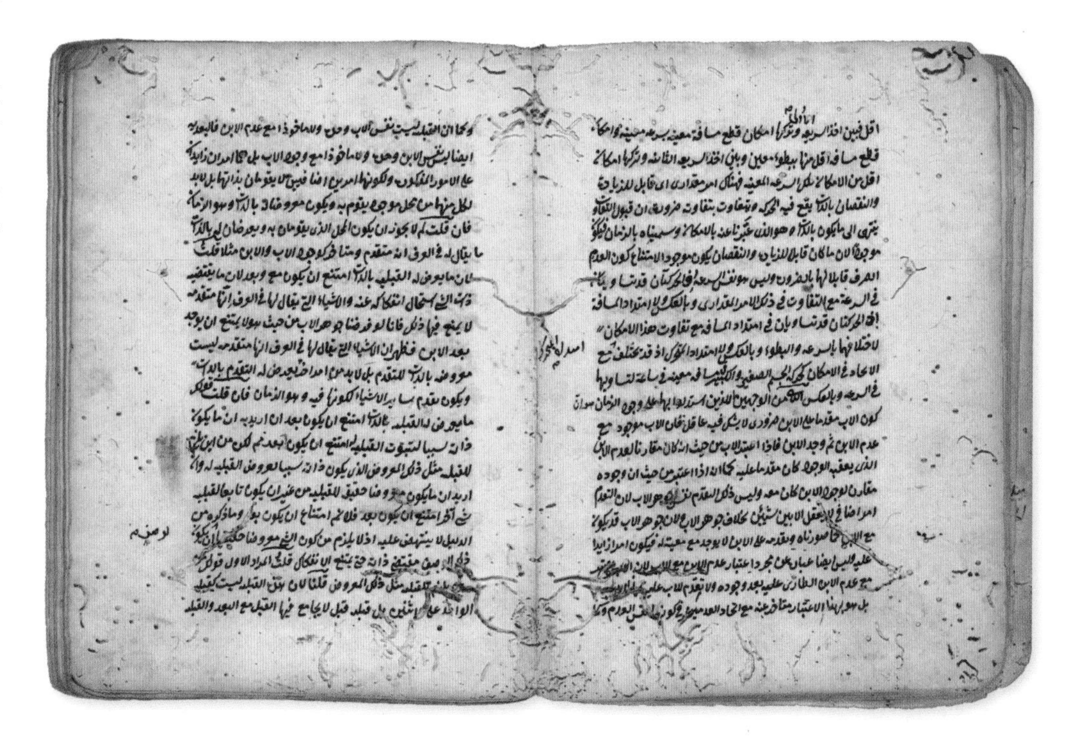
[illegible]

と（神学者アブー・アル＝ハサン・アル＝アシュアリーが開いた）アシュアリー学派の教えに照らし、イブン・スィーナーの見解はアッラーの神性を顧みない異端思想だと（再三）非難している。アッラーを至高な力を有する究極の存在と見なし、世界創造は紛れもなく神の計画の一部だと信じるアル＝ガザーリーにとって、これに相反する説はアッラーへの侮辱に等しかった。

『「哲学矛盾論」の矛盾』は、アル＝ガザーリーの誤謬の指摘にかなりの紙幅を割いている。イブン・ルシュドによると、アル＝ガザーリーの批判は因果説についての誤った見解に基づいている。命に限りがある生き物を創造するプロセスには、創造の決断とその後の実行が含まれるという。だが、アッラーが時を超えた全能の存在であることを考えると、この因果説は成り立たない。アッラーの決断と行動には時間のギャップがないからだ。イブン・ルシュドは、世界創造に関するアル＝ガザーリーの主張は矛盾していると指摘した。

こうした議論は、現代では、興味深いけれども結局は信仰教義の些末な問題をめぐる単なるいさかいにすぎないと軽視されがちだ。しかし、このような形而上学的な論争が、「現実世界」にさまざまな影響を及ぼしてきたのは事実だ。それが最も顕著だったのが、当時の法理論である。イブン・ルシュドは当時の多くの哲学者がそうであったように、弁護士になる教育も受けていた。昔から法律と公共サービスの分野で広く尊敬を集めてきた家柄に生まれ、広範にわたる法学教育を享受していたのだ。現代の弁護士は神学を法廷での仕事とは無縁のものと見ているかもしれないが、イブン・ルシュドにとって、神は法の中心だった。法律の根拠と何か？　法制度の基盤にすべきは啓示と理性のどちらなのか？　彼は、その答えを『「哲学矛盾論」の矛盾』に記した。つまり、これは立法と法的権限の根拠について明記した論文だったのだ。

もうひとつ、信仰と法律の融合が顕著な作品がある。1240年頃にコプト教徒のアブール・ファダイル・イブン・アル＝アッサルがアラビア語で編集し、のちにエチオピアの古典語、ゲエズ語に翻訳された『fətḥa nägäśt（王たちの法律）』だ。そこでは、負債や刑罰、奴隷化のいわゆる道徳的根拠などに関する問題が、キリスト教思想の枠に当てはめて検証されている。そこでは、（戦争などの）特殊な状況下でなら個人の自由の制限が許されるとしている一方で、非キリスト教徒によるキリスト教徒の奴隷化を禁じている。当時も今と同じように、宗教や人種に基づく一定の権利が許されていた。「神聖に見えるもの」が人間の法の根拠にされていたのだ。

モンフレド・デ・モンテ・インペリアリ
『Liber de Herbis（薬草の自由）』
14世紀、スペイン

イブン・ルシュドとテュロスのポルピュリオスの想像上の会話が描かれた挿絵。会話の中身は現代の漫画のように「吹き出し」に入れず、会話の場面にそのまま盛り込むのが当時は一般的だった。

3　文化の中心地

これらの論争の多くは、アッバース朝末期で行われた。バグダッドが1157年にトルコ系イスラム政権のセルジューク朝に包囲されると、その地で活動していた思想家たちはよその土地に移住し始めた。たとえば、イブン・ルシュドは、イスラム世界の新たな文化拠点、アンダルシア地方（今のスペイン南部）のコルドバに居を移している。

ウマイヤ朝の支配下にあったコルドバでは、ワッラーダ・ビン・アル＝ムスタクフィー（1001～1091年頃）の哲学サークルを始めとする、さまざまな知的集団が熱心に活動していた。アル＝ムスタクフィーは、自らが主催する文学・芸術サロンで大勢の思想家たちと議論を交わし、さらにはサッフォー以来の伝統を引き継いで、愛をテーマにした独創的な詩を創作した。その詩は今ではほとんど残っていないが、わずかに現存する作品の断片からは、強烈な個人主義と感情の支配的影響との複雑な緊張が感じ取れる。

運命が急いだせいで、私が恐れていたとおりになった。
幾晩も心が際限なく千々に裂かれる。
忍耐も情熱のくびきから私を解放できない……

ウマイヤ朝が異教に寛容だったおかげで、アンダルシアではユダヤ哲学も発展した。コルドバの南北にあたるトレドとマラガでは、ユダヤ人思想家のユダ・ハレヴィ（1075～1141年頃）とソロモン・ベン・イェフダ・イブン・ガビーロール（1022～1058年もしくは1070年頃）が、アル＝ガザーリーとイブン・ルシュドを悩ませた問題に向き合っていた。ハレヴィがアラビア語で書いた『Kitab al-Ḥujjah wal-Dalil fi Nuṣr al-Din al-Dhalil（信頼が失墜した宗教を擁護するための証拠の書）』（1140年）は、ラビと、ユダヤ教の教えを求める非ユダヤ教徒との対話という形を取っている。ハレヴィはアル＝ガザーリーと同じく、真理を理解する最適な手段は宗教行為と経典の研究だと説いた。ハレヴィがこの作品を書いた目的は、同じく子弟間の対話という形式を取ってはいるが、（プラトン主義の）抽象的な推論の利点を検証したイブン・ガビーロールの『Yanbū ʻl-Chayāh（命の源）』（1050年頃）を批判することだった。

このような書物は人気を博して広く流通し、さまざまな言語にも翻訳された。知恵の館（104ページ参照）はバグダッド陥落時に灰燼に帰したが、その頃にはすでに、イベリア半島中部の都市、トレドに聖堂図書館が建てられていた。市の記録によると、この活気ある都市には、1150年代以降、チュニス、イタリア、ドイツ、はてはスコットランドからも大勢の学者たちが押し寄せたという。教会という後ろ盾を持った聖堂図書館では、翻訳者や代書人の集団がアラビア語文献を自国語のカスティーリャ語はもちろんのこと、ラテン語にも翻訳し始めていた。そしてその翻訳版は、現代では「ヨーロッパ」と呼ばれる大陸のさまざまな主要都市に広まった。それまで手に入らなかった――アリストテレスやプトレマイオス、ガレノス、プラトン学派のみならず、イブン・スィーナー、アル＝ガザーリー、イブン・ガビーロールなどによる――書物が、各地の新設大学の図書館や授業に登場し始めたのだ。

アル＝フーズィー
年代不詳

無名の画家による肖像画。医師で哲学者のアル＝ラーズィーが深く考え込んでいる様子が炭で描かれている。ロンドンのウェルカム・コレクション所蔵。

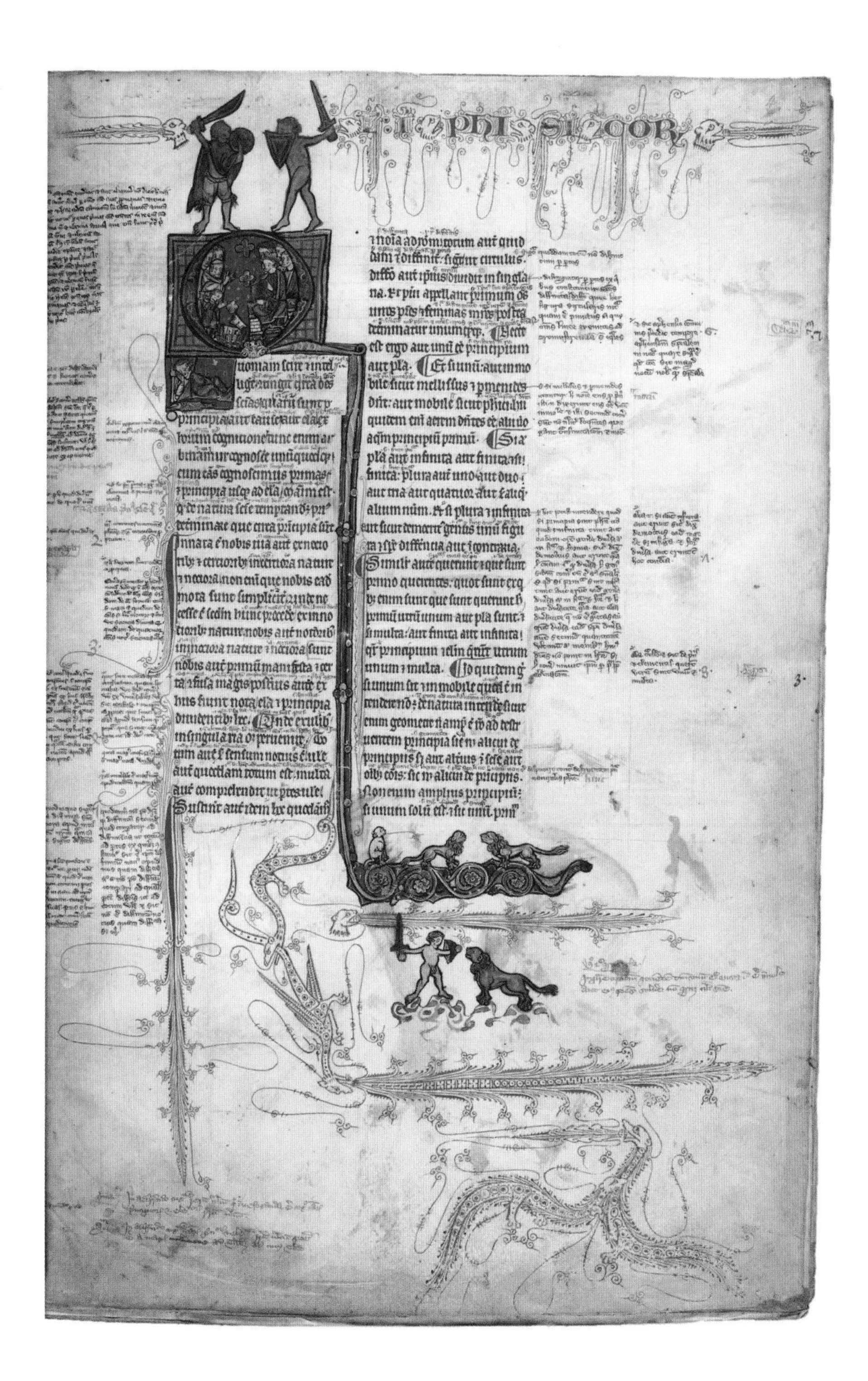

アリストテレス
『自然学』
13世紀、イタリア

イタリアの学者、クレモナのジェラルドによるラテン語写本には、『自然学』や『天体論』などのアリストテレスの自然哲学書や、ユダヤ人歴史家・哲学者であるダマスカスのニコラウスの『De plantis（植物について）』が含まれている。このページの緻密で大胆な構図には目を見張るものがある。テクストから流れ出た血がイラストへとつながり、余白には評釈がびっしり書き込まれている。

4　ラムバム

イスラム思想とユダヤ思想の交流は、1150年代のムワッヒド朝誕生によって妨げられた。それまでのコルドバには多様な宗教を受け入れる懐の深さがあったが、ベルベル人のイスラム王朝、ムラービト朝がムワッヒド朝に滅ぼされると状況が一変した。新たに建設されたムワッヒド朝は、ユダヤ教徒を始めとする非イスラム教徒たちに国が一定の保護を与えるズィンミーという制度を廃止し、代わりに彼らに改宗か追放かの選択を迫った。ユダヤ人コミュニティにとっては、まさに受難の時代だった――そして、この混乱期のさなかに、モーシェ・ベン＝マイモーン（1135～1204年）は生まれた。

「マイモニデス」というラテン語名を持ち、（ラビ・モーシェ・ベン＝マイモーンの頭文字を取って）「ラムバム」という愛称まであったこのスペイン系ユダヤ人思想家は、コルドバ生まれでありながら亡命を余儀なくされた。彼はユダヤ思想を擁護し、その基盤を固めるために本を書いた。そうすることで、敵対的な知的風土のなかでユダヤ思想を生き残らせせようとしたのだ。彼の『Sefer Yad ha-Hazaka（ミシュネー・トーラー）』は、一般読者へのわかりやすさも重視しつつ、ユダヤ法の明確化・一般化と、ユダヤ人コミュニティの自治法の裏付けを試みている。つまり、ユダヤ法理論を扱う根本経典であるモーセ五書（トーラー）、その注釈書（ミシュネー）、その注釈書の注釈書（タルムード）に記されている思想を統合し、一般原則を分析しただけでなく、敬虔なユダヤ教徒への明確な指針も提示したのだ。

マイモニデス
『迷える者の手引き』
14世紀、カタロニア

高価な顔料で彩飾された美しい挿絵入りのヘブライ語版『迷える者の手引き』。中央には（テクストボックスをつかんで）弟子と対話するマイモニデスの姿が、装飾された縁取りにはさまざまな鳥（ライチョウ、オンドリ、キジ、クジャク）が描かれている。ヘブライ語はラテン語と違い、右から左に読む。

イブン・スィーナーやイブン・ルシュドのように、アリストテレス哲学に心酔していたマイモニデスは、理性的な論法を用いて経典の教えを支持し、その解説に努めた。アル＝ガザーリーだったら彼の手法に眉をひそめ、アリストテレスの徳倫理学と法理論を和解させようという彼の試みを非難したにちがいない。マイモニデスは自らをアル＝ガザーリーやハレヴィと反対の立場を取る思想家として位置付け、ユダヤ律法と徳の育成、ユダヤ教神学とアリストテレス哲学との融和を模索した。

このアプローチは、『Dalālat al-hā'irīn（迷える者の手引き）』（1190年）のなかでより完全形に近づいた。彼が弟子のヨセフに書き送った教えをユダヤ・アラビア語でまとめたこの書は、（題名が示すとおり）信仰によって明らかになった真理と、理性的な思索を通じて発見した真理との矛盾に戸惑う者たちを導くために書かれたものだ。そこには、段階的な論理分析によって神の本質

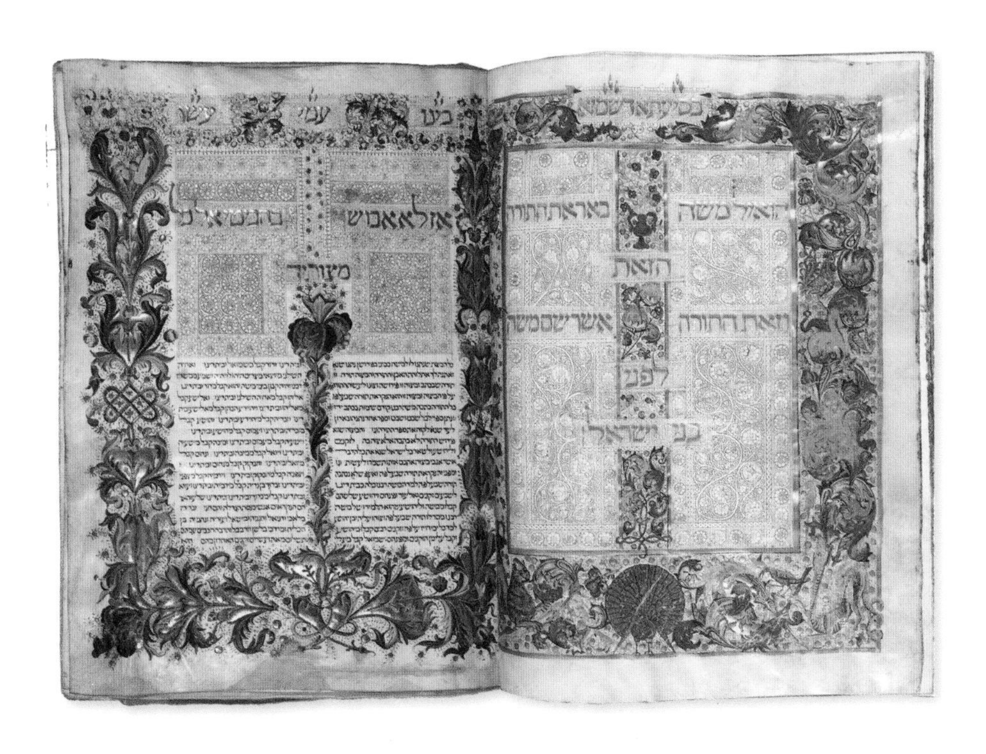

マイモニデス

『ミシュネー・トーラー』

15世紀、ポルトガル

けばけばしいほどの装飾が施された、挿絵が入ったバージョン。金色の葉が浮き彫りになった豪華で複雑な縁取りは、学問を重視する富裕層の持ち物であることを示す目的があった。

マイモニデスによる法典の草稿

1180年頃、エジプト

マイモニデスの直筆と思われる原稿。エジプト・フスタートにあるベン・エズラ・シナゴーグのゲニーザー（文書秘蔵室）で発見され、現在はいわゆる「カイロ・ゲニーザー」コレクションのひとつとして、他の多くの写本とともにオックスフォード大学のボドリアン図書館に収蔵されている。

פרק שני

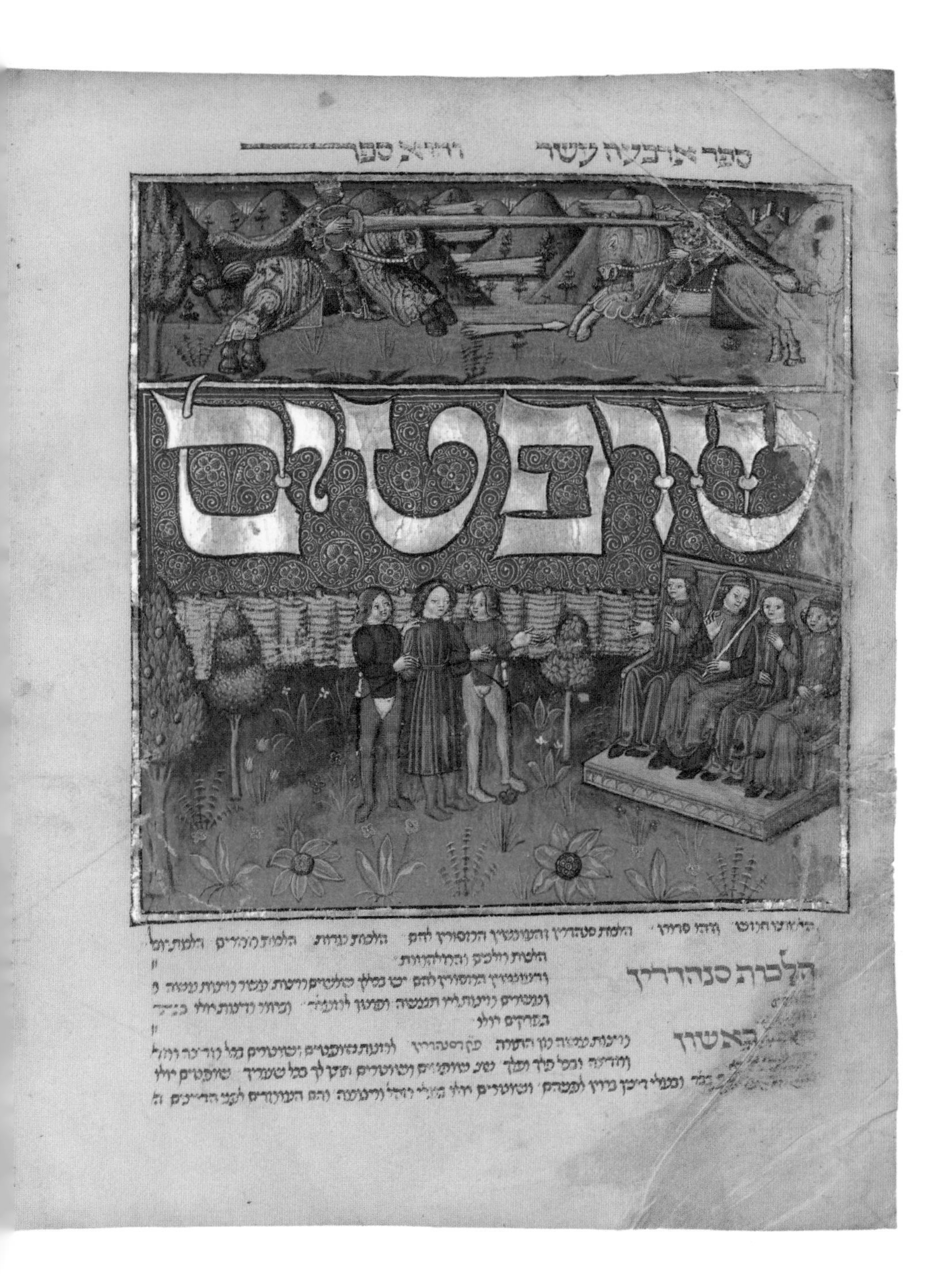

マイモニデス
『ミシュネー・トーラー』
1457年、イタリア

「Master of the Barbo Missal（バルボ・ミサ典書職人）」と呼ばれるイタリアの出版者が手掛けたこの『ミシュネー・トーラー』は、凝った装飾が施され、丁寧に印刷されている。また、羊皮紙に描かれた生け贄の儀式の挿絵には、テンペラ絵の具と金箔が用いられた。テンペラは、卵黄などの乳化作用を持つ物質を固着剤として利用する画法である。

マイモニデス

『迷える者の手引き』

15世紀、イエメン

このイエメン版には少しの隙間もなくびっしり書き込みがしてある。歴代の所有者たちはテクストと他人のコメントを熟読した後に自分のコメントを書き入れ、余白で繰り広げられる異色の議論に参加したのだろう。新聞や日記が登場する以前は、本の余白がレビュー欄の役割を果たしていたのかもしれない。

〈左下〉

1423年、イエメン

聖書の節索引に幾何学模様と色文字が使われている。この種の多くの文献と同様、水に濡れてかなり傷んでいる。

〈右下〉

1202年頃、フランス

サムエル・イブン・ティボン翻訳による、一覧表形式の用語集が含まれたヘブライ語版。イブン・ティボンは、アリストテレスとイブン・ルシュドの最初のヘブライ語翻訳者としても知られている。ロンドンの大英図書館所蔵。

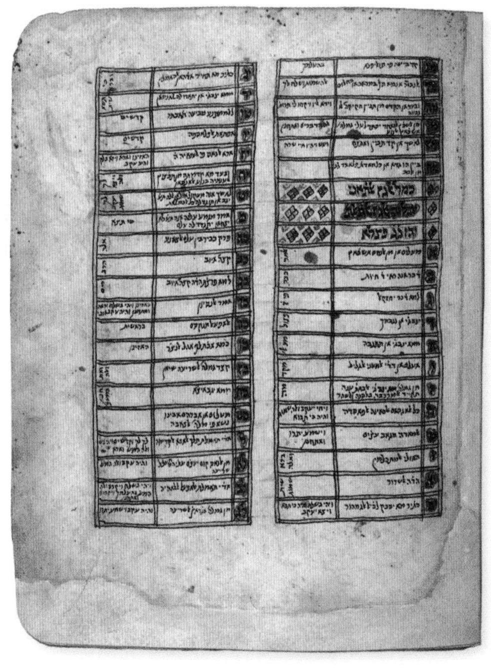

に関する真理に到達できると記され、「肉体を持たないシンプルかつ完璧な存在」という神の理性的な概念が提示されている。それは、聖書に書かれているような、「玉座に就く男性」という擬人化された神のイメージとは対照的な概念だった。マイモニデスはイブン・トゥファイルと同じように、教育上の目的のために象徴的に書かれたものを文字通り解釈しようとすれば混乱が生じると述べている。彼もまた、聖書は一般大衆でも理解できるように、象徴や比喩をわかりやすく解説すべきだと考えていた。

5　漂泊者の知識

迫害に遭ったマイモニデスは、故郷も、ユダヤ教コミュニティの最高判事という仕事も奪われた。しかし、ある程度の検閲下にあったものの、彼の著作はすぐに各大学図書館の保護スペースに収蔵されるようになった。当時の多くの思想書と同様、彼の作品も豪華で高価だったため、熱心なアーキビストたちの手でさぞや厳重に保管されていたことだろう。こうした保存行為がなかったら、思想書の歴史は私たちが知るものとはかなり違っていたかもしれない。

歴史家たちは非定住民にもともと偏見がある。悪意があるわけではない。研究に支障をきたすからだ。研究にはテーマが必要で、そのテーマに沿った時代の遺物があって、初めて研究が成り立つ。だが、非定住民の遺物は定着民よりはるかに少ない。住む場所を転々と変えるコミュニティなら当然のことながら、文化的知識を博物館や図書館といった固定の場所に保管するより、（押韻や覚えやすい韻律の構成といった）口承技術の向上に注力して知識の持ち運びに努めるだろう。証拠がないからといって、漂泊の民には洗練された思想体系がなかったと決めつけてはいけないのだ。だが、彼らの思想体系の本質については、哲学者にしろ、思想史家にしろ、今も憶測の域を出ない。

モンゴル人も、そうした非定着民だった。この漂泊の民は、12世紀後半にモンゴル高原の覇権を握る。チンギス・ハン（1162～1227年頃）とその子孫たちが統治したモンゴル帝国は、コーカサス地方・ロシアからインド北部・中央アジアの大部分へと版図を広げた。そして、（アレクサンドロス大王のような）冷酷非情でこれ見よがしな武力侵略をたびたび行って他の有力部族を支配下に置き、効率的な行政組織と戦略的同盟を融合させた中央集権体制を築いた。彼らは過去の大国と同様に、西方より東方に狙いを定め、イスラム帝国と中国王朝の富を我が物にしようとした。

1258年にバグダッドを征服して大規模な図書館群を壊滅させるという、アッバース朝に最後の一撃を加えたのがこのモンゴル帝国だ。そのすぐ後にエジプトに侵攻するが、マムルーク朝に撃退されて中国支配に目標を移した。そしてウイグル領北部で躍進した後、金王朝を滅亡させて新たに元という中国統一王朝を建国。遊牧生活と同化政策のため、モンゴル思想の学派を識別するのは困難だが、彼らの行動は、歴史のパターンに対するある大きな疑問を提示する。それは、私たちは歴史解明の方法に妥協を許してはいないだろうか、という疑問である。自己批判にどっぷり浸るつもりはないが、その答えはおそらく「イエス」だろう。

ラシーッドゥッディーン・ファドゥルッラーフ・ハマダーニー
『The Seige of Baghdad（バグダッド陥落）』
1430〜34年頃、イラン

フランス国立図書館で発見された、見開き2ページにわたるサイーフ・アル＝ヴァヘディ作の挿絵。フレグ率いるモンゴル軍がバグダッドを包囲した様子が描かれている。前景には、騎兵部隊と投石器のような武器が見える。

6　知の遺産

モンゴル帝国に征服される前の中国中部は、宋王朝の支配下にあった。農業の発展と人口の増加が経済を刺激し、（火薬という、新たな化合物の製造を含む）軍事技術の向上にもつながった。当時は広い範囲で都市化が進み、それに伴い人々が知的・社会的・芸術的生活を謳歌すると同時に、活版印刷の発明によって書物の生産と流通のスピードも劇的にアップし、知識の体系化がさらに大きく進んだ。

中国思想におけるこの時代の大きな特徴は、儒教が仏教・道教の影響を受けて新局面を迎えたことだ。儒教思想の形而上学的・倫理的基盤の体系化を目指した文献が、今も大量に残されている。張載（1020〜1077年）は『正蒙』（1076年）のなかで、万物の生成は「気」の集散によると主張し、仏教の空の思想（80ページ参照）を明確に否定した。その一方で、程顥（1032〜1085年）と程頤（1033〜1107年）の兄弟は——17世紀に出版された、共著の『Surviving Works（現存する作品）』に見られるように——「気」は万物生成の原理、「理」は宇宙の根本原理とする理気二元論を説いた。朱熹（1130〜1200年）はこのような思想を集大成した『近思録』（1175

年）を著し、国家のお墨付きを得た儒学の普及に一役買った。こうして儒学は、（別の学派から攻撃されたのではなく）その内部において、形而上学的な議論が今までになく盛んに行われたのだ。

朱熹は（儒教の基本経典である）五経に加え、『論語』『孟子』『大学』『中庸』（後のふたつは、独立出版物として流布していた『礼記』から抽出された）の四書にも注釈を加え、儒学教育の標準化に貢献した。

明代に入る頃にはすでに、四書五経は科挙（官吏登用試験）の重要科目となり、受験者はその内容を注釈とともにすべて暗記しなければならなかった。

1271年にはチンギス・ハンの孫にしてモンゴル帝国第5代皇帝、フビライ・ハンが自らを中国皇帝に指名し、元を建国する。このモンゴル人の征服王朝は、中央アジアに疫災が相次ぎ、中国に明朝が成立して権力を握る14世紀の中頃まで権勢をふるった。その後、中国を300年にわたって統治した明は、西洋の絹の需要を受けて交易路が発展した結果、インフラ整備と国防（とりわけ万里の長城の再建）への広範な投資や、人口増加と経済活動の活発化を特徴とする時代を導いた。

明代に入っても思潮に変化はなく、儒学の地位は依然として安定していた。形而上学的な研究に加え、『Instructions for Inner Quarters（奥方たちへの教え）』などに見られるような儒教的な徳倫理学が発展する。明王朝第3代皇帝永楽帝の妻、徐皇后（1362～1407年）、別名仁考

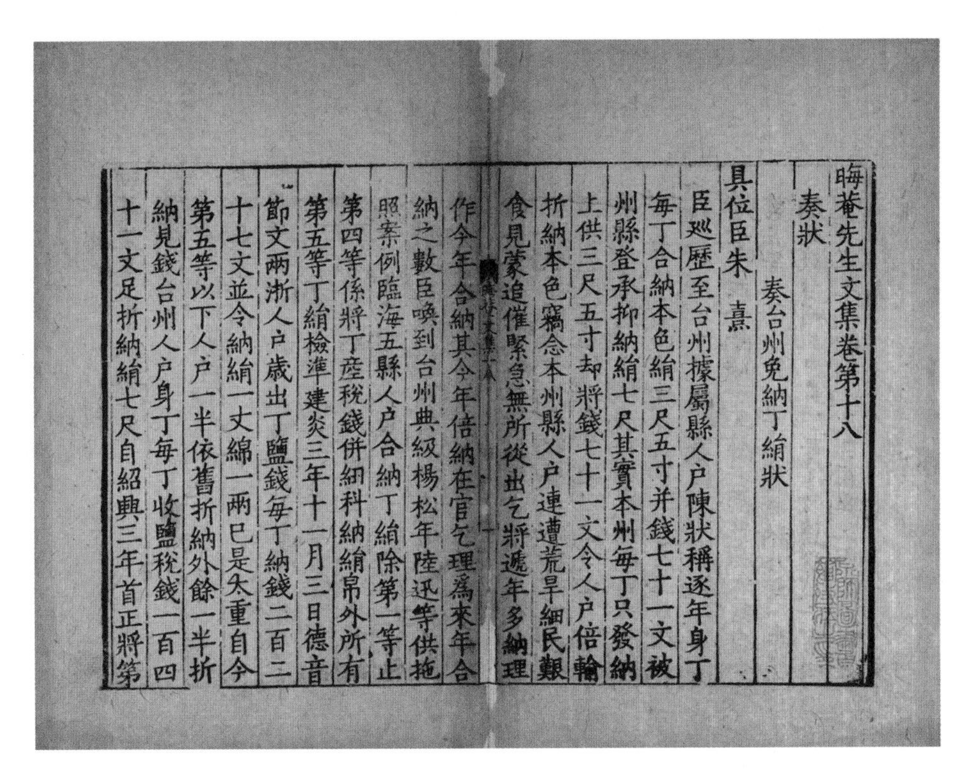

晦菴先生文集巻第十八
奏狀
奏台州免納丁絹狀
具位臣朱　熹
臣巡歷至台州據屬縣人户陳狀稱逐年身丁
每丁合納本色絹三尺五寸并錢七十一文被
州縣登承抑納絹七尺其實本州每丁只發納
上供三尺五寸却將錢七十一文令人户倍輸
折納本色竊念本州縣人户連遭荒旱細民艱
食見蒙追催緊急無所從出乞將遞年多納理
作今年合納其今年倍納在官乞理爲來年合
納之數臣喚到台州典級楊松年陸迅等供拖
照案例臨海五縣人户合納丁絹除第一等止
第四等係將丁産税錢併紐科納絹帛外所有
第五等丁絹檢準建炎三年十一月三日德音
節文兩浙人户歲出丁鹽錢每丁納錢二百二
十七文並令納絹一丈綿一兩巳是太重自今
第五等以下人户一半依舊折納外餘一半折
納見錢台州人户身丁每丁收鹽税錢一百四
十一文足折納絹七尺自紹興三年首正將第

朱熹
『Collected Writings（朱熹集）』
年代不詳

朱熹の「作品集」の一部。縦線に文章が挟まれているという興味深いデザインだ。テクストの一部は深い折り目がついてしまっているため読み取れない。

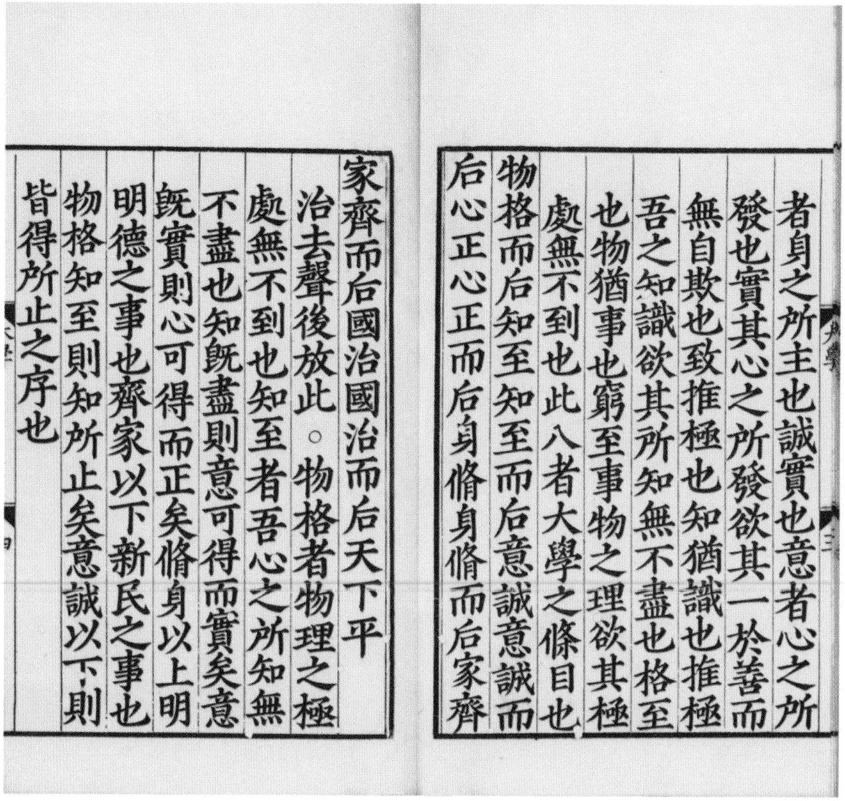

者身之所主也誠實也意者心之所
發也實其心之所發欲其一於善而
無自欺也致推極也知猶識也推極
吾之知識欲其所知無不盡也格至
也物猶事也窮至事物之理欲其極
處無不到也此八者大學之條目也
物格而后知至知至而后意誠意誠而
后心正心正而后身脩身脩而后家齊

家齊而后國治國治而后天下平
治去聲後放此。物格者物理之極
處無不到也知至者吾心之所知無
不盡也知既盡則意可得而實矣意
既實則心可得而正矣脩身以上明
明德之事也齊家以下新民之事也
物格知至則知所止矣意誠以下則
皆得所止之序也

朱熹
『四書』
1644～1912年、中国

朱熹版の『四書』には「注釈集」や「回答集」が含まれている。これは読者が最新の哲学的論考に後れを取らないようにするための常とう手段だ。この複製本は清代のものと見られる。

文皇后が書いた『Instructions for Inner Quarters』は、特に女性を対象とした自己修養と道徳的成長の手引書だった。代々の儒者たちと同じく、徐皇后にとっても、道徳的な行動は自己修養と深く結びついていた。

賢人を目指す人にとって何より重要なのは、自己修養できるように自らの徳性を育てることだ。

徳は自己修養して初めて身につく。道徳は「外からやって来るものではなく、まさに自分自身に根差すもの」だ。だから、私たちは立場をわきまえて自らのふるまいに注意を払い、外的影響から自分自身を守らねばならない、と徐皇后は力説している。

……嫌な光景を目にすれば、心が波立つ。嫌な音楽を耳にすれば、生来の美徳が失われる。自慢を口にすれば、心が傲慢さに乗っ取られる。自分自身にとって、これらすべてが危険の種である。

仇英作
「A Literary Gathering
（文学者たちの集い）」
16世紀、中国

中国皇帝の娘婿を訪ねて屋敷に集まった11世紀の有名な詩人たちを描いた仇英の絵画。パリ装飾美術館所蔵。この巻物は他の展示物同様、セクションにふさわしい音楽を背景に鑑賞できる。

永楽帝
1368～1644年、中国

1402年から1424年まで明を統治した第3代皇帝、永楽帝の肖像画。礼服に身を包んだ即位時の姿が描かれている。

徐皇后
1368～1644年、中国

多大な文学的功績を残し、宮中政治にも積極的に関与したことで知られる明代第3代皇后、徐皇后の肖像画。ここでは、非常に凝った作りの冠をかぶった姿で描かれている。

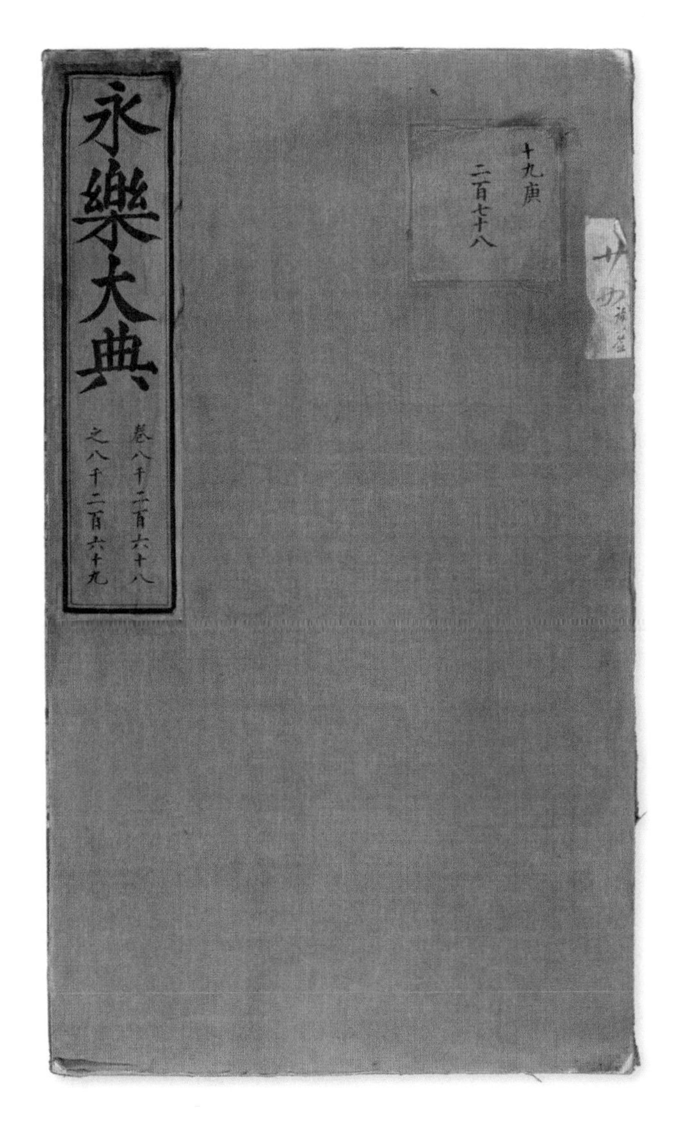

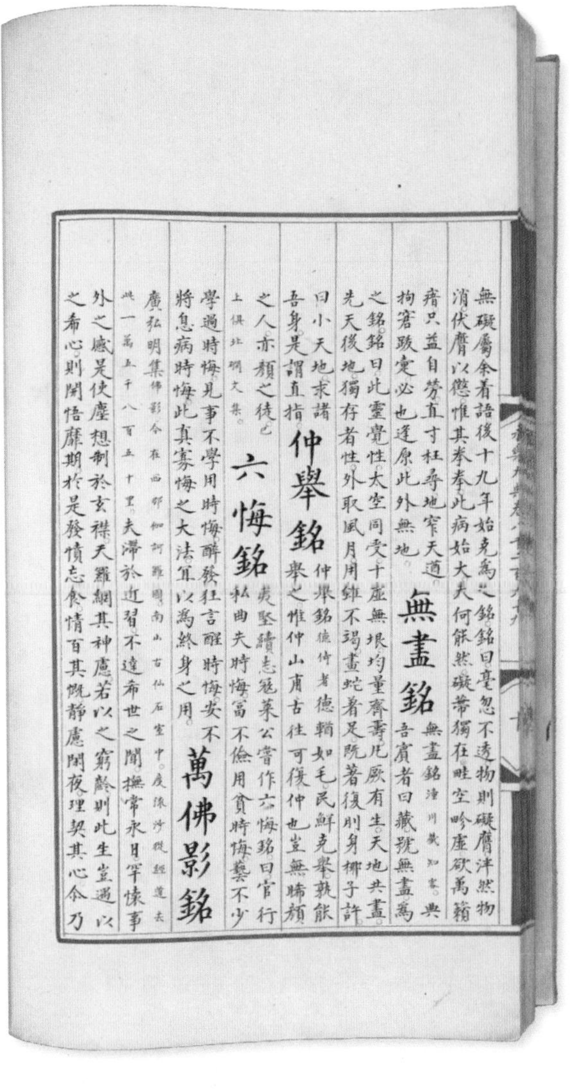

無礙屬余着語後十九年始克爲之銘銘曰毫忽不透物則礙膺泮然物
消伏膺以懲惟其拳拳此病始大夫何餘然礙帯獨在畦空吟虛欲萬籟
痏只益自勞直寸枉尋地窄天道
拘窘蹶疐必也逢原此外無地

無盡銘

無盡銘潼川費知宋 典
吾賓者曰藏號無盡爲
之銘銘曰此靈覺性太空同受十虚無垠均量齊壽凡厥有生天地共盡
先天後地獨存者性外取風月用雖不竭盡蛇着足既著復刖身榔子許
曰小天地求諸
吾身是謂直指

仲擧銘

仲擧銘德傳者德輶如毛民鮮克擧孰能
擧之惟仲山甫古往可復仲也豈無睎顏
之人亦顏之徒已
上俱北磵文集。

六悔銘

黄堅續志寇萊公嘗作六悔銘曰官行
私曲失時悔富不儉用貧時悔藝不少
學過時悔見事不學用時悔醉發狂言醒時悔安不
將息病時悔此真寡悔之大法宜以爲終身之用

萬佛影銘

廣弘明集佛影今在西那伽訶羅國南山古仙石室中度流沙從經道去
洪一萬五千八百五十里夫滯於近習不達希世之聞撫常永日罕懐事
外之感是使塵想制於玄襟天羅網其神慮若以之窮齡則此生豈遇以
之希心則開悟靡期於是發憤忘食情百其慨靜慮閑夜理契其心今乃

『The Great Canon of Yongle（永楽大典）』
1562～1567年頃、中国

1403年に永楽帝から作成を命じられたこの百科全書は、増訂を繰り返して1408年に完成し、2万巻を超える大類書〔中国独特の一種の百科事典〕となったが、今では400巻しか残されていない。この書物は6世紀もの間——ウィキペディアが登場するまで——世界最大の百科全書だった。他の百科事典のようにテーマ別に分類されているのではなく、アルファベット配列に近い「韻別の分類配列」が成されている。大英図書館所蔵。

「人間の理性か、神の啓示か」という議論とは対照的に、儒教的な『Instructions for Inner Quarters』は何よりも伝統を重視した。先祖の教えを守り、確立された役割を担うことが——神の教えや理性的な論考よりも——有徳な人生への確実な道だと徐皇后は考えたのだ。そして明代の統治者たちはこの徐皇后の思想を、夫である永楽帝（1360～1424年）が作成を命じた『永楽大典』などの百科全書に掲載して世間に広めようと努めた。

矛戟劒楯弓鼓司右五兵注鄭引司馬法曰弓矢圍殳守戈戟助又司兵
五兵注鄭司農云車之五兵戈殳戟酋矛夷矛卒之五兵鄭云無夷矛而有弓
矢淮南子說五兵東方矛南方弩中央劒西方戈北方鍛叉詩曰兵戰器
也人執兵亦曰兵李臺存古正字俗作兵非字滲博義兵戎也趙謙聲音
文字通紺京切从収持斤為意兵籀文重一畫俻古
文从人収持干為意韻會定正字切韻經韻賓邊兵
篆書 並古論語 古孝經 齊鎛 古文 久湫文 秦廟器並見楊
鉤鍾鼎集韻 薤葉篆見姚敦臨二十體篆 古孝經 並古老子銘
並義雲章 古文並見杜从古集篆古文韻海 並徐鉉篆韻 並高勉齋學書韻總
並六書統 隸書 兵孔宙碑 兵武梁碑 兵張普題字 兵魏臣奏並洪邁漢隸分韻
兵張納碑 兵陳球碑 兵馮煥碑 兵州輔碑並漢隸字源 真書 兵智永 兵歐陽詢 兵虞世南

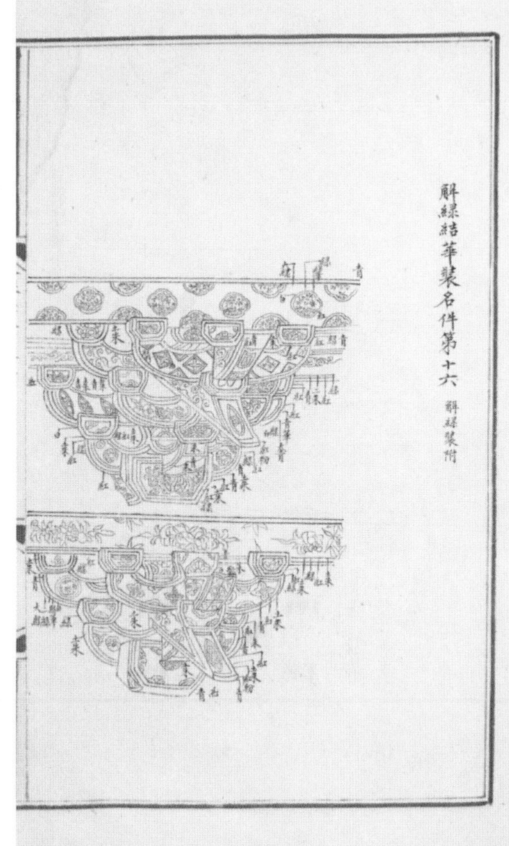

7　その他さまざまな書物

東方の相対的な繁栄は、日本に、中国文化からの脱却を促していた。その結果、この島国の意識は内向きになり、これまで道教・儒教などの中国思想を歓迎してきた平安初期の開放性に終止符が打たれた。中国への使節団は一時中断され、中国の輸入品には（物でも思想でも）厳しい制限がかけられた。それに関連して文字表記にも変化が生じる。従来、日本の支配者層・知識層が使用してきた中国伝来の漢字に加え、この時代に生まれた日本独自の（庶民向けの文字である）平仮名が使われ始めたのだ。『枕草子』（1002年頃）や『源氏物語』（1010年頃）も平仮名表記の作品である。

ほぼ平仮名で構成された『枕草子』は、藤原定子皇后に女官として仕えた清少納言（966～1025年頃）の随想と気ままな内省と詩をひとつにまとめたものだ。朝廷の一大勢力、藤原家の一員だった清少納言は、道徳的行為や手紙の利点の他、「にくきもの」を始めとする、宮中での勤めのなかで見聞きしたことについて、哲学的な思索をめぐらした。この『枕草子』にも、理性と信仰の議論にかかわる興味深い箇所がある。自力で知識を獲得する重要性を説き、「『どんな祈りにも応える』と言われている神は気の毒だ」と書いているところを見ると、どうやら清少納言は祈祷と啓示宗教の効用に懐疑的だったようだ。

清少納言の最大の功績は、ひとつの文学ジャンルを確立させたことかもしれない。『枕草子』は出版を目的に書かれたものではなく、著者が多方面にわたる自らの考えを日記風に綴ったものだ。『枕草子』が広まるとこの文学形態の人気が高まり、日本の思想界に、著者の個人的なエッセーと観察記録を融合させた「随筆」という新たなジャンルが誕生した。

『源氏物語』の形態も注目に値する。この作品の著者については、「紫式部」というペンネームと、平安時代の女官だったということ以外、ほとんどわかっていない。しかし、その表現スタイルは独特だ。これは、「光り輝くように美しい公卿」、光源氏とその子孫たちの生活を通して、平安時代の貴族社会の人間関係と倫理観について考察した架空の物語である。儒教とは対照的に、この公卿の物語には、「社会秩序と統治者の人柄の間には必ずしも関連性がない」ことが示されている。さらにそこには仏教思想が浸透しており、物語のなかで光源氏自身がその思想の伝達役を務めている。

人を好きになることがいかに間違ったことかを私はすぐに学んだ。自分には世間との強いつながりなどないことを確かめようとした……。

この孤立主義的な姿勢は、日本の思想界と外交政策の両方にも浸透し始めていた。

日本の仏教思想も、変化の途上にあった。12世紀、特に、朝廷に代わる武家政権が樹立した1185年以降、空海の真言宗や最澄（767～822年）の天台宗などの旧仏教以外に、さまざまな新宗派が興り栄えた。その一部は、純粋で高潔な存在は現世には存在しないと信じる大乗仏教の一派、浄土仏教と関係があった。浄土仏教――『無量寿経』『観無量寿経』『阿弥陀経』の「浄土三部経」を根本経典とする――は、念仏を唱えて阿

清少納言
日本

江戸時代後期の浮世絵師、菊川英山が「美人画」として描いた『枕草子』の著者、清少納言。「美人画」とは、19世紀初期に中流階級に広まった、女性の美しさを強調して描いた風俗画のことだ。

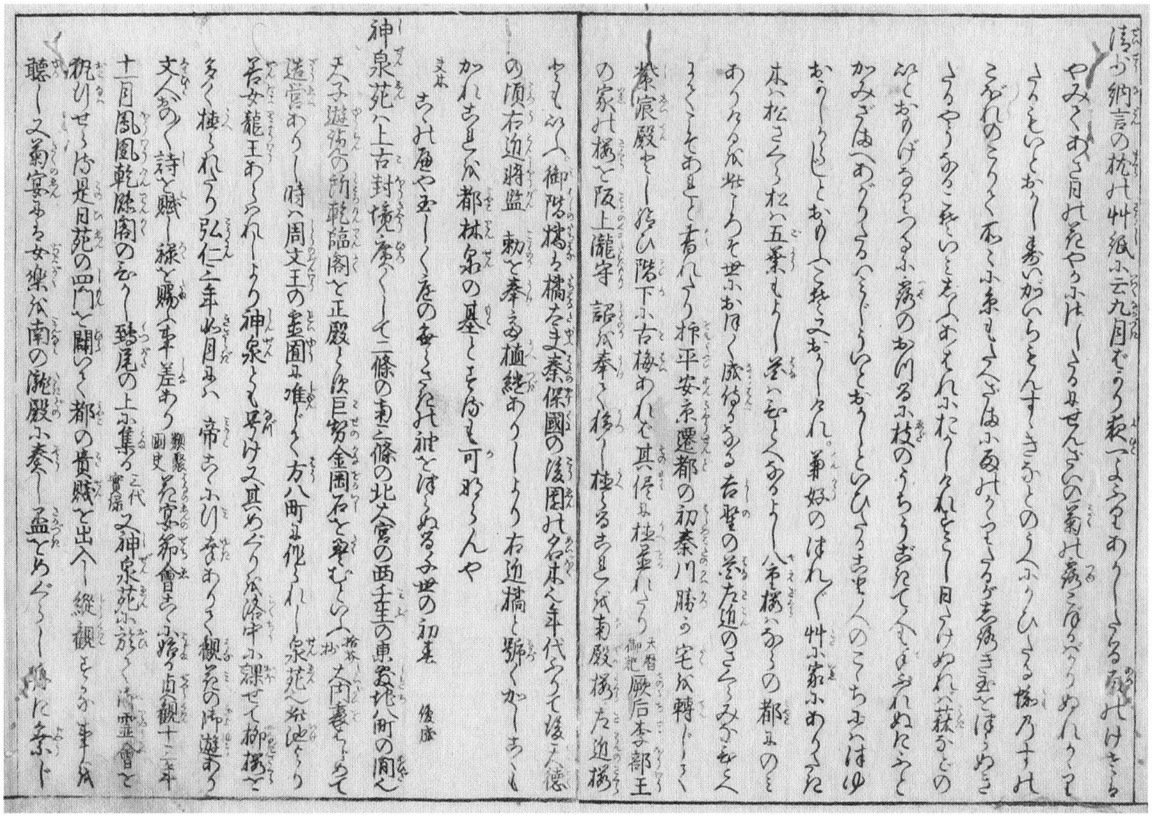

弥陀仏にすがれば死後に「極楽浄土」へ行けると説く。

その浄土仏教の代表的な宗派、浄土宗は僧の法然（1133～1212年）が開いた。彼の『選択本願念仏集』（1198年）には、浄土三部経からの広範囲にわたる引用と、その中心的な教えに対する彼独自の解釈が含まれている。法然は、ブッダの名前を繰り返し唱える念仏を重視し、この称名念仏によって誰でも極楽浄土に往生できると説いた。浄土仏教のなかでもより一般的なこの宗派のアプローチは、アル＝ガザーリーの著作（128ページ参照）に見られるような、理性中心主義に走れば最終的に分析麻痺による思考停止状態に陥ってしまう、という懸念に基づいていた。浄土宗の基本概念は、理性に頼らず、念仏という修行を通じて精神的充足を追求することだったのだ。

清少納言

『枕草子』

年代不詳、日本

縦に手書きされた『枕草子』は、出版を目的に書かれたものではなかったらしい。その内容は、宮廷社会の出来事を綴った「日記的章段」、日常生活や四季の観察記録とも言える「随想的章段」、そして「にくきもの」「うつくしきもの」など、さまざまなものをリストアップした「類聚的章段」の大きく3つに分類される。

|源氏物語図屏風」

17世紀、日本

11世紀の有名な文学作品、『源氏物語』の各場面を江戸時代に墨と金箔を用いて描いた、6枚折りの図屏風。作者は複数のエピソードを等尺で描き、ディテールに妥協することなく3次元的な印象を実現させた。また、建物の天井や屋根を省いた「吹抜屋台」という仕掛けを使い、建物（その大半は貴族の屋敷）の内部の様子が見える工夫を施した。

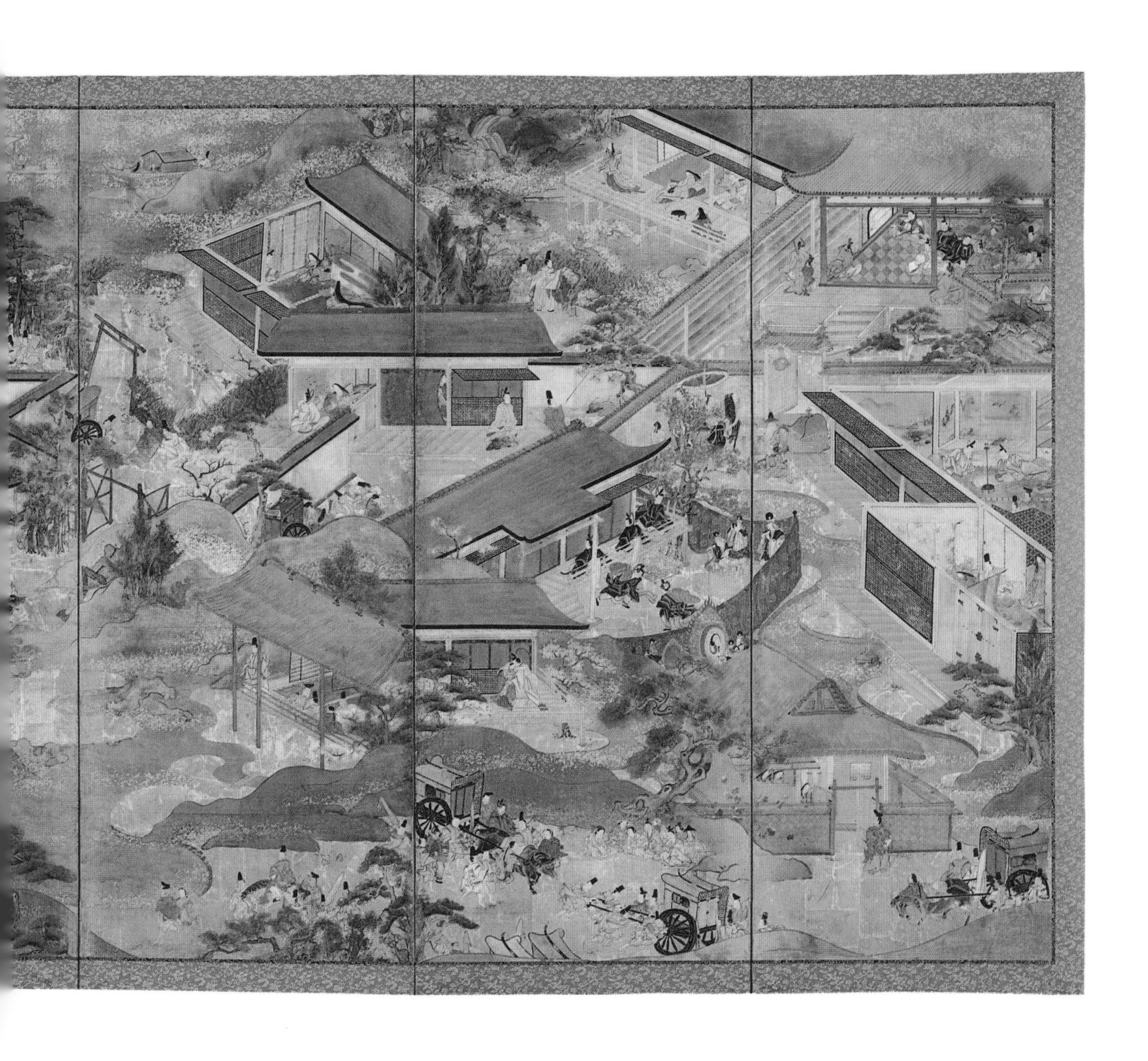

紫式部
『源氏物語』
17世紀、日本

（「白い」を意味するラテン語の「アルバス」が由来の）「アルバム」と呼ばれる白い紙にレイアウトされた、大英博物館所蔵のこの絵入りバージョンには、各章にひとつずつ歌がついている。

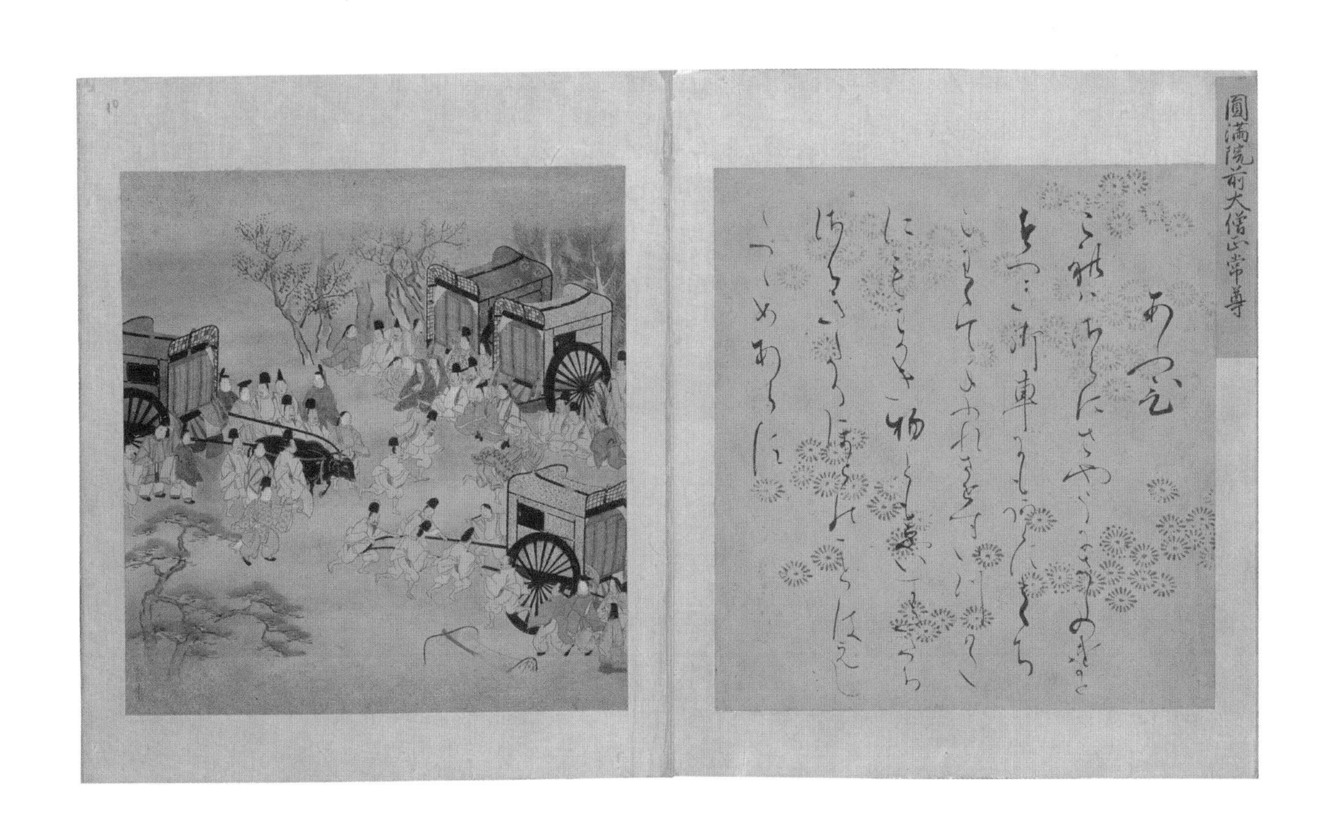
圓滿院前大僧正常尊

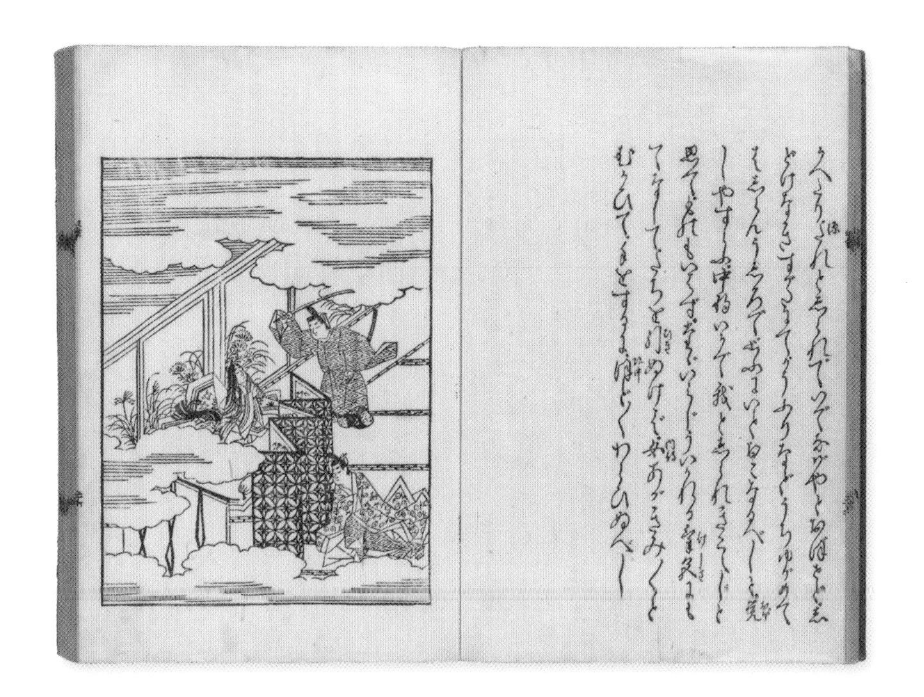

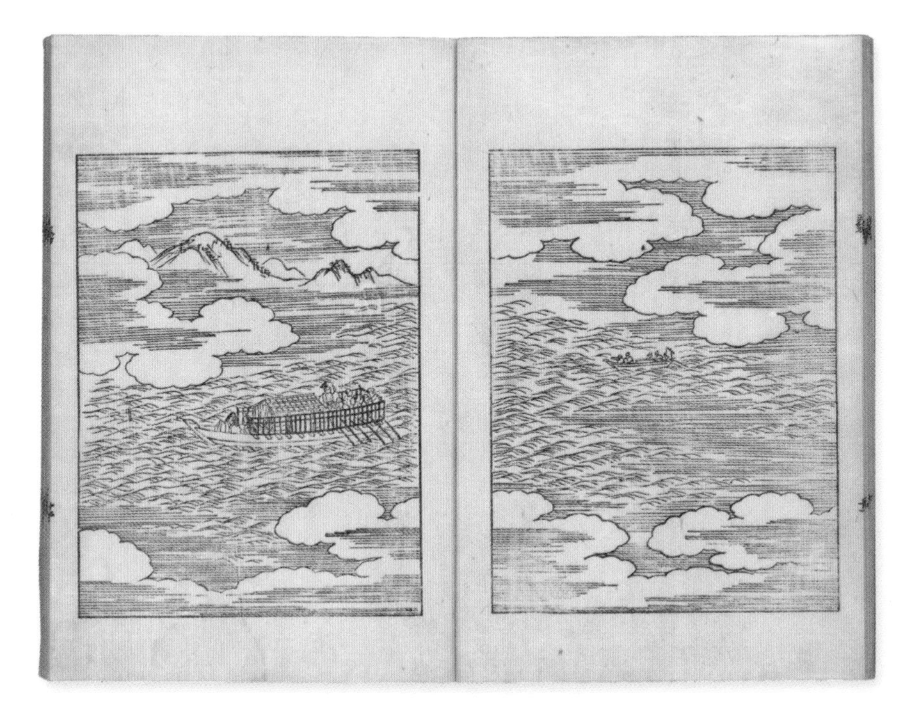

紫式部

『源氏物語』

17世紀、日本

17世紀、蒔絵師の山本春正による『源氏物語』。これ以前は写本の形で主に上流階級に広まっていたが、江戸時代初期にダイジェスト版や便覧が最初は活版で、次に値段がより手頃な木版で印刷されるようになると、ようやく幅広い層が入手しやすくなった。美しい雲が各場面を囲む、この春正作の『源氏物語』は、木版画を含め、大量生産された最古の版のひとつだ。

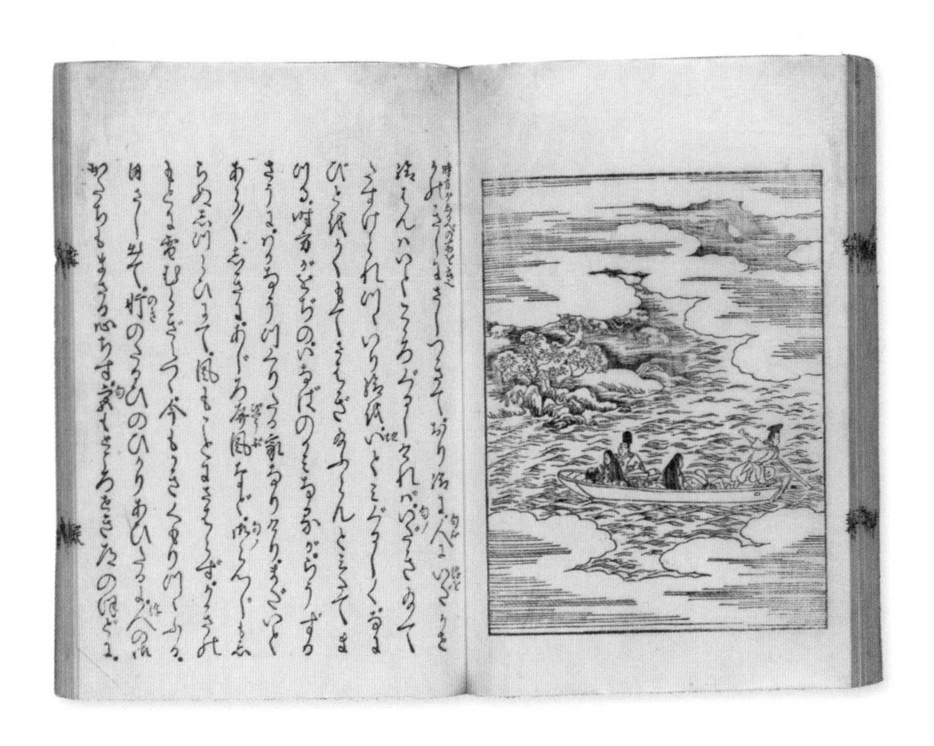

法然禅師
1310〜20年頃、日本

浄土宗の開祖、法然の自伝に挿入された法然熟考の図。メトロポリタン美術館所蔵。

道元禅師（1200〜1253年）は『正法眼蔵』（1253年頃完成）のなかで、徳や言語から修道生活に至るさまざまなテーマを取り上げ、浄土仏教と類似点が見られる曹洞宗の禅的見解を示した。初期の著作である『普勧座禅儀』と同じく、『正法眼蔵』の教えも一貫して実践的だ。その根幹にあるのが座禅であり、道元はそれが禅哲学を正しく理解するための鍵だと考えた。彼は、座禅には何を着て、座布団にどう座るかを説いた後、こう綴っている。

山のように微動だにせず座し、考えが及ばないことを考えよ。考えが及ばないことをいかにして考えるのか？　通常の考えとは別のやり方で考えるのだ。

道元はアル＝ガザーリーと違って、すぐに神の啓示を求めたりはしない。けれども、「座禅は修行であって、知的学習の一環ではない」という辛辣とも言える言葉が示すように、彼の著作には反知性主義的な姿勢が見られた。

8　神の概念

この時代のキリスト教思想家たちは、理性と啓示の問題に関してどのような立場を取っていたのだろうか？　キリスト教諸国の社会経済はすでに下降局面に入り、この頃にはビザンツ帝国も斜陽の時代を迎えた。11世紀には政情が比較的安定していたコンスタンティノープルも、12世紀にはルーム・セルジューク朝と交戦し惨敗する。ヨーロッパのキリスト教徒はレバント地方の支配を求めて複数回にわたり軍事活動（「十字軍運動」）を繰り広げたが、効果はなかった。そして15世紀、ビザンツ帝国はついにルーム・セルジューク朝の後継国であるオスマン帝国に滅ぼされる。

一方、西方教会（ローマ・カトリック教会）は健闘した。1054年に東方教会（ギリシャ正教会）と分裂すると、11世紀には十字軍運動によって領土を増やし、ローマ教皇の権威も一層高まった。すると、今度はこの十字軍運動の影響で東西交流が活発になり、移民の数が増加した。この時期、ノルマン人と呼ばれるフランスに住み着いたヴァイキングの子孫がローマ教皇と手を組み、イングランド征服に乗り出す。そして1066年のヘイスティングズの戦いでイングランド王国を手中に収め、この新たな領土に文化的・経済的投資を開始した。

新国家に移住した学者のひとりに、アンセルムス（1033〜1109年）というベネディクト会修道士がいる。彼はキリスト教の聖地、カンタベリーに移ってすぐに大司教となり、その地で『プロスロギオン』（1077年頃）を著した。『Discourse on the Existence of God（神の存在に関する論文）』とも呼ばれるこの文献は、イスラム教徒、ユダヤ教徒、仏教徒をも悩ませた議論にひとり挑むキリスト教学者の奮闘の軌跡だ。アンセルムスは、イブン＝スィーナーと同じく（126ページ参照）、理性は霊的真理についての重要な知識をもたらすと説き、独自の神の「存在論的証明」（「ontorogy：本体論・存在論」のonはギリシャ語で「存在」の意味）を提示した。

この証明は、「存在物は非存在物より根本的に優れている」とする形而上学的な主張に基づく。アイスクリームを例に取ろう。暑い日に食べるアイスクリームの存在は、頭のなかで思い描くだけのアイスクリームよりはるかに優れている。アンセルムスにとって、神は本質的に「人間が考え得る最高の存在」だ。これ以上の存在はない――実際に、それ以上優れたものを考えるのは不可能だ。アンセルムスに言わせると、現実世界に存在するものは頭のなかに存在するものより優れているのだから、「考え得る最高の」存在は現実世界に存在するに決まっていることになる。このように、『プロスロギオン』に記した神の存在証明にはちゃんとした論拠があることをアンセルムスは強く主張した。

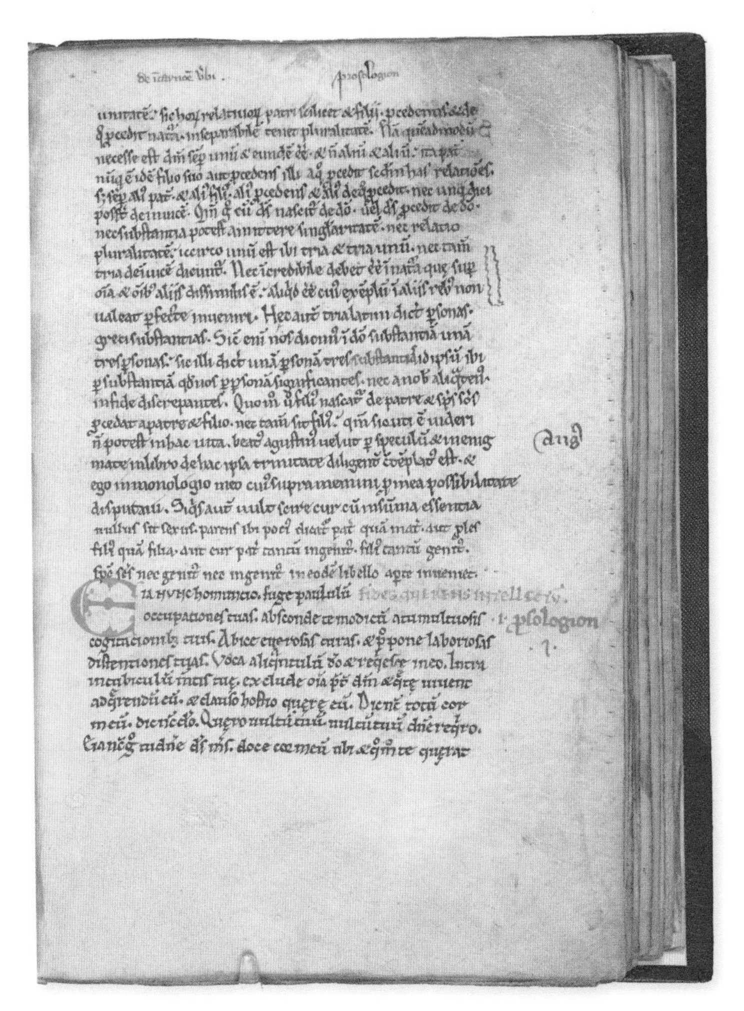

アンセルムス
『プロスロギオン』
12世紀、ノルマンディ

このアンセルムスの神学論文は、大英博物館のハーレー蔵書（この名称は18世紀の貴族だった蔵書家の名前にちなんでつけられた）に含まれている。装飾された筆耕者の頭文字が入ったこの文献の英語の綴りや書き方に、ノルマン征服によるフランス語の強い影響が見受けられる。

カンタベリーのアンセルムス
1584、フランス

無精髭を生やした11世紀の神学者、アンセルムスの肖像画。小さな本を手にしているが、読んでいるようには見えない。フランシスコ会司祭で芸術家でもあったアンドレ・テヴェの版画。

9　黙り牛

ナポリ近郊の町、ロッカセッカ出身のある修道士の著作にも、同様のアプローチが見て取れる。アクィーノ伯家の4人兄弟の末っ子として生まれたアクィーノのトマス、すなわちトマス・「アクィナス」（1224～1274年）は、信仰の道を歩む運命にあった。ナポリ大学で神学という新分野の教育を受け、文法学、論理学、修辞学、算術、地理学、音楽、哲学も学んだアクィナスは、口数が少なくて級友から「黙り牛」と呼ばれたが、教師からは「いつかこの牛は、世界中に聞こえるほどの大きな声で鳴くだろう」と評価されたという。

アクィナスは、イブン・スィーナーとマイモニデスのアリストテレス主義的な思想に立脚し、キリスト教信仰を理性的に論証しようと試みたアンセルムスの理論を継承した。膨大な数に及ぶ彼の著作は「問答」形式を取り、「討論」という理想的な対話を通じて普遍的な神学体系の実現を目指した。つまり、カトリックの教義書（カテキズム）のように異論と対論を提示し、反照的均衡を取りながら矛盾する概念の統合に努めたのだ。

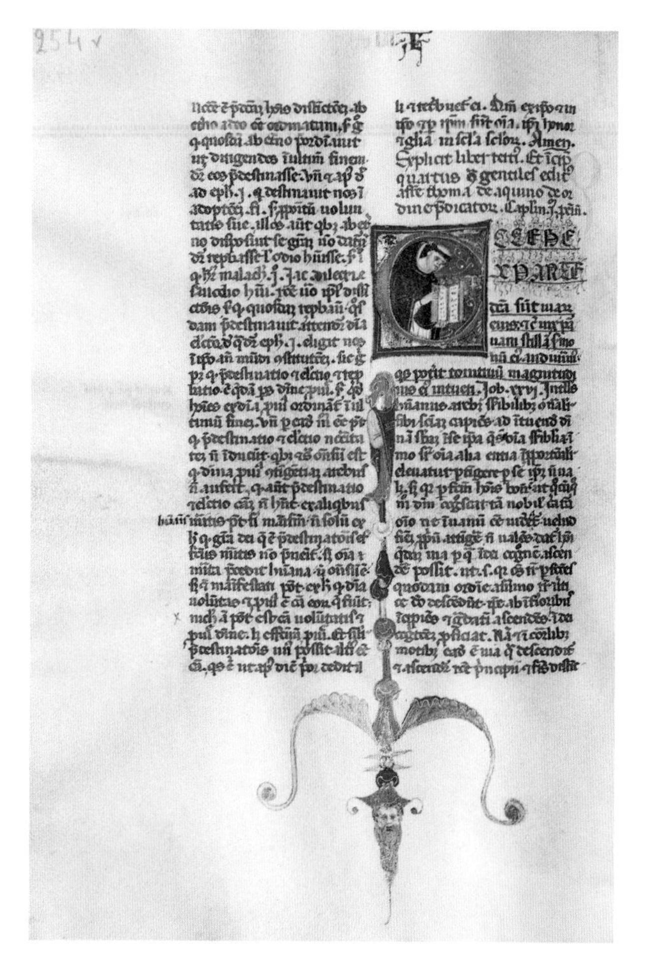

アクィナス
『対異教徒大全』
13世紀、イタリア

チェゼーナのマラテスティアーナ図書館で発見された、挿絵入りの『対異教徒大全』。拡大された頭文字の「C」に、本を読者に見せている人物の姿が描き込まれている。これはおそらくアクィナスだろう。自分の作品を手にした著者の姿を登場させるのは、当時の思想書に共通する特徴だった（著者の写真を掲載する現代の手法に似ている）。

未完の『神学大全』（1265年頃）と『対異教徒大全』（1259年頃）では、アンセルムスの「神の存在証明」を参考にし、神の存在は理性においても論証可能だと主張した。具体的に言えば、啓示と理性の二重真理を主張したイブン・ルシュドにもヒントを得て、倫理体系や因果説など、さまざまな自然法と神の法の広範囲な体系化が可能な方法で、アリストテレス哲学とキリスト教教義の両立を目指したのだ。このように哲学と神学の両立の可能性を示したことが、思想界における彼の最大の功績だ。どんな議論においても神を最初にして最も重要な前提に据える「神学者」とは異なり、「哲学者」は創造された世界から論考を始め、人間固有の理性と五感を組み合わせた主張を唱える。神学者は、神が発する光なしでは真理に到達できないと説くが、哲学者は理性の光が神から発出されることは認めても、人間には生まれつき、その光に気づく能力があると考える。アクィナスは、人間の理性には限界があり、神の神性や霊的な問題は理性だけでは解き明かせないと認めつつ、それでもたとえば神の存在などの「信仰の前提」は理性によって作り出せる、と唱えた。

もしかすると、中世のキリスト教思想家のなかで、アクィナスほど教会の宗教的・社会的地位を押し上げた人物は他にいないかもしれない。キリスト教神学とアリストテレス哲学を両立させ、同時に神学を哲学の上位に据えた

〈左〉
ビンゲンのヒルデガルト
1642年、イングランド

版画家、ウィリアム・マーシャルが描いたこのヒルデガルトは、謎めいた笑みを浮かべて本を読んでいる。キャプションには、「ヒルデガルト：女預言者、聖ルペルト女子修道院長。西暦1180年、82歳で死去」とある。

〈中央〉
ノリッジのジュリアン
W・M・レッツ
『The Mighty Army
（強力な軍隊）』
1912年、ウェルズ・ガードナー、ダルトン&Co.：
イギリス、ロンドン

スティーヴン・リードの繊細な水彩画に描かれたノリッジのジュリアン。黙想に耽るその姿は窓の外の喧騒と対照的だ。

〈右〉
ランスベルグのヘラード
1180年頃、フランス、アルザス地方

『Hortus deliciarum（逸楽の園）』に多用された独創的な構図のひとつ。写真は、枠で囲んだ自分の文章を手にして立つヘラードの自画像。

彼の思想によって、教会の権力がこれまでになく肥大化し、ひいては教会組織の腐敗を招いた。この啓示と理性の両立によって、彼は効果的な――しかし有害な――支配システムの実証・導入に成功したのだ。たとえば、『神学大全』には、自然発生的なヒエラルキーに関するアリストテレスの見解が取り入れられている。アクィナスは、社会的役割は（神の法がもたらす）自然法の必然的な結果だと考え、女性や「生まれながらの奴隷」と呼ばれる人たちは「主人」の完全な所有物であり、誰かに所有されることは彼らにとっても利益になる、と説いた。また、社会秩序はもはや神の采配の域にとどまらないが、紛れもなく理に適うものだと見なした。

現代の読者には、こうした見解は哲学の範疇外に見えるかもしれない。だが、当時は労働法の変化が社会に大きな影響を及ぼし始めていた。それまでヨーロッパ諸国では一般的だった隷属化が、「農奴制」という半強制的な農業従事システムに姿を変えつつあったのだ。その結果、公的機関はさまざまな方法で自由民の労働力を調達せざるを得なくなった。とすると、ある種の人々――たいてい女性か非白人――は形而上学的にも生物学的にも劣る、という考えは、国に経済的利点をもたらしていたことになる。第6章で検証するが、その後、何世紀にもわたり、こうした考えがヨーロッパ諸国の帝国主義的な膨張政策を促進させたのだ。

10　神秘主義者

不当な社会的ヒエラルキーを「理性論」で擁護したがゆえに生じた不協和音が、女性思想家たちを、理性の枠を超えた教えに駆り立てたのかもしれない。彼女たちが残した文献の多くに、神秘主義的な要素がはっきりと表れている。たとえばインド・カシミールのラレシュワリ（1320～1392年）、別名「ラルデド」は、物質主義的な生活を棄て、旅をしながら詩作したり、ヒンドゥー教の神秘主義的な宗派、シヴァ派の教えを説いて回ったりした。彼女の『Vahks（言った言葉）』には自己否定の言葉が規則的に綴られている。

一体化が何を意味するか、おわかりだろうか？
それは、私が「無」になることだ。

こうした神秘主義的な作品のなかでひときわ美しいのが、ビンゲンのヒルデガルト（1098〜1179年）の『道を知れ』（1151年）だ——原題の『スキヴィアス（Scivias）』は「神の手段を知れ」という意味のラテン語、sci vias Dominiから取られている。ヒルデガルト自身の話によれば、彼女は「天の声」にこの書の執筆を命じられたという。そこには彼女のさまざまな幻視体験が綴られているが、なかでも世界創造という対立的なテーマに焦点が当てられている。

原本は彩色画を含め、235枚の羊皮紙で構成されていた。ルッパーツベルク写本と呼ばれる有名な版は、ヒルデガルト自身の監督下で編集され、複製が大量に出回ったが、原本は第二次世界大戦中にドレスデンで失われた。ヒルデガルトがこの書を世に出すのは決して簡単ではなかったにちがいない。なぜなら、宗教的権威に服従の身である修道女のヒルデガルトには、これが啓示によって生まれたものだとローマ教皇に認めてもらう必要があったからだ。

なかには、バチカンの許可が得られなかった書物もある。そのひとつが、フランスの神秘主義者で「ベギン会」修道女、マルグリット・ポレートが書いた『単純な魂の鏡』だ。この作品の注目すべき点は、神への信仰のあり様を人間の恋愛に絡めて論じたことだ。

この本の愛は、曖昧な言葉の下に隠れた神の御業を魂に伝える。そうすれば魂は神の愛をぞんぶんに味わえるだろう……。

『単純な魂の鏡』には、愛が救済への道を提示すると綴られている。すべての意志を捨てた「滅却された魂」こそが神の愛を獲得する——ポレートに言わせれば、神の巧妙な計画と栄光を十分に理解できない理性もまた、捨てるべきものであった。ポレートは自分のメッセージをできるだけ世に広めようとしたが、教会の奨励するラテン語ではなく古フランス語を用い、しかも性愛の観点から信仰を語ったために、彼女は「自由心霊派と呼ばれる異端」として審問にかけられ、『単純な魂の鏡』は怒り心頭のカンブレー大司教の命令で回収された。

イングランドでも、ノリッジのジュリアン（1342〜1416年）が現地の言葉で「ショウイング」と呼ぶ自らの幻視体験を『神の愛の啓示』（1373年頃）に綴った。これは、英語で書かれた現存する最古の文献のひとつだ。彼女の生前には出版されず、宗教改革以降にようやく流布されたことから、ジュリアンはポレートとはまた違う運命をたどったと言えるだろう。ジュリアンはポレートやヒルデガルトと同様に、愛の言葉を用いてさまざまな神学的問題について語った。こうした動きは、概念的に隔絶された世界から飛び出し、男性の権限と見なされる問題を論じようとした女性たちの間で頻繁に見られた。特筆すべきは、ジュリアンが神の愛を恋愛に絡めただけでなく、キリストを母親の役割に位置付けて父親と母親の愛という観点からも語った点だ。

神は私たちの父であるだけでなく、母でもある。

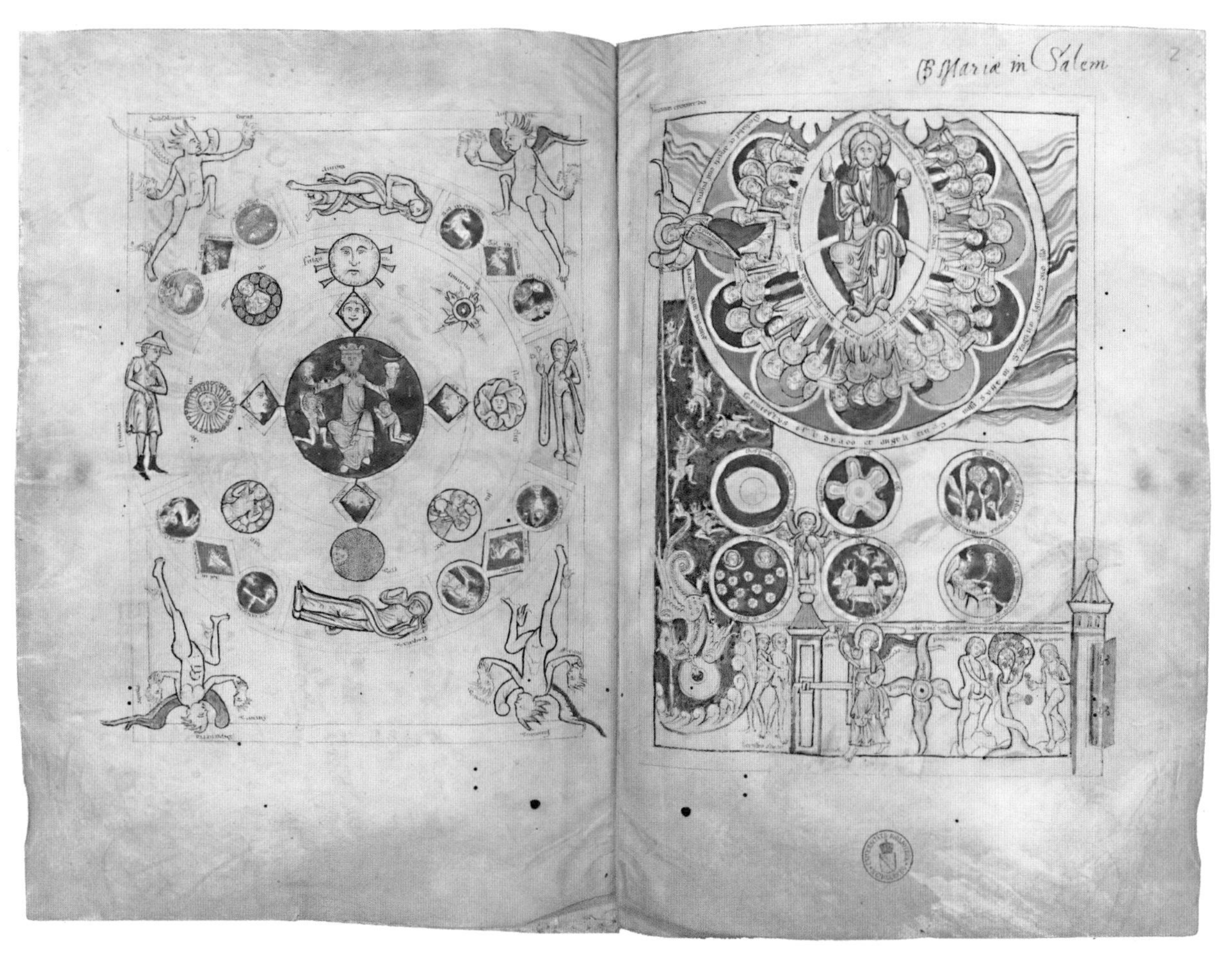

ビンゲンのヒルデガルト
『道を知れ』
1220年頃、ドイツ、ハイデルベルク

ルプレヒト・カール大学図書館の蔵書のなかから発見された13世紀の複製本。一年の節目を擬人化した円環像、「アンヌス」の彩色画が挿入されている。右ページのキリストは円を描いた聖人たちに囲まれている。

修道女の著作がすべて、神秘主義的な本質を擁していたわけではない。12世紀のアルザス地方の修道女、ランスベルグのヘラードが書いた『Hortus deliciarum（逸楽の園）』は、当時の科学的・理論的知識を極めて包括的に概観し、しかも実に華やかで視覚的効果の高いものだった。324枚の羊皮紙にラテン語で書かれ、当時の科学的知識を網羅し、注釈や（記憶補助として）しばしば曲までついた詩がところどころに添えられていた。彼女が同じ修道会の女性たちに向けて書いた——『道を知れ』『永楽大典』『アルジャング』のように——奇抜で人目を引くこの作品に収められた図版は、単なる挿絵の域を超えていた。視覚的な隠喩・寓喩を通して複雑な思想をわかりやすく伝える役目を果たし、結果的に情報の照合と視覚化の技術の進化につながったからだ。それから時代が下っても、クリスティーヌ・ド・ピザンの『Le Livre de la cité des dames（女性の街の書）』（1405年）やアビラの聖テレサの『霊魂の城』（1588年）など、質の高い図版を多用した神秘主義的な思想書が頻繁に登場する。

ビンゲンのヒルデガルト
『道を知れ』
1927～1933年、ベネディクト会
聖ヒルデガルト修道院：
ドイツ、アイビンゲン

この美しい図版は12世紀版の『道を知れ』を20世紀に複写したもの。「天使の聖歌隊」で知られるベネディクト会アイビンゲン修道院所蔵。太陽に似た円環の中心部を色鮮やかなたくさんの熾天使や顔が囲んでいる。

〈右ページ〉

アイビンゲン修道院所蔵の「救世主」と呼ばれる図版。中央の複数の円形のなかには天使と鳥と獣が描かれている。『道を知れ』は3部構成になっており、第1部は創造の秩序について、第2部は贖いの秩序と救世主、キリストの登場について、第3部は再び救済史について綴られている。

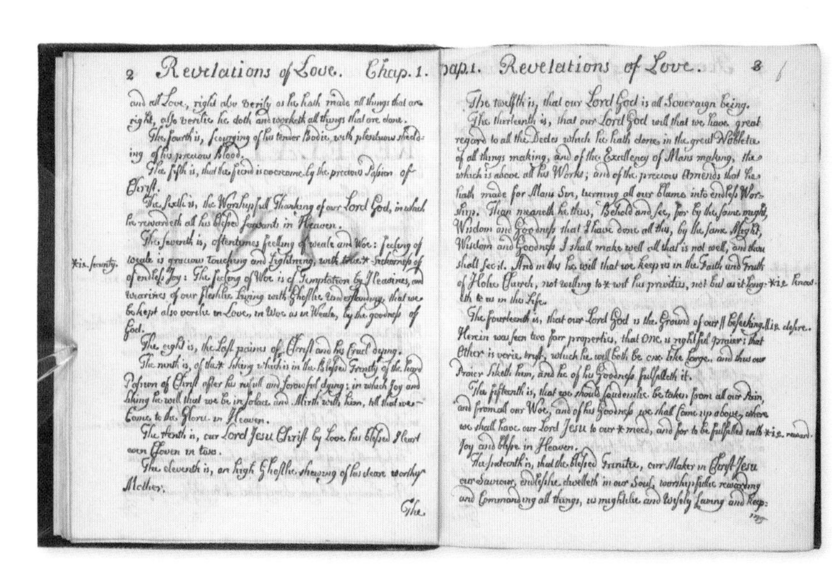

2 Revelations of Love. Chap. 1.

and all Love, right also verily as he hath made all things that are right, also verilie he doth and worketh all things that are done.
The fourth is, scourging of his tender Bodie, with plenteous shedding of his precious blood.
The fifth is, that the Fiend is overcome, by the precious Passion of Christ.
The sixth is, the Worshipfull Thanking of our Lord God, in which he rewardeth all his blessed servants in Heaven.
The seventh is, oftentimes feeling of weale and woe: feeling of weale is gracious touching and lightning, with true *sickerness of endless Joy: The feeling of Woe is of Temptation by Heaviness, and weariness of our fleshlie living with ghostlie understanding, that we be kept also verilie in Love, in Woe as in Weale, by the goodness of God.
*ix. surety.
The eight is, the last pains of Christ and his cruel dying.
The ninth is, of that liking which is in the Blessed Trinity of the hard Passion of Christ after his rueful and sorrowful dying: in which Joy and liking he will that we be in solace and Mirth with him, till that we come to the Glorie in Heaven.
The tenth is, our Lord Jesu Christ by Love his blessed Heart even cloven in two.
The eleventh is, an high ghostlie shewing of his dear worthy Mother.
The

Chap.1. Revelations of Love. 3

The twelfth is, that our Lord God is all Sovereign being.
The thirteenth is, that our Lord God will that we have great regard to all the Deeds which he hath done, in the great Nobletie of all things making, and of the Excellency of Mans making, the which is above all his Works; and of the precious Amends that he hath made for Mans Sin, turning all our blame into endless Worship. Then meaneth he thus, Behold and see, for by the same might, Wisdom and goodness that I have done all this, by the same Might, Wisdom and goodness I shall make well all that is not well, and thou shalt see it. And in this he will that we keep us in the Faith and Truth of Holie Church, not willing to *wit his privities, but as it longeth to us in this Life. *i.e. know.
The fourteenth is, that our Lord God is the Ground of our || beseeking. ||i.e. desire. Herein was seen two fair properties, that One is rightful prayer: that Other is verie trust, which he will both be one like large. and thus our Prayer liketh him, and he of his goodness fulfilleth it.
The fifteenth is, that we should sodenlie be taken from all our Pain, and from all our Woe, and of his goodness we shall come up above, where we shall have our Lord Jesu to our *meed, and for to be fulfilled with Joy and bliss in Heaven. *i.e. reward.
The sixteenth is, that the blessed Trinitie, our Maker in Christ Jesu our Saviour, endlesslie dwelleth in our Soul, worshipfullie rewarding and Commanding all things, in mightilie and wisely saving and keep-
ing

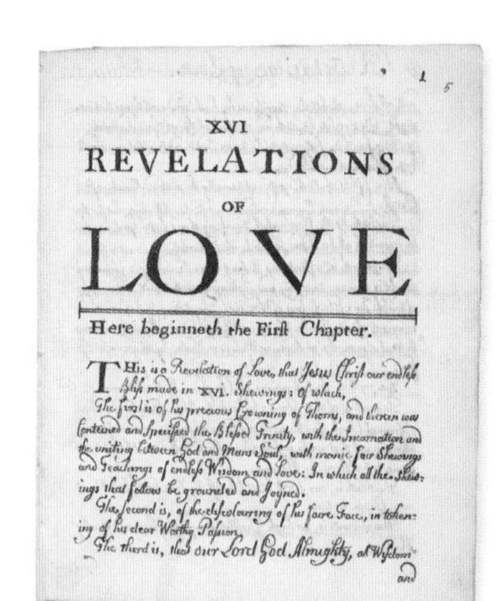

1

XVI
REVELATIONS
OF
LOVE

Here beginneth the First Chapter.

THIS is a Revelation of Love, that Jesu Christ our endless bliss made in XVI. Shewings: of which,
The first is of his precious Crowning of Thorns, and therein was contained and specified the Blessed Trinity, with the Incarnation and the uniting between God and Mans Soul, with manie fair Shewings and Teachings of endless Wisdom and Love: In which all the Shewings that follow be grounded and joyned.
The second is, of the discolouring of his fair Face, in tokening of his dear Worthy Passion.
The third is, that our Lord God Almighty, all Wisdom and

ノリッジのジュリアン
『神の愛の啓示』
1675年頃、R・E・S・クレッシー：
フランス、カンブレーもしくはパリ

大病を患い死の床にあったジュリアンの宗教的体験を綴った『神の愛の啓示』は、ジュリアンが回復直後に書いた「ショート・テクスト」と、その数十年後に書いた「ロング・テクスト」の2部構成になっている。写真の文献は大英博物館所蔵。
（右上）優美な手書き文字で書かれた「ロング・テクスト」第1章のタイトルページ。少なくとも編集者がひとりはいたことがわかる。現存する最古の版は、おそらく17世紀にベネディクト会修道女のアンヌ・クレマンティーヌ・カリーが書き写したものだ。

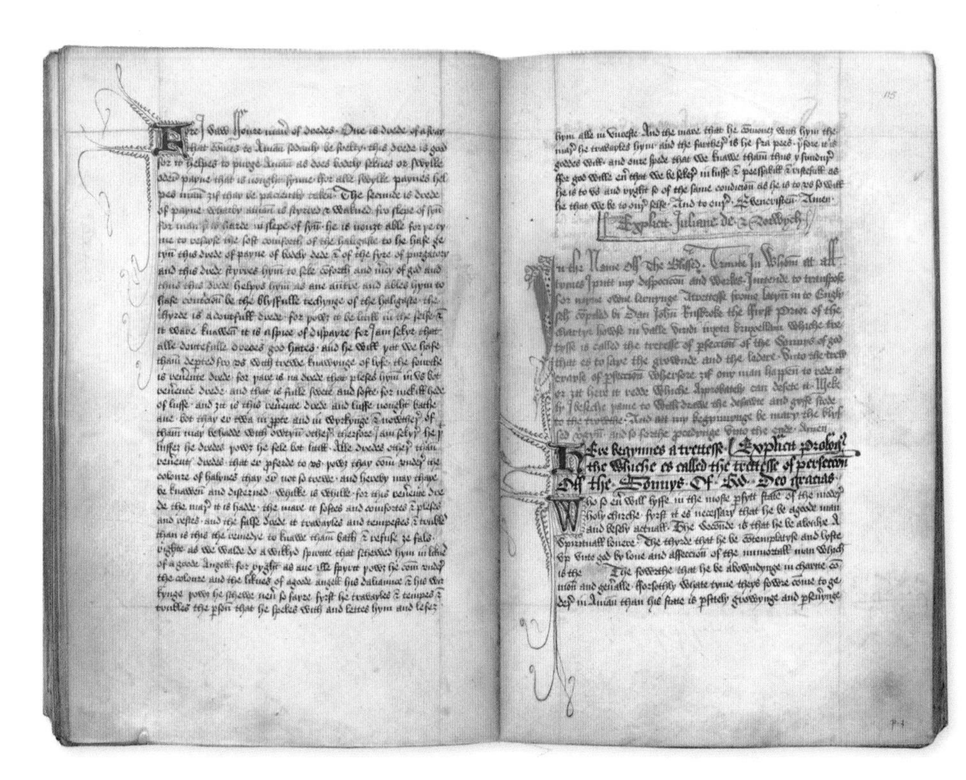

アマースト写本
1413～1435年頃、イングランド

アマースト卿が大英図書館に寄贈したアマースト写本には、カルメル修道会の写字生が書き写したノリッジのジュリアンの『神の愛の啓示』が含まれている。

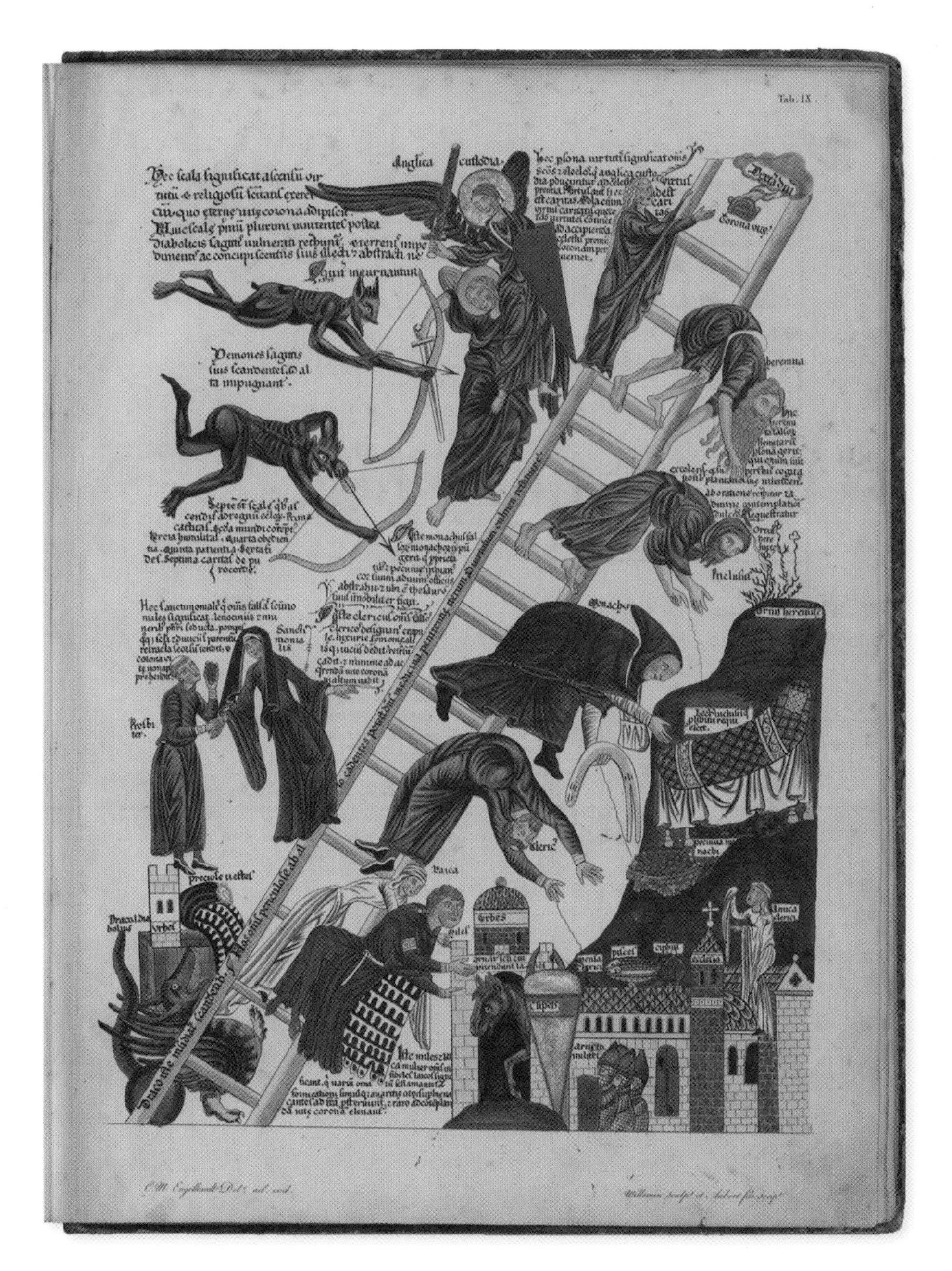

ランスベルグのヘラード

『逸楽の園』

1818年、J・G・コッタ：
ドイツ、シュトゥットガルトと
テュービンゲン

いわゆる「完徳の階梯」が描かれた12世紀の文献を、19世紀にクリスチャン・モーリス・エンゲルハルトが複写したもの。「完徳の階梯」は「運命の輪」と同様、中世美術において広く視覚化された。この階梯を上っていくと、永遠の命を象徴する「生命の冠」に近づくが、にやつく悪魔たちが弓矢を手にその邪魔をする。

クリスティーヌ・ド・ピザン
『The Book of the Queen
（女王の書）』
1410〜1414年頃、フランス、パリ

フランス語で書かれ、緻密なイラストが施されたこの華やかなページには、「恋人と淑女の100の詩」が記され、書斎で物書きをしている著者の姿も描かれている。著者自身の監督下で編集されたと思われるこの手書き原稿は、フランス王妃のイザボー・ド・バヴィエールに献上された。

11　異なる視点

1000年から1450年の間に生まれた書物の多くは、理性を重視すべきか啓示を重視すべきかという思想家たちの逡巡によって形作られた。一部の哲学者は、明確な違いがあるこれらの知識体系が互いに補い合っている可能性の論証に努めた。この種の「融合した」認識論は、インド哲学、なかでもジャイナ教の特色だった。

新たな千年紀が始まる頃の南インドは、（スリランカやモルディブにも勢力を伸ばした）チョーラ朝とチャールキヤ朝の支配下にあって政権が安定し、亜大陸との交易も活発化していた。13世紀には北インドをデリー・スルタン朝が、南インドをヴィジャヤナガル王国が支配した。デリー・スルタン朝を打ち立てたのは、トルコ系イスラム教徒の遊牧民族だった。彼らは（奴隷たちの労働力に支えられて）新たな領土を既存の国際ネットワークに組み込み、ヴェーダ文化の要素とイスラム文化の要素を融合させた。寛容政策と宗教迫害が交互に繰り返される状況下で、グル・ナーナク（1469～1539年）がシーク教を開き、彼の門弟と後継者たちがその教えを広めた。

だが、シンクレティズム――一見、相反する思想・信念体系の融合――が顕著だったのはジャイナ教だ。ヘーマチャンドラ（1088～1173年）の『ヨーガシャーストラ』とヴァーディ・ディーヴァスーリ（11世紀頃）の『プラマーナ・ナヤ・タットヴァローカランカーラ（別名「プラマーナとナヤの本質の光の装飾」）』から、アネーカーンタヴァーダと呼ばれるジャイナ教独特の多面主義的な教説（「立場主義的な教説」と言われる場合もある）がいかに発展していたかがわかる。このマハーヴィーラの重要な教えを足場にしているジャイナ哲学者が目指したのは、遠近法の性質を活かして異なる「真理の体制」の仲介役になることだった。ディーヴァスーリの『プラマーナ・ナヤ・タットヴァローカランカーラ』を始めとするジャイナ教の思想書は、ひとつだけの学派の教えを支持するのではなく、あらゆる可能な見解と立場を受け入れることを読者に奨励した。それが「偏った見解」を防ぎ、異なる伝統が果たした役割への理解につながるからだ。

世界の永遠性に関する問題は西洋の哲学者たちの争いの種だったが、ジャイナ教の認識論は、矛盾さえも受容できるほどの洗練さを備えていた。「世界は永遠か?」この問いに対するジャイナ教徒の答えは、「ノー」であり、「イエス」でもあった。肯定の答えも否定の答えも、サンスクリット語で「ある点から見れば」「場合によっては」を意味するsyatの使い方に示されるように、世界に関する真理のほんの一面しか表していない。質問者の「立場」次第で命題の真偽が変わるからだ。ある意味、世界は永遠ではない。なぜなら世界は常に変化し、それゆえに不変のものなど存在し得ないからだ。だが、その考えには何かひっかかるものがある――世界は空想上のものではないし、ある意味では永遠に存在しているとも言える。

ここで重要なのは、syatの使い方が暗示しているように、実在に関する主張はそれぞれ特定の方法や形にこだわって断言されている、とジャイナ教徒が考えていた点だ。イブン・スィーナー、ディーヴァスーリ、ヘーマチャンドラは、命題がどうして真なのかを示す「除法助動詞」に目を向け、それが立場的な見方なのか、必然的な答えなのかを見極めようとした。可能性の可能性が明らかになりつつあった当時のジャイナ哲学では、存在と真理のさまざまな考え方の違いが、結局、重要性を増すこととなった……。

『ヨーガシャーストラ』
12世紀、インド

ジャイナ僧、ヘーマチャンドラの著作。最後の8章分しか現存していない。ジャイナ教のシュヴェーターンバラ派によると、平信徒と苦行者の行動規範がサンスクリット語で記されているという。ケンブリッジ大学図書館所蔵。

त्र मन स्मृतः। अतस्तु त्वक्रियावेतौ। संधीतौ क्षीरनीरवत् ॥२९ एकस्पन्दात्रो इन्यस्य स्पान्दा [illegible] तौ चव र्त्तिनौ। [illegible]
त ॥४ प्रत्याहारः स्मृतधारणा तत्र स्मृता ध्यानं स्मृतम्। एनि र्देदिश्च उर्त्तिः सु। मन्त्र सक्षी त्रीं ते परैः ॥५ यको भूाद तिय त्रेन। ना।
कृत्य से भन स्मतु ॐ रकः ॥७ स्थानात्स्थानांतरे कर्षः प्रत्याहारः प्रकीर्त्यते। तालुनाभ्मा नन द्वारे निरोधः [illegible]
वपरिक्रयः। पुष्टिः पूरक [illegible] व्याधिघातश्च जायते ॥१० विकस [illegible] त्या स्पृहत्य कुंभं थं चिरं तत्रैव निरोधते। बलस्थं यवि
प्राणम पानं समान मुदानं व्यानमेव च। प्राणाद्या मैत्र्ये स्थाना। व स्पंक्रिया च बीज वि तु ॥१२ प्राणेनात्राग्र कुल्ला
गमंध योगः स्याद् रणं कुंसनात्तुनः ॥१४ समानः कुल्लरूप स्मृत्वा पृष्ठ पृष्ठं। त्र पार्ष्णिगः। जयः स्व स्थानयोगेन।
॥१७ रक्तोहृत् कंठतालुभूमध्य मूर्द्धनि संस्थितः। उदानो व त्रुपतां नयेा भ स्यागति निस्रो गतः ॥१८ नात्राकर्ष
कर्मन्त्रितः। जेतव्यः ॐ नका स्या सात्रं को च प्र मृति क्रमात् ॥२० प्राणापानसमानोदानव्यानेष्वेव वायुषु। यं
प्राणस्य विजयेत वेतु ॥२२ रोहणं कृतत्त्वं गादौ रुद्र राग्नेः प्रदीपनं। वर्वोत्य त्वं व्याधिघातः समानापान
वत्रय त्र त्व वे स्थाने जंतो योगः प्रपीडकः। त त्रौ तै ध्वरये त्रत्र। प्राणादि मरुतः मदा ॥२५ एवं प्राणादि वि
दंगुष्ठ पर्यंतं वाम मार्गेण पूरयेत् ॥२७ पादांगुष्ठे मनः पूर्वं रुद्ध्वा पादतले ततः। पार्ष्णौ गुल्फे च जंघायां जानुन्यूरौ गुदे
[illegible] स्थानात्स्थानांतरं नी त्वा यावद् ब्रह्मपुरं नयेत् ॥३० ततः क्रमेण तेनैव पादांगुष्ठं तमानयेत्। नाभिपद्मं
व ॥३३ नाभौ ज्वरादि घाताय जठरे कायशुद्धये। ज्ञानाय हृदये कूर्मनाड्यां रोग जराच्छिदे ॥३३ कंठे कर्णनाय
[illegible] व सिद्धानां साक्षाद् दर्शन हेतवे ॥३५ त्रस स्पक्षरणामेवं सिद्धिनां कारणं परं। चेष्टितं पवमानस्य ज्ञान
गमन स्थानं ज्ञानादस्या सयोगतः। ज्ञानी याकालमायुष्यं शुभाशुभफलोदयं ॥३८ ततः ज्ञानैः समाकृष्य
विनिवर्त्तंते ज्ञानमत्तार्विहुंस्तते ॥४० क्रमंडले गतिर्वायोः संक्रमः क्व विश्रमः। का च नाडीति ज्ञानीयात्तत्र
पृथिवी बीजसंपूर्णं वज्रलांछनसंयुतं। चतुरस्रं द्रुतस्वर्णप्रभं स्याद्भौममंडलं ॥४३ स्यादर्द्धचंद्र संस्थानं
वपवनाक्रांतं वलं वायुमंडलं ॥४५ ऊर्द्ध्व ज्वालांचितं त्रिकोणं स्वस्तिकान्वितं। स्फुलिंग पिंगं तद्बीजं
कारं धूमाध्वर्यपीत वर्णः त्रानैर्वरुनु। कवोष्णः [illegible] गुलः स्वच्छो जवेद्वायुः पुरंदरः ॥४८ वलः ज्ञी तलाभ स्त्रा।
लश्चवायुः पवनसंज्ञितः ॥५० बालादित्यसमज्योतिरत्युष्णश्च तुरंगुलः। आवर्त्तान् वरु [illegible] पवनो दहनः स्मृतः ॥
आदि संपदं। मनोषितं फलं वायुः समाचष्टे पुरंदरः ॥५३ रामाराज्यादि संयुक्तैः पुत्रस्वजन बंधुभिः। सारेण वस्तुना च
वेदकर्द्धुः सर्वविघ्नपदपरं परं। संसृजये द्दिना [illegible] दहनो दहनात्मकः ॥५६ त्राप्राण रविमार्गेण वायवो मंडले
नाद्र फलमयन यो स्मृतः ॥५८ पथं दोरिंद्र बरुणौ विशांतौ सर्व सिद्धिदौ। रविमार्गेण निर्यांतौ प्रविशंतौ च मध्य
व सुषुम्ना चेति नाडिका। त्रासां स्थिति व स्थानं वामदक्षिणमध्यगाः ॥६१ पीयूषमिव वर्षंतो सर्वगात्रेषु स
सिद्धि निर्वाणफलकारणं ॥६३ वामे वा स्फदयादीष्टं शास्तकार्येषु सम्मता। दक्षिणा त्वरतादुर स्युद्धादौ

× हु ×

境界の開放

OPEN BORDERS

1450〜1850年

1　喫緊の問題

現在、「ヨーロッパ」と呼ばれる地域は、千年の間、世界の舞台で端役を演じた後に注目を集め始める。「新」世界（実際には極めて時代遅れの世界）を植民地化し、先住民に自分たちの思想や信仰を押しつけるという、前身諸国と同じような残酷で有害な国策を追求したからだ。

皮肉にも、こうした搾取行為が始まったのと期を同じくして、平等主義運動が急激に高まった。インドでのジャイナ教や中国での仏教と同様、ヨーロッパ市民は新しい民主的空間を切り拓き、そこに住み始めたのだ。宗教改革による地政学の再編で、教会の権威に大きな疑問符がつけられる――「人間固有」の能力を重視する――理性説が大衆のさらなる関心を集め、聖職者と貴族階級から影響力を奪った。

こうした政治的変化は、哲学的探究や本の生産の発展と切り離すことができない。教会奨励の排他的なラテン語の本より、現地言語で書かれた本の方が増えつつあった。15世紀中頃には、ヨハネス・グーテンベルクが発明した活版印刷によって、ヨーロッパの印刷技術は劇的に向上する。このドイツ人金細工師は、中国や韓国に数百年前から伝わる古い技術を応用し、ヨーロッパにおける本の生産に大変革を起こした。中国では何世紀も前から（木版に文章を手彫りし、それに墨を塗って紙に押し当てる）木版印刷が一般的で、畢昇（970～1051年）の時代以降は（活

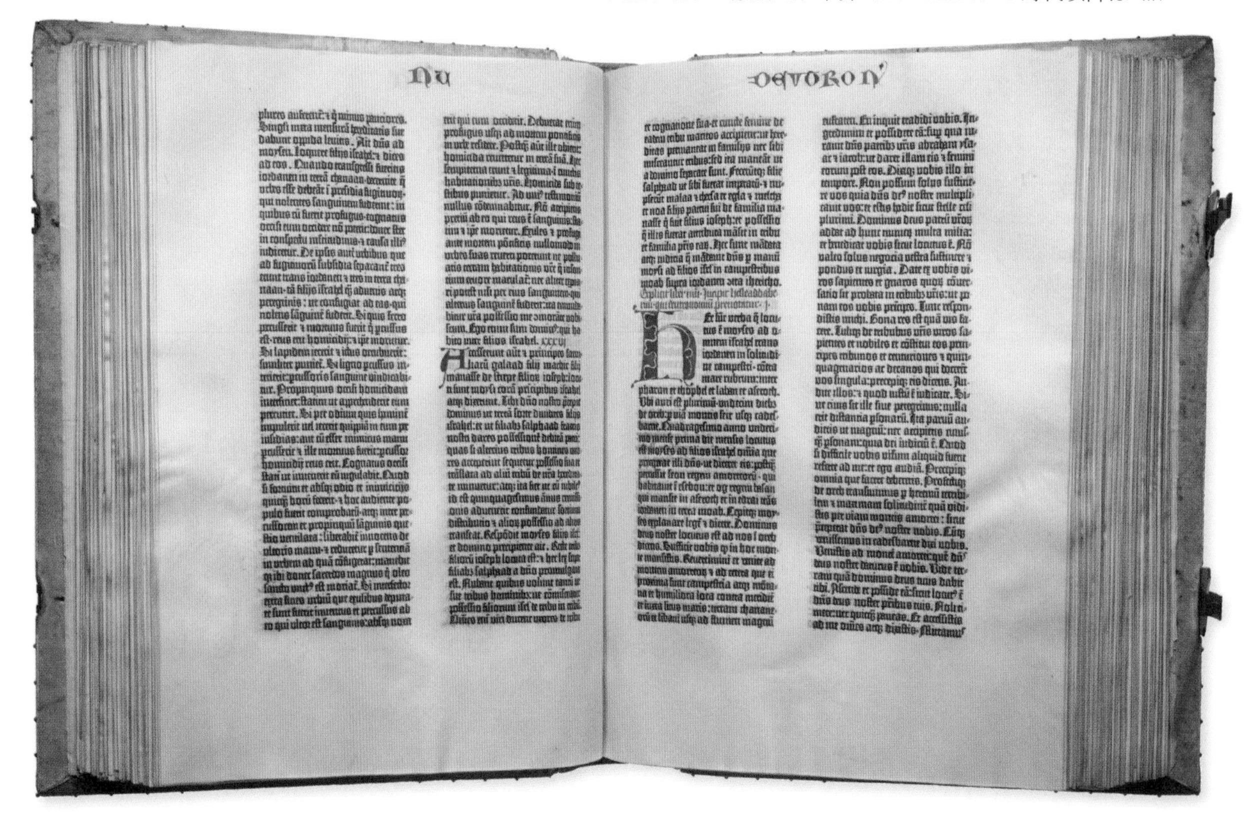

ラテン語訳聖書
1454～55年頃、
ヨハネス・グーテンベルク：
ドイツ、マインツ

1450年代にヨハネス・グーテンベルクが印刷した、「グーテンベルク聖書」と呼ばれる標準ラテン語訳聖書。通常、上下2巻組の全1,286ページ、2段組の大型聖書だ。

字を一個一個並べて文章を作る）活版印刷が普及した。グーテンベルクはこの既存の手法に、小さな金属活字と、金属に適した付着力を持つインクを加えて一大技術システムを編み出した。1450年に誕生したこの印刷機は本の大量生産を促進し、ひいては思想の安価で迅速な普及を可能にしたが、そうやって普及した思想の多くは現状打破を訴えるものだった。教会もすぐそれに気づき、1501年にローマ教皇アレクサンデル6世が教会の承認のない原稿を発行した者を破門すると脅したが、過激なキリスト教哲学者マルティン・ルター（1483～1546年）の著作が発行されたことで、この秩序は派手に破られた。

印刷機
1508年、ジョス・バード：
フランス、パリ

白紙のページを機械に挟み、そこに文字を彫った木板や銅板を「押し当てる」という印刷のプロセスを描いた、ジョス・バード作の木版画。

2　教派を超えた問題

マルティン・ルターは自分が書いた『九五箇条の提題（95ヶ条の論題）』（1517年）を、ヴィッテンベルクの教会の門扉に張り出したと言われている。この著作には、教会による「贖宥状」の販売を中心としたカトリック教会への痛烈な批判が含まれていた。「贖宥状」とは、煉獄（死者の魂が天国に行く前に火で焼かれて浄化する場所）での罪の償いを免除する、教会発行の証明書だ。この証明書の売買は、神学的・形而上学的理論を現実世界の経済学とリンクさせた顕著な例だと言えるだろう。ルターとその支持者たちは、教会が「功徳」を売り物にすることに猛烈に抗議した（「プロテスタント」という名称は、抗議を意味する「プロテスト」からつけられた）。

このルターの批判が、16世紀にキリスト教世界を席巻した宗教改革の火種となった（そしてその火は今も燃え続けている）。『九五箇条の提題』は、教会という精神的・知識的権威を攻撃し、ヨーロッパの政治的・知的断層線を変化させた。だがそれは、ルターひとりの功績ではない。この時代には、学識ぶった正統派的信仰の権威を（あるいは教会そのものの権威すらも）剥ぎ取ろうとする書物が多数登場した。

マルティン・ルター
1533年、ドイツ

ルーカス・クラナッハ（父）による、プロテスタントらしい黒い服に身を包んだ「宗教改革者」、ルター50歳当時の肖像画。オリジナルにはルターの協力者であるフィリップ・メランヒトンの姿も描かれていたようだ。

デジデリウス・エラスムスは、ロンドン滞在中に（ただならぬ関係だった）トマス・モアの家で、大げさな制度尊重主義を揶揄する『痴愚神礼賛』（1509年）を執筆した。非難を薄いベールに包んで織り交ぜたこの風刺的な作品で、エラスムスは修道士や聖職者、王侯貴族らをこき下ろし、痴愚という女神を皮肉めいた言葉で讃美している。

そんななか、聖書がさらなる騒動を引き起こす——いや、正確に言えば、ルターやウィリアム・ティンダル（1494～1536年）などの人物が（教会が奨励するラテン語ではなく）現地語に翻訳した聖書が、だ。1520年代にルターによるドイツ語訳聖書が2000部発行されたことで、神の言葉が庶民にまで届くようになった（そのおかげで、ドイツ国民の識字率も劇的に上がった）。そして、宗教改革運動が拡大すると、教皇の勅書や教会法典が街頭抗議で燃やされ始めた。

しかし、こうした大混乱のさなかにあった16世紀は、キリスト教世界が「新世界」と呼ばれる広い領土に西方進出の基盤を築いた時期でもあった……。

マルティン・ルター
1850年頃、ルドルフ・ベッサー：
ドイツ、ゴータ

グスタフ・ケーニヒによる『Dr Martin Luther the German Reformer（マルティン・ルター博士　ドイツの宗教改革者）』の挿絵。ルターは学者やメモを取る秘書たちに囲まれている。そのなかにはメランヒトンやブーゲンハーゲン、ユストゥス・ヨーナス博士も混じっている。本に収めきれないほどのアイデアが湧き出ている、活気ある知的な瞬間だ。

マルティン・ルター
『九五箇条の提題』
1517年、ドイツ、バーゼル

『九五箇条の提題』のラテン語版。ベルリンのドイツ歴史博物館所蔵。この小冊子には、各提題がローマ数字をつけてリストアップされている。

AMORE ET STVDIO ELVCIDANDAE ueritatis hæc ſubſcripta diſputabunt Vuittenbergæ, Præſidēte R.P. Martino Luther, Artiū & S. Theologiæ Magiſtro, eiuſdemq; ibidem lectore Ordinario. Quare petit ut qui non poſſunt uerbis præſentes nobiſcum diſceptare, agant id literis abſentes. In nomine domini noſtri Ieſu Chriſti. Amen.

j Ominus & Magiſter noſter Ieſus Chriſtus, dicendo pœnitentiā agite &c. omnem uitam fidelium, pœnitentiam eſſe uoluit.
ij Quod uerbū pœnitentia de pœnitentia ſacramentali (.i. confeſſionis & ſatiſfactionis quæ ſacerdotum miniſterio celebratur) non poteſt intelligi.
iij Non tamen ſolā intēdit interiorē: immo interior nulla eſt, niſi foris operetur uarias carnis mortificationes.
iiij Manet itaq; pœna donec manet odium ſui (.i. pœnitentia uera intus) ſcilicet uſq; ad introitum regni cælorum.
v Papa non uult nec poteſt, ullas pœnas remittere; præter eas, quas arbitrio uel ſuo uel canonum impoſuit.
vj Papa nō poteſt remittere ullam culpā, niſi declarādo & approbando remiſſam a deo. Aut certe remittēdo caſus reſeruatos ſibi, quibus contēptis culpa prorſus remaneret.
vij Nulli prorſus remittit deus culpam, quin ſimul eum ſubijciat humiliatum in omnibus ſacerdoti ſuo uicario.
viij Canones pœnitentiales ſolū uiuentibus ſunt impoſiti: nihilq; morituris, ſecundū eoſdem debet imponi.
ix Inde bene nobis facit ſpirituſſanctus in Papa: excipiēdo in ſuis decretis ſemper articulum mortis & neceſſitatis.
x Indocte & male faciūt ſacerdotes ij, qui morituris pœnitētias canonicas in purgatorium reſeruant.
xj Zizania illa de mutanda pœna Canonica in pœnā purgatorij, uidentur certe dormientibus Epiſcopis ſeminata.
xij Olim pœnæ canonicæ nō poſt, ſed ante abſolutionem imponebantur, tanq; tentamenta ueræ contritionis.

DISPVTATIO DE VIRTVTE INDVLGEN.

xiij Morituri, per mortem omnia ſoluunt, & legibus canonū mortui iam ſunt, habentes iure earū relaxationem.
xiiij Imperfecta ſanitas ſeu charitas morituri, neceſſario ſecum fert magnū timorem, tātoq; maiorē, quāto minor fuerit ipſa.
xv Hic timor & horror, ſatis eſt, ſe ſolo (ut alia taceam) facere pœnam purgatorij, cum ſit proximus deſperationis horrori.
xvj Videntur, infernus, purgatorium, cælum differre; ſicut deſperatio, prope deſperatio, ſecuritas differunt.
xvij Neceſſarium uidetur animabus in purgatorio ſicut minui horrorem, ita augeri charitatem.
xviij Nec probatū uidetur ullis, aut rationibus, aut ſcripturis, q; ſint extra ſtatum meriti ſeu augendæ charitatis.
xix Nec hoc probatū eſſe uidetur, q; ſint de ſua beatitudine certæ & ſecuræ, ſaltem oēs, licet nos certiſſimi ſimus.
xx Igit Papa per remiſſionē plenariā omniū pœnarū, non ſimpliciter omniū intelligit, ſed a ſeipſo tm̄modo impoſitarū.
xxj Errant itaq; indulgentiarū prædicatores ij, qui dicunt per Papæ indulgentias, hominē ab omni pœna ſolui & ſaluari.
xxij Quin nullam remittit animabus in purgatorio, quā in hac uita debuiſſent ſecundum Canones ſoluere.
xxiij Si remiſſio ulla omniū omnino pœnarū pōt alicui dari; certū eſt eam nō niſi perfectiſſimis .i. pauciſſimis dari.
xxiiij Falli ob id neceſſe eſt, maiorem partē populi: per indifferentē illam & magnificam pœnæ ſolutæ promiſſionem.
xxv Qualē poteſtatē habet Papa i purgatoriū gn̄aliter talē habet qlibet Epiſcopus & curat⁹ in ſua dioceſi, & parochia ſpāliter.
j Optime facit Papa, q; nō poteſtate clauis (quā nullam habet) ſed per modum ſuffragij, dat animabus remiſſionem.
ij Hominē prædicant, qui ſtatim, ut iactus nūmus in ciſtam tinnierit, euolare dicunt animam.
iij Certū eſt nūmo in ciſtam tinniente, augeri quæſtum & auariciam poſſe; ſuffragiū aūt eccleſiæ eſt in arbitrio dei ſolius.
iiij Quis ſcit ſi omnes animæ in purgatorio uelint redimi, ſicut de ſancto Seuerino & paſchali factum narratur?
v Nullus ſecurus eſt de ueritate ſuæ contritionis; multo minus

a ij

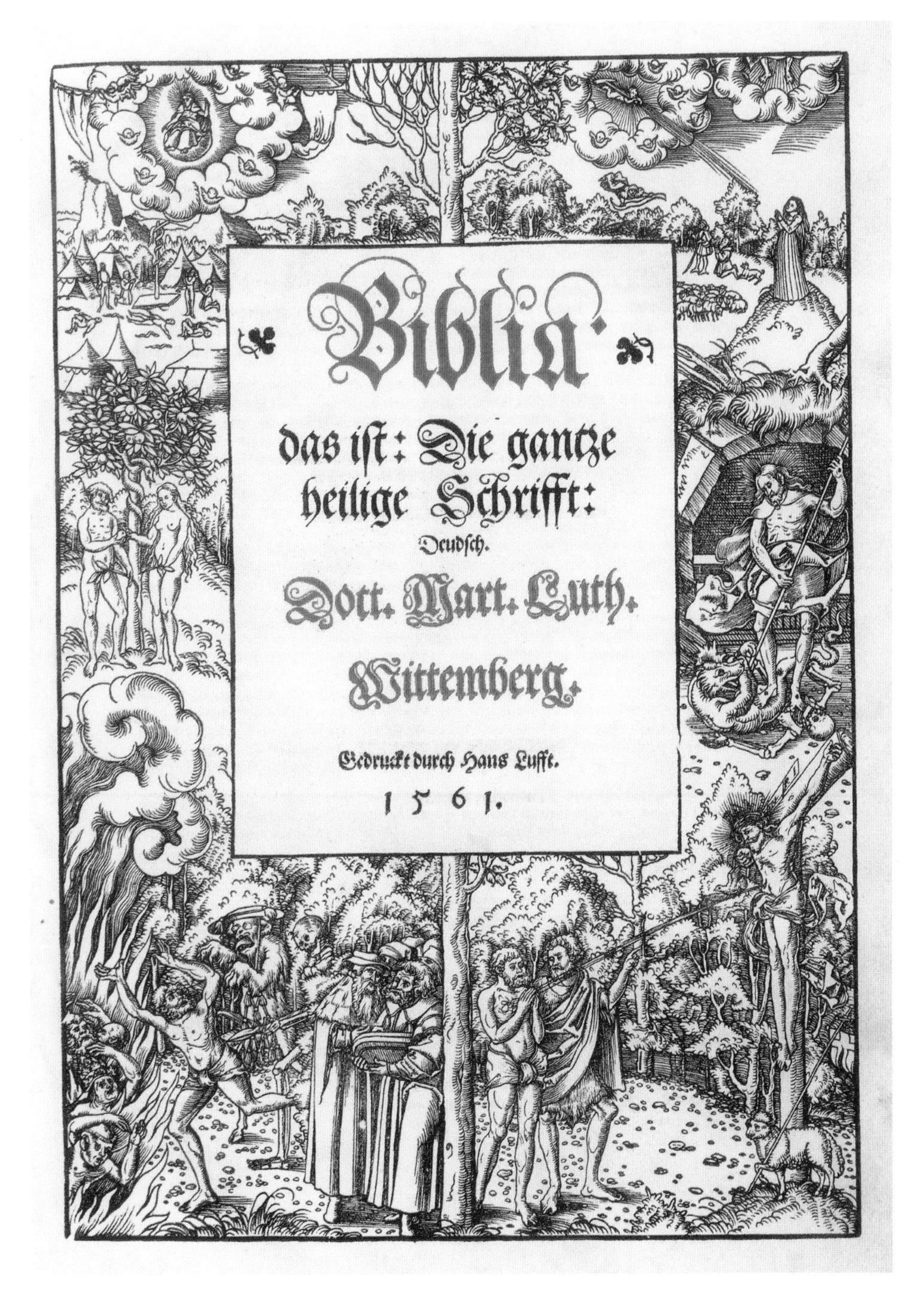

Biblia
das ist: Die gantze
heilige Schrifft:
Deudsch.
Dott. Mart. Luth.
Wittemberg.
Gedruckt durch Hans Lufft.
1561.

マルティン・ルター訳
『Biblia, Das ist: Die ganze Heilige Schrifft Alten und Neuen Testaments（聖書、すなわち完全なる真理の書）』
1560～61年頃、ハンス・ルフト：ドイツ、ウィッテンベルク

ルター訳のドイツ語版聖書のタイトルページ。ルーカス・クラナッハ（子）による木版画には、複数の場面が細かく描写されている。現代映画の「ティーザー」を彷彿とさせるような——エデンの園や磔刑の場面を含む——さまざまな場面を寄せ集めたのは、読者の関心を引き付けるためだ。

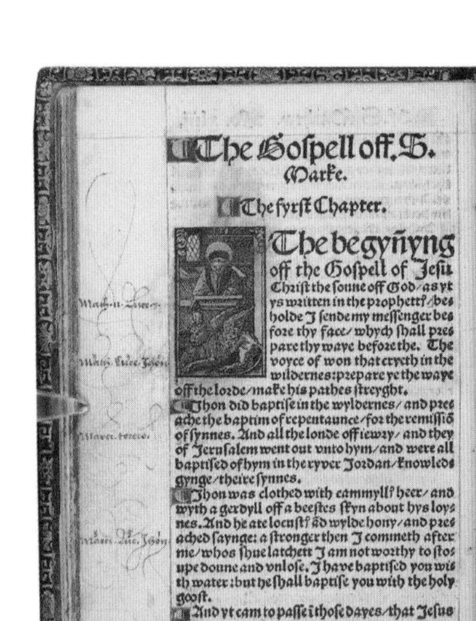

The Gospell off S. Marke.

The fyrst Chapter.

The begynnyng off the Gospell of Jesu Christ the sonne off God/as yt ys written in the prophetts/Beholde I sende my messenger before thy face/whych shall prepare thy waye before the. The voyce of won that cryeth in the wildernes:prepare ye the waye off the lorde/make his pathes streyght.

Jhon did baptise in the wyldernes/and preache the baptim of repentaunce/for the remission of synnes. And all the londe off iewry/and they of Jerusalem went out vnto hym/and were all baptised of hym in the ryver Jordan/knowledgynge/theire synnes.

Jhon was clothed with cammylls heer/and wyth a gerdyll off a beestes skyn about hys loynes. And he ate locusts and wylde hony/and preached sayinge: a stronger then I commeth after me/whos shue latchett I am not worthy to stoupe doune and vnlose. I have baptised you with water:but he shall baptise you with the holy goost.

And yt cam to passe i those dayes/that Jesus

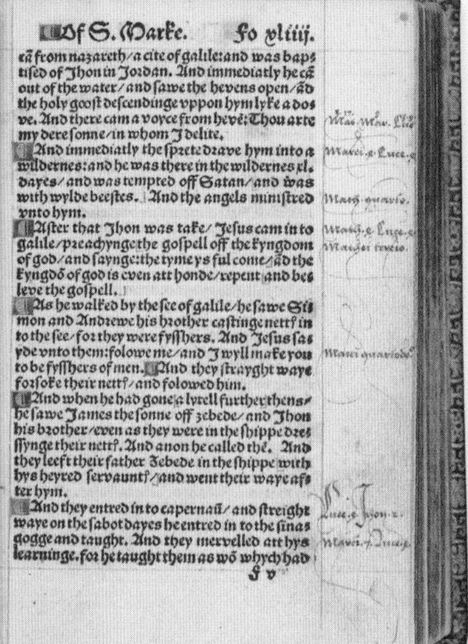

Of S. Marke. Fo xliii.

ca from nazareth/a cite of galile:and was baptised of Jhon in Jordan. And immediatly he cam out of the water/and sawe the hevens open/and the holy goost descendinge vppon hym lyke a dove. And there cam a voyce from heven:Thou arte my dere sonne/in whom I delite.

And immediatly the sprete drave hym into a wildernes:and he was there in the wildernes xl. dayes/and was tempted off Satan/and was with wylde beestes. And the angels ministred vnto hym.

After that Jhon was take/Jesus cam in to galile/preachynge the gospell off the kyngdom of god/and saynge:the tyme ys full come/and the kyngdo of god is even att honde/repent and beleve the gospell.

As he walked by the see of galile/he sawe Simon and Andrewe his brother castinge nettes in to the see/for they were fysshers. And Jesus sayde vnto them:folowe me/and I wyll make you to be fysshers of men. And they straynght waye forsoke their nettes/and folowed him.

And when he had gone a lytell further thens/he sawe James the sonne off zebede/and Jhon his brother/even as they were in the shippe dressynge their nettes. And anon he called the. And they leeft their father zebede in the shippe with hys heyred servauntes/and went their waye after hym.

And they entred in to capernaum/and streight waye on the sabot dayes he entred in to the sinagogge and taught. And they mervelled att hys learninge. for he taught them as wo whych had

F v

Das Ander Teyl des altẽ testaments

ウィリアム・ティンダル訳

『The New Testament as it was written（書いてあるとおりの新約聖書）』

1526年頃、ペーター・シェッファー：ドイツ、ヴォルムス

現存する数少ないウィリアム・ティンダル訳の英語版聖書のひとつ。写真は「マルコによる福音書」の冒頭部分。

〈右上〉

マルティン・ルター訳のドイツ語版旧約聖書

1523〜24年頃、メルヒオール・ロッター：ドイツ、ウィッテンベルク

ルターがヘブライ語からドイツ語に翻訳した、ルーカス・クラナッハ（父）作の挿絵入り「Das Alte Testament（旧約聖書）」。下の写真は「ヨシュア記」の一部。このドイツ語版旧約聖書は、マルティン・ルターが翻訳し、ルーカス・クラナッハ（父）が挿絵を描いた。

Das Buch

Josua. V

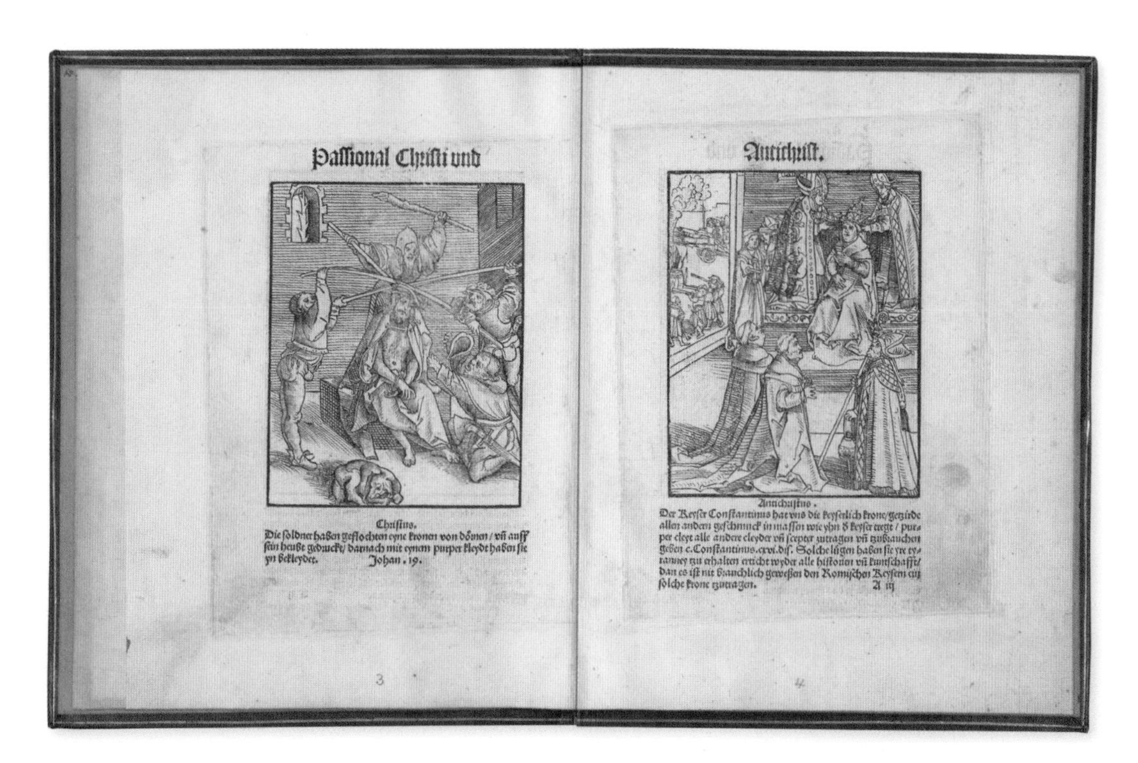

マルティン・ルター

『Passional Christi und Antichristi（情熱的なキリストと反キリスト者）』

1521年頃、ドイツ、ウィッテンベルク

ザクセン選帝侯の御用絵師だったルーカス・クラナッハ（父）は宗教改革の熱心な支持者で、ドイツ語版聖書の翻訳者と発行者たちに対し、広範囲にわたって協力した。

デジデリウス・エラスムス

『痴愚神礼賛』

1536年、ジル・ド・グールモン：フランス、パリ

大英図書館所蔵の16世紀を代表する文献。無名の芸術家によるこの木版画には、発行者ジル・ド・グールモンの「紋章」と思われる意匠が施されている。

デジデリウス・エラスムス

1604〜1608年

ベルギー、アントワープ

ハンス・ホルバイン（子）作の肖像画をもとにした、フィリップ・ハレによるエッチング。

イギリスで最初に印刷された聖書（いわゆる「マシュー聖書」）、『The Bible, which is all the holy Scripture: in which are contained the Olde and New Testament truly and purely translated into English（完全英語版新約・旧約聖書）』の口絵
1537年、ベルギー、アントワープ

「トーマス・マシュー」（ウィリアム・ティンダルとジョン・ロジャースの偽名）発行の英語版聖書の口絵には、エデンの園のアダムとイブ、そして雲のなかから顔を出して光を発するキリスト教の神の姿が描かれている。イブは、アダムの見ている前で知恵の木を指さしている。

〈右ページ〉

この英語訳聖書のフルカラーのタイトルページは、複数の場面を寄せ集めている。上部左側に描かれているのは神から石板を受け取るモーセ、下部右側は蘇生して墓から出るラザロだ。一番下のキャプションには「神の慈悲深い教えをここに説く」とある。当時の政治的・宗教的混乱を考えると、これは効果的な宣伝文句だった。

The Byble / which is all the holy Scripture: In whych are contayned the Olde and Newe Testament truly and purely translated into Englysh by Thomas Matthew.

Esaye. j.
Hearcken to ye heauens and thou earth geaue eare: For the Lorde speaketh.

M, D, XXXVII,

Set forth with the Kinges most gracyous lycēce.

3「新」世界

カール5世（1500〜1558年）統治下の神聖ローマ帝国は、ヨーロッパ中西部を拠点に、今は「アメリカ」と呼ばれる大陸に版図を広げた。このヨーロッパ人の帝国主義的な植民地政策は、先住民の生活に甚大なダメージをもたらした。なぜなら、ヨーロッパ人は残忍な軍事行動や文化破壊を通して先住民を隷属させることを目指したからだ。

ヨーロッパ人に蹂躙される以前の南アメリカには、西暦紀元が始まるはるか前から豊かで複雑な思想体系が存在していた。今のメキシコ、グアテマラ、ベリーズにあたる地域には、紀元前2000年から高度な数学と天文学の知識を有して発展したマヤ文明が、メキシコ湾沿岸には紀元前17世紀から栄えたオルメカ文明があった。時代が下った13世紀にはインカ帝国がアンデス地方を支配し、その100年後にはナワトル語を話すメシカ族が北に領土を広げた。

15世紀のメキシコ中央部にはアステカという文明国家が存在していたが、1519年に好戦的なスペイン人が海を渡ってやってきた。この侵略者たちは、卑劣な戦術と（意図せずヨーロッパの病気を持ち込んだことによる）偶発的な細菌戦によってアステカの君主、モクテスマ2世を屈服させ、首都テノチティトランを占領した。スペインの「コンキスタドール〔征服者の意味〕」を

ベルナルディーノ・デ・サアグン
『新スペイン事物全史』
16世紀、メキシコ

このデ・サアグンの民族誌には、ナワ族の芸術家が現地の儀式・慣行を色鮮やかに描いたイラストが挿入されている。およそ2400ページから成る「フィレンツェ絵文書」と呼ばれるこの文献は12巻組で、スペイン語とナワトル語の両方で書かれている。

名乗る彼らがこの新たな領土を「ヌエバ・エスパーニャ（新スペイン）副王領」と呼び始めると、アステカ社会は崩壊を始める。支配下に置かれた先住民の人口はみるみる減少し、生き残った者たちはキリスト教への改宗を強いられ、「異端的な」文献は組織的に破壊された。

ナワ族の哲学を後世に残せるかどうかは、スペイン人アーキビストらの裁量次第だった。アントニオ・デ・メンドーサ総督の命で作成されたメンドーサ絵文書（1541年）には、テノチティトラン壊滅までのナワ族の歴史が年代順に記録されているうえに、社会的生産性と共同体主義を重視する、彼らの日常生活の根底にあった倫理体系も詳述されていた。

しかし、征服者の視点で書かれた植民地の歴史には、必然的にバイアスがかかる。キリスト教に改宗した先住民の子弟のための教育施設、コレヒオ・デ・インペリアル・デ・サンタ・クルス・デ・トラテロルコの共同設立者であるスペイン人修道士、ベルディナード・デ・サアグン（1499〜1590年）が地元の学者たちに、自分たちの文化を文書に記録するよう促したのもそういう理由からだった。その結果、生まれた『Historia general de las cosas de la Nueva España（新スペイン事物全史）』（1545〜90年頃）はナワトル語とスペイン語で書かれ、2000項目に区切られた韻文と絵で構成されている。そこには修辞学や道徳だけでなく、多神教信仰、創造神話、天文学などについても綴られ、さらには自然界（天と地と人間）に浸透し、さまざまな神に象徴される「テオトル」──絶対的で強力な宇宙エネルギー──という概念を核とした、ナワ族の形而上学に対する知見も提示されていた。

スペイン人思想家たちは先住民の哲学の理解に努めるだけでなく、自国の植民地政策の是非について議論も重ねた。フアン・ヒネス・デ・セプルベダが書いた『第二のデモクラテス』（1550年）は、アリストテレスが唱えた「生まれつきの階層構造」を引き合いに出して、ナワ族は「生まれつき」奴隷に適していると淡々と主張し、自国による大量虐殺を擁護した。一方、バルトロメ・デ・ラス・カサスは『インディアスの破壊についての簡潔な報告』のなかで、先住民の自治能力を大いに評価し、入植者たちを「悪魔」にたとえた。こうした議論はヨーロッパの上流社会を興奮させはしたが、「新」世界への破壊的な侵略行動を止めるきっかけにはならなかった。

P V

Breuissima rela
cíon de la destruycion de las In-
días:colegída por el Obispo dõ
fray Bartolome de las Casas/o
Casaus de la orden de Sãcto Do
mingo.
Año. 1552.

バルトロメ・デ・ラス・カサス
『インディアスの破壊についての簡潔な報告』
1552年、スペイン、セビリア

完成の10年後に発行された『インディアスの破壊についての簡潔な報告』は、当時、スペインの王子だったフェリペ2世のために編纂された。タイトルの上部に、フェリペ2世の紋章が見える。植民者の略奪行為を野放しにしている君主に警告することがこの書物の目的だったが、効果はなかった。

4 ユートピア構想

新たな領土が増えると、「ユートピア」という概念が拡散した。イギリスの思想家、トマス・モアが書いた『ユートピア』(1516年)は、アル＝ファーラービーの『有徳都市の住民がもつ見解の諸原理』(110ページ参照)やプラトンの『国家』(37ページ参照)も含まれる世界構築文学のひとつだが、この作品が南アメリカの植民地政策によって注目されたことは間違いない。ラテン語を用いて入れ子構造の対話形式で書かれたこの作品は、「ユートピア」と呼ばれるブラジル沖の島が舞台だった。

モアは、その島を牧歌的な場所に描いた。ユートピア人には私有財産という概念がなく、自分たちの手で作ったものをみんなで分け合い、共用の貯蔵スペースには誰もが自由に出入りできる。労働時間は1日たったの6時間。彼らの「幸福」観について、モアは次のように記している。

トマス・モア
『ユートピア』
1518年、ヨハン・フローベン：スイス、バーゼル

スイスの初版本に挿入された、ユートピア島を地図風に描いたアンブロジウス・ホルバイン作の版画。色は後日つけられた。

……**人間の幸福は、すべてとは言わないまでも、その大部分は喜びにあるという意見に、彼らは確かに偏りがちのようだ**……

モアの小説は、理想社会の在り方──と、その理想の実現性──を問いかけるものだった。ユートピアの「トピア」は、「場所」を意味するギリシャ語のtoposから来ているが、「ユー」は「良い」を意味するギリシャ語のeuだとも言えるし、「〜でない」を意味するouだとも言える。つまり、ユートピアとは「良い場所」であり、「(現実には)ない場所」ということになる。モアはそういう社会が本当に実現できるのか、それとも単なる夢にすぎないのか、という問いを提示したのだ。

ある者にとっての「良い場所」は、別の者にとっては生きづらい場所かもしれない。モアが記したユートピアには植民地がある。ユートピア人は過剰な人口増加に対処するために入植し、さらなるユートピア的な目的のために先住民を奴隷化する。ここが、モアのビジョンの本質的部分だ。彼は、より「自然な」ユートピア社会での奴隷の役割を示すことで、奴隷制を正当化した。当時、この彼の考えに反対する読者は少なかっただろうが、それでも批判がなかったわけではない。共同体主義的な政策を暗に支持する『ユートピア』は、イングランド王、ヘンリー8世の怒りを買った──モアが1535年7月6日に

14 CLARISSIMO D.
HIERONYMO BVSLIDIO PRAEPOSITO
ARIENSI, CATHOLICI REGIS CARO
LI A CONSILIIS, PETRVS AEGI
DIVS ANTVERPIENSIS S. D.

SVPERIORIBVS hisce diebus ornatis
sime Buslidi, misit ad me THOMAS
ille MORVS, te quoq; teste, cui notissi
mus est, eximium huius ætatis nostræ
decus, Vtopiam insulã, paucis adhuc
mortalibus cognitã, sed dignã in primis, quam ut plus
q̃ Platonicam omneis uelint cognoscere, præsertim ab
homine facundissimo sic expressam, sic depictã, sic ocu
lis subiectam, ut quoties lego, aliquanto plus mihi uide
re uidear, q̃ cũ ipsum Raphaelem Hythlodæũ (nam ei
sermoni æque interfui ac MORVS ipse) sua uerba sonã
tem audirem. Etiã si uir ille haud uulgari præditus elo
quentia sic rem exponeret, ut facile appareret eum non
ea referre, quæ narrantibus alijs didicisset, sed quæ comi
nus hausisset oculis, & in quibus non exiguum tempus
esset uersatus, homo mea quidẽ sententia, regionũ, ho
minũ, & rerũ experiẽtia uel ipso Vlysse superior, & quã
lem octingentis hisce annis nusq; arbitrer natũ, ad quẽ
collatus Vespucius nihil uidisse putetur. Iam præterq;
quod uisa q̃ audita narramus efficacius, aderat homi
ni peculiaris quædam ad explicandas res dexteritas. At
tamen eadem hæc quoties MORI penicillo depicta cõ
templor

PETRVS AEGID. BVSLIDIO. 15

templor, sic afficior, ut mihi uidear nõnunq; in ipsa uer
sari Vtopia. Et hercule crediderim Raphaelem ipsum
minus in ea insula uidisse per omẽ quinquenniũ quod
illic egit, q̃ in MORI descriptione uideri liceat. Tantum
hic occurrit undiq; miraculorũ, ut ambigam quid pri
mum aut potissimũ admirer, felicissimæ memoriæ fidẽ,
quæ tot res auditas duntaxat penè ad uerbum reddere
potuerit, an prudentiã, qua uulgo ignotissimos fontes,
unde omnia reipublicæ uel oriuntur mala, uel oriri pos
sent bona, sic animaduertit, an orationis uim ac faculta
tem, qua tanta sermonis latini puritate, tantis dicendi
neruis, tot res cõplexus est, præsertim unus in tot publi
ca simul & domestica negotia distractus. Verũ hæc oia
tu minus admiraris doctissime Buslidi, q familiari etiã
cõsuetudine penitus habes cognitũ, hominem maius ac p
pè diuinũ hominis ingenium. In cæteris igitur nihil est,
quod illius scriptis queã adijcere. Tantũ tetrastichũ uer
nacula Vtopiensiũ lingua scriptũ, quod à MORI disces
su, forte mihi ostẽdit Hythlodæus apponendũ curaui,
præfixo eiusdẽ gentis alphabeto, tũ adiectis ad margi
nes aliquot ãnotatiũculis. Nã quod de insulæ situ labo
rat MORVS, ne id qdẽ omnino tacuit Raphael, quãq;
paucis admodũ, ac uelut obiter attigit, uelut hoc alij ser
uans loco. Atq; id sanè nescio quo modo casus quidã
malus utriq; nostrum inuidit. siquidem cum ea loque
retur Raphael, adierat MORVM e famulis quispiam,
qui

トマス・モア
『ユートピア』
1518年、ヨハン・フローベン：
スイス、バーゼル

モアは1515～16年に『ユートピア』を執筆した。友人のデジデリウス・エラスムスが編集を手伝い、1516年後半にベルギーのルーヴァンで初版が発行される。エラスムスから原稿を送られたスイスのヨハン・フローベンは、翌年、バーゼルでこの作品を出版した。1548年にはイタリア語に、1550年にはフランス語に、1551年には英語に翻訳されたが、モアはその16年前に処刑された。

斬首刑に処されたのは、この『ユートピア』が原因だったとは考えられないだろうか。

5　生得観念

ヨーロッパが世界的影響力を高める一方で、他の大国の勢力は衰えていった。中国では、モンゴルとの度重なる交戦によって支出を強いられた明が、厳しい財政政策を実施していた。スペインやポルトガルのような搾取的な植民地政策を取りやめ、代わりに過酷な徴税システムを導入したのだ。だが、日本の海賊、「倭寇」の襲来と政治腐敗への懸念が重なると、政治体制への反対意見が広がり始めた。こうしたことが、王陽明（王守仁ともいう）（1472～1529年）の著作が生まれた背景にあった。

16世紀の中国でも、朱熹や程兄弟の著作によって再び活気を取り戻した儒教が支配的イデオロギーだった。しかし王陽明は、伝統と丸暗記の勉強にどっぷり依存し、知識のための知識を得ることを重視する朱熹の姿勢を批判した。彼の『伝習録』（1518年）と『大学問』（1527年）は、いかにも軍事戦略家の陽明らしく、理性主義的・実用的な色合いが濃かった。彼はこれらの主著のなかで、知識と行動の融合と活動的な精神生活の重要性を説いた。たとえば、『伝習録』ではこう述べている。

　では、私と議論してみよう……。今、あなたにこの議論を引き受ける覚悟があるだろうか。

トマス・モア
1527年、イングランド

ハンス・ホルバイン（子）が、ロンドン滞在中にオーク板に描いたモアの肖像画。艶やかなビロード素材の袖や、テューダー・ローズと呼ばれるイングランドの伝統的な花の紋を模った首飾りなどを身につけた、贅沢な装いのモアは、気難しい表情でこちらの視線を避けるように左を向いている。

話をしているときでも、神経が張り詰めているときでも、静座しているのと同じ精神状態でいなければならない。これを常に心がけておくべきだ。では、そういう精神状態を保つにはどうすればいいのか。それは、日々の生活で実践しながら研鑽を積むことだ。

『大学問』は、生まれたときから心と理は一体だとする「生得主義」も提示した。陽明は、ある種の概念は生まれたときからすでに織り込み済みで、哲学者の勤めはその概念を言葉で明示することだ、と考えた。これは、政治と直結する考えだ。どんな人間も生まれながらにして心に知識を宿しているとなれば、貴族階級の男性のみならず、農民にも女性にも知識があることになる。儒学が伝統を重視し、明朝が厳しい管理体制を敷いていたことを考えれば、陽明学の平等主義的な側面が躍進しなかったのは当然のことかもしれない。

しかし、その100年後にはるか西方で、これとよく似た思想が人々の間で一般的となる。

6　解放された理性

先の時代では、イスラム教とキリスト教の思想家たちが、真理の獲得手段には理性と啓示、どちらが適しているのか議論を重ねていたが、16世紀に入って理性的な分析が神秘体験を差し置いて認識基準になると、神の摂理より人間の理性重視の新たなインテリゲンチャを風刺する（宗教とは無関係の）書物が増え始めた。

たとえば、フランスの哲学者、ミシェル・ド・モンテーニュ（1533〜1592年）の『エセー』（1590年）は、理性の力を買いかぶっている文化人・知識人らを気取らない言葉とユーモアで揶揄している。モンテーニュは人間以外の動物とその認知能力を賛美する「動物優越論」を頻繁に説き、人間（とアカデミックなエリート主義）の優位性は誤った認識であると遠回しに批判した。聞く気にさえなれば、猫だって人間のように議論できる、と彼は語っている。

このような作品は、ルネ・デカルト（1596〜1650年）を始めとする学者たちからの激しい反論を呼んだ。フランスとオランダで活躍していたデカルトは、アンセルムス（154ページ参照）のような神の「存在証明」と、陽明のような生得観念を唱えたことで有名だ。たとえば、『方法序説』（1637年）や『省察』（1641年）などの作品ではモンテーニュに異を唱え、自らの「機械論」哲学に沿って、人間以外の動物はある意味、鳴いたり吠えたりする時計のようなものにすぎない、と主張した。『方法序説』と『省察』にはデカルト哲学の第一原理である、かの有名な命題も含まれている。デカルトはイブン・スィーナーに見られる伝統的な認識論を、cogito ergo sum（我思う、

アン・コンウェイに似た人物
1670年頃、オランダ、デン・ハーグ

オランダ人画家サミュエル・ファン・ホーホストラーテン作『Perspective View with a Woman Reading a Letter（手紙を読む女性がいる透視図）』。この作品は、被写体の顔と肖像画のコンウェイの顔が似ていることから、この女性哲学者を描いたものだと解釈されることがある。現在、デン・ハーグのマウリッツハイス美術館にて展示中。

LES PLVS INSIGNES
FAVTES SVRVENVES
EN L'IMPRESSION
du premier liure.

Pag.10.ligne,14. oſtez le point de la fin. pag.11. ligne,4.pour les, liſez ſe. pag. 3. l.19 pour puiſſant, liſez poiſant. pag. 32.l.3. pour prend, liſez prenoit. pa.34,l.1.pour different, liſez defferent. pag.38.l. 12, pour vne virgule, metez vn point pag.40.l.2.au lieu d'vn point,metez vne virgule. pag, 54.l,2,pour ne,liſez ſi,pag. 60.l.8. pour ferons, liſez fuirons. pag. 8.l.4. pour entierement, liſez anciennement.pag. 116.l. 14. pour *primam* liſez ,*prima*. pag. 133.l.7. pour ſa, liſez la. pag. 186.apres de l'auouer,metés vn point. pa.190,l. ſi,apres il, mettez,me. pag. 240, l.18.au lieu de pour, mettez de.pag. 263.lig.9.apres vous,oſtez l'interrogant,& li.10.oſtez l'interogant. pa.298. l.19.pour ſont,liſez ſoint.pag.325,l. 14.pour biẽuaillance,liſez bienueillance. pag. 341.l.6. pour, reuſe liſes renſe.pag.345.5.pour mettroient, liſés metroit.pag.346.l.8.pour des hommes, liſes du mõde.pa.350.l.14. pour deffauts,liſes effects.pa. 357.l.17 pour *adeo*,liſez,*odio*.pa.424.l.3.aiouſtes au commencement, pris du. pag.425.l. 9.pour, d'vn,liſes, Vn.pag.455.l.18.pour *Pulſi* liſez *puſi*. pa. 456.l.11.pour *lautas*.liſés *lauti*.pa.461.l.10. pour céte,liſés Cete.pag.480.l. 8.apres trop, adiouſtes,ils trouueroint place entre ces deux extremités

ESSAIS DE
MICHEL DE MONTAIGNE.

LIVRE PREMIER.

Par diuers moyens on arriue a pareille fin. Chap.1.

LA plus cõmune façõ d'amollir les cœurs, de ceus qu'on a offenſez,lors qu'ayant vengeance en main, ils nous tiennent a leur mercy, c'eſt de les émouuoir a commiſeratiõ & a pitié: toutes- fois la brauerie, la conſtance, & la reſolution, moyens tous contraires ont quelque fois ſerui a ce meſme effet. Edouart prince de Gales, celuy

A

ミシェル・ド・モンテーニュ
『エセー』
1580年、S・ミランジュ：
フランス、ボルドー

精緻な意匠を施した章頭飾り（ページ上部を横切る図版）と頭文字が配置された、『エセー』の初版・第1巻、セカンド・ステートのタイトルページ。「セカンド・ステート」とは、誤字の訂正や装丁の色変更など、印刷時に小さな変更を加えた後の初版を指す。

ゆえに我あり）という言葉で言い換えた。懐疑心はどんな思想も蝕むが、自分の「内なる理性」は何にも蝕まれない根源的なものだ。疑うというプロセスでさえ、疑う存在（「我」）が前提となる、とデカルトは主張した。そしてこの認識論から、彼の心身二元論が生まれる。心身二元論とは——体は心と違って疑いようのない物質的なもの、という理由から——心と体を完全に区別する、形而上学的な見解だ。彼の作品には、形而上学的な見地から理性を宇宙の最上位に位置付けるほど、理性に対する絶対的な信仰が示されている。

人間の理性に関するデカルトの極端な思想は大きな議論を呼んだ。同時代の哲学者のひとり、アン・コンウェイ（1631〜1679年）はプラトン主義的な反応を示している。彼女の『Principles of the Most Ancient and Modern Philosophy（最も古い哲学と現代哲学の原理）』はプラトン哲学の形而上学を引き合いに出し、無限の慈愛を持った、賢明で公平な絶対的存在である万物の源（神）の存在を提示した。彼女はデカルトの「機械論」哲学を否定し、世界は一者の光から流れ出てその光を反射する、生きて動く存在が住まう所と考えた。

ルネ・デカルト
『省察』
1641年、ミシェル・ソリー：
フランス、パリ

ラテン語版『省察』のタイトルページ。「Apud Michaelem Soly」というフレーズが見える。ラテン語の「apud」は「～の立ち合いの下」という意味で、参考図書の引用の際に用いられる。これは、この文献がソリーの版を複写したものか、あるいはソリーの店で印刷されたもの（こちらの可能性の方が高い）であることを示している。

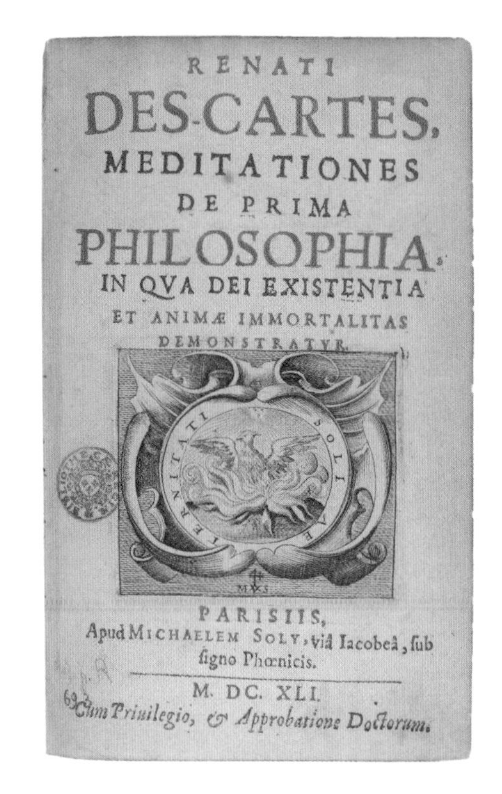

RENATI
DES-CARTES,
MEDITATIONES
DE PRIMA
PHILOSOPHIA,
IN QVA DEI EXISTENTIA
ET ANIMÆ IMMORTALITAS
DEMONSTRATVR.

PARISIIS,
Apud MICHAELEM SOLY, via Iacobeâ, sub
signo Phœnicis.
M. DC. XLI.
Cum Priuilegio, & Approbatione Doctorum.

RENATUS DESCARTES, NOBIL. GALL. PERRONI DOM. SUMMUS MATHEM. ET PHILOS.

〈右〉
デカルト
1687～1691年頃、
ヨハネス・タンゲナ：
オランダ、ライデン

オランダ人版画家、コルネリス・A・ヘルマンズ作のデカルトの肖像画。束ねた時代遅れの資料（アリストテレス主義のスコラ哲学）と思しきものに片足を置くという象徴的なポーズを取りながら物書きをするデカルトを、斜め前から見た視点で描いている。

エリーザベト・フォン・デア・プファルツ（ボヘミア王女）（1618～1680年）ほど、デカルトを痛烈に批判した人間はいない。彼女の見解は、死後2世紀近く経ってから書籍化された、デカルトとの往復書簡に最も顕著に現れている。彼女はその書簡のなかで、デカルトの心身二元論に異を唱え、心と体を区別することは因果律に重大な問題を引き起こす、と主張した。無形の心は体と完全に切り離されているというなら、どうやって心が有形の体に作用できるのか？　その線を追求したのは、フォン・デア・プファルツだけではなかった。ヨーロッパでは「アントン・ウィルヘルム・アモ」という名で知られているガーナ人哲学者の著作にも、似たような考えが記されている。

エリーザベト
1912年、イギリス、マンチェスター

富と高い社会階級を象徴する真珠を身につけたエリーザベトの肖像画。ヘラルト・ファン・ホントホルスト作のこの油彩画は、20世紀に「タバコのおまけ」のカードになった。

7　大陸横断する理性

キリスト教とイスラム教は、16、17世紀にはアフリカ全域に定着した。各地の図書館や大学にはギリシャ語・アラビア語・ラテン語の文献が配置され、頻繁に流入していた東方や北方の思想も浸透した。たとえば、今のエチオピアにあたるアクスムというキリスト教国では、ヨーロッパの学者たちを悩ませていたのと同じ多くの問題を検証する、『The Book of Wise Philosophers（賢い哲学者の書）』（1510年）などの編集物が発行された。聖職者のアッバ・ミカエルがゲエズ語で書いたこの作品には、アラビア思想とギリシャ思想由来の倫理的・神学的テーマを融合した一連の哲学的見解が収録されていた。
　ヨーロッパや中東で物議を醸した宗教的問題は、アフリカでも論議を呼ぶ。ミカエルが作品を発表した100年後に、『Gädlä Wälättä Petros（ワラッタ・ペトロスの苦難の人生）』（1672年）が出版された。これは古い証言をもとにした、ワラッタ・ペトロス（1592～1642年）という哲学者で修道女の道徳的な内省の記録だ。エチオピア正教会で教育を受けて育ったペトロスは、ポルトガル人が持ち込んだカトリック思想を声高に非難した。この作品には、「異国の」思想を支持したエチオピア皇帝スセニョス1世への批判が詳細に記されている。
　ペトロスと同時代の哲学者に、北エチオピア出身のゼラ・ヤコブ（1599 ～1692年頃）がいる。ペトロス同様、国家が押しつけるカトリック思想に反発して亡命した彼は、数年間、洞窟で暮らしていたと言われる。孤独に耐えながらも、溢れんばかりに湧き出るインスピレーションに恵まれたこの亡命生活中に、彼は主著の『Hatäta（問い）』（1667年）の構想を練った。『Hatäta』は、特にナイル川デルタ地帯の南部と北部の思潮が偶然一致することを示す興味深い作品だ。ゼラ・ヤコブは人間固有の理性を重視した哲学を提言し、万人の平等を説いた。誰にでも知性があり、したがって誰もが内省を通して真理を解明できる、と訴えたのだ。

探究者たちに告ぐ。真理はただちに解明される。事実、各人の心に宿る創造主から授かった純粋な知性を武器に、創造の秩序と法の解明に挑む者が真理に到達するだろう。

　この作品と、ゼラ・ヤコブの子弟、ワルダ・ヘイワットの著作『The Treatise of Walda Heywat（ワルダ・ヘイワットの論文）』は、いまだにほとんどヨーロッパ言語に翻訳されていない。文化交流は極めて非対称的で、アフリカの哲学者やその著作は、ヨーロッパへスムーズに渡ることができなかった。その代表例がアントン・ウィルヘルム・アモだ。
　西アフリカのアシャンティ王国は、現在のガーナにあたる、ボノマンというアカン人王国を支配下に置いていた。アントン・ウィルヘルム・アモ・「アフリカ」（1703～1759年頃）は、ボノマンのアシムという海沿いの町に生まれたが、生まれたときの名前は違っていたらしい。子供のときにオランダ西インド会社の関係者に誘拐され、プロイセン侯爵への「贈り物」にされた後、このヨーロッパ風の名前をつけられたという。
　無理やり連れ去られたにもかかわらず、アモは教育を与えられ、優れた才能を発揮した。1720年代にはウィッテンベルク大学で博士号を取得することで、人種差別的な周囲の予想を覆した。今では失われてしまったが、アモには『Dissertatio inauguralis de iure maurorum in Europa（ヨーロッパにおけるムーア人の権利について）』（1729年）という、ヨーロッパにおける黒人の権利を擁護した論文がある。その後、彼はデカルトの二元論の矛盾を突いた『On the Impassivity of the Human Mind（人間の心の冷淡さについて）』（1734年）を著し、デカルトの言うとおりに人間の心が体と切り離されているなら、感覚による認識は存在し得ない、と反論した。

精神は物質を感知しない。人間の心はつまり「精神」だ。それなら心は物質を感知し得ない。

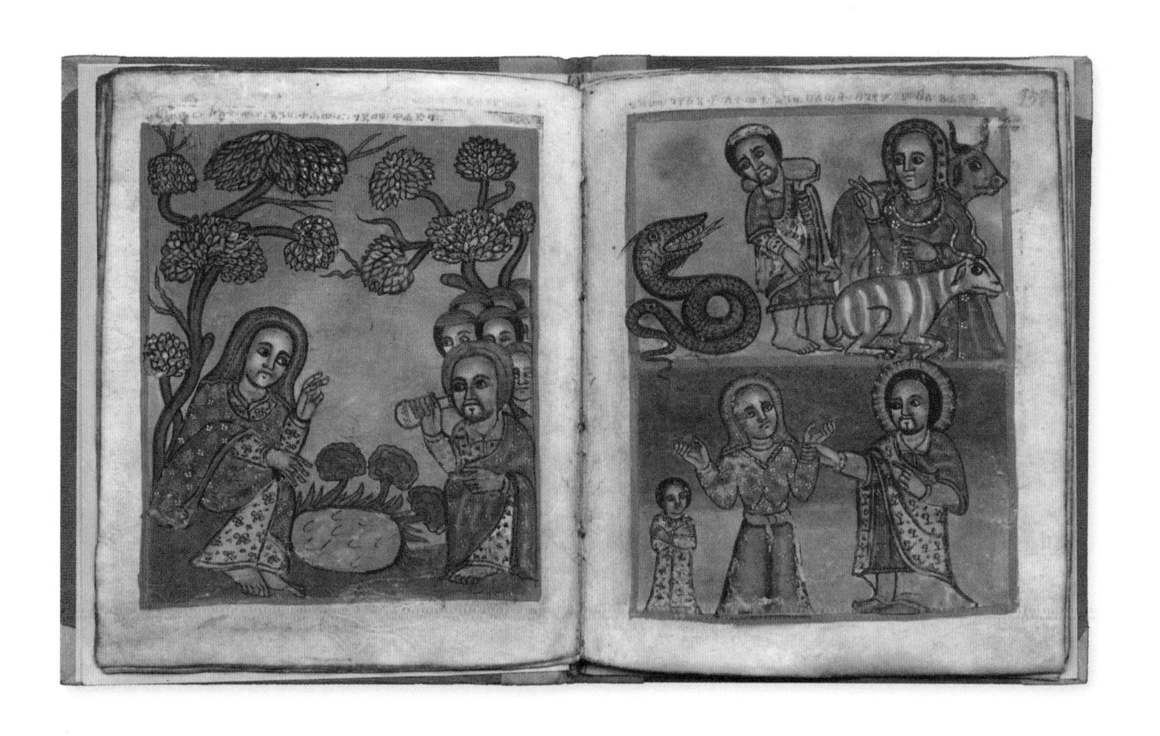

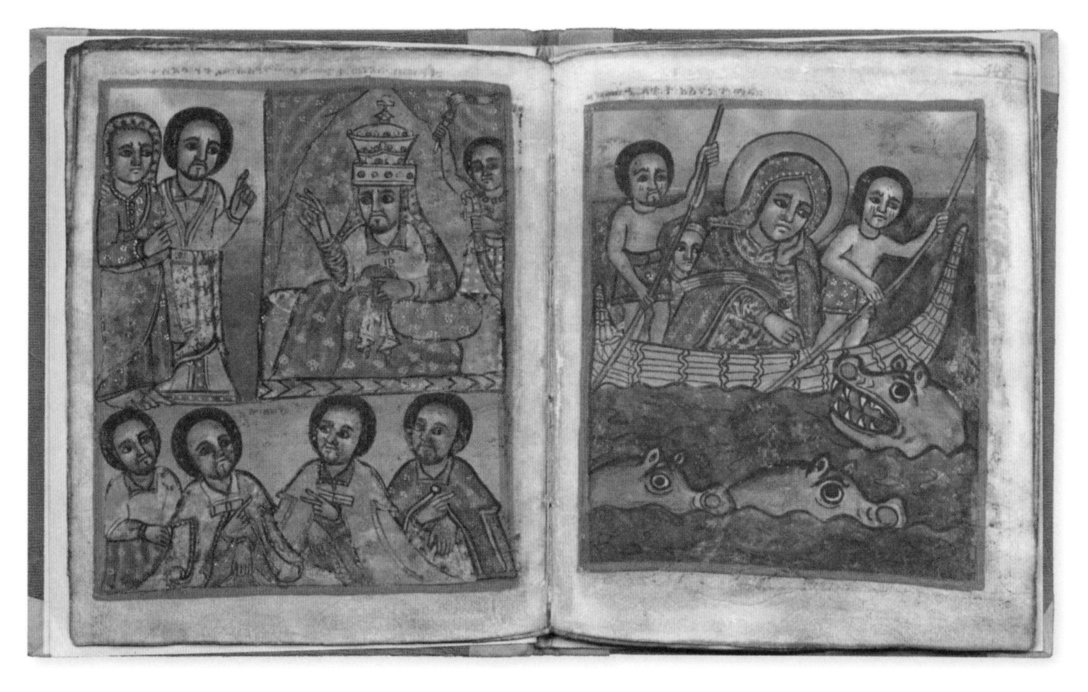

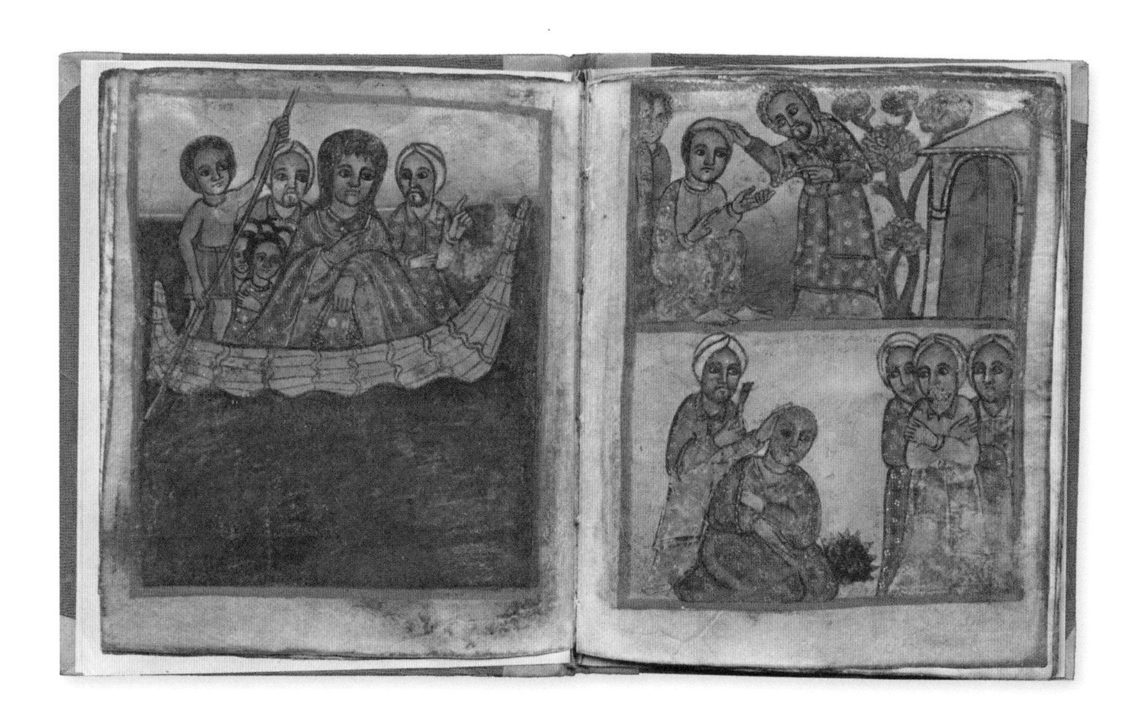

ワラッタ・ペトロス
1672〜1673年、エチオピア

ドレスデンのザクセン州立図書館所蔵のこの絵入り写本には、奇跡を起こして病気や動物や襲撃者らから人々を守る、ワラッタ・ペトロスの人生が色鮮やかに描かれている。

アモは、広範なテーマに関して「慎重で鋭い」見解を書き綴った後、ガーナに戻ったが、彼のデカルト批判は極めて幅広い層に受け入れられた。

8 新しい科学

デカルトの読者たちは、彼の二元論的世界観と徹底的な理性主義に加え、「機械論」哲学にも反発した。デカルトの目的は、教会が公認するアリストテレス哲学の目的論的（teleological）自然観を否定することだった。ギリシャ語のtelosは「終わり」や「ゴール」を意味する。「目的論的自然観」とは、自然界の一切の事物は目的に向かって進化している、とする考え方だ。だがデカルトは、ほとんどの事物は機械的な因果関係の産物だと見なした。

彼は正教会から距離を置きつつ、それ以前の自然哲学書に足場を求めた。そのひとつである、イギリス人思想家フランシス・ベーコンの『ノヴム・オルガヌム』（1620年）は、アリストテレスが真理探究に用いた論理学という「道具」（ギリシャ語で「オルガヌム」）を、科学的実験に置き換えるべきだと訴えた。ベーコンは抽象的な概念に依拠する思弁哲学を非難し、代わりに実験や観察という新しい「科学的手法」を推奨した。五感を通した経験から知識を得て、一般的法則や原理を導き出す「帰納法」というプロセスを提唱したのだ。これは、一般的な原理から個物の真理を推理するという、アリストテレス主義の哲学者たちが用いた「演繹法」とは対照的な手法である。この「帰納法」という新たな手法は極めて大きな影響力を持ち始め、最終的にはこれが自然科学と哲学の分離のきっかけとなった。

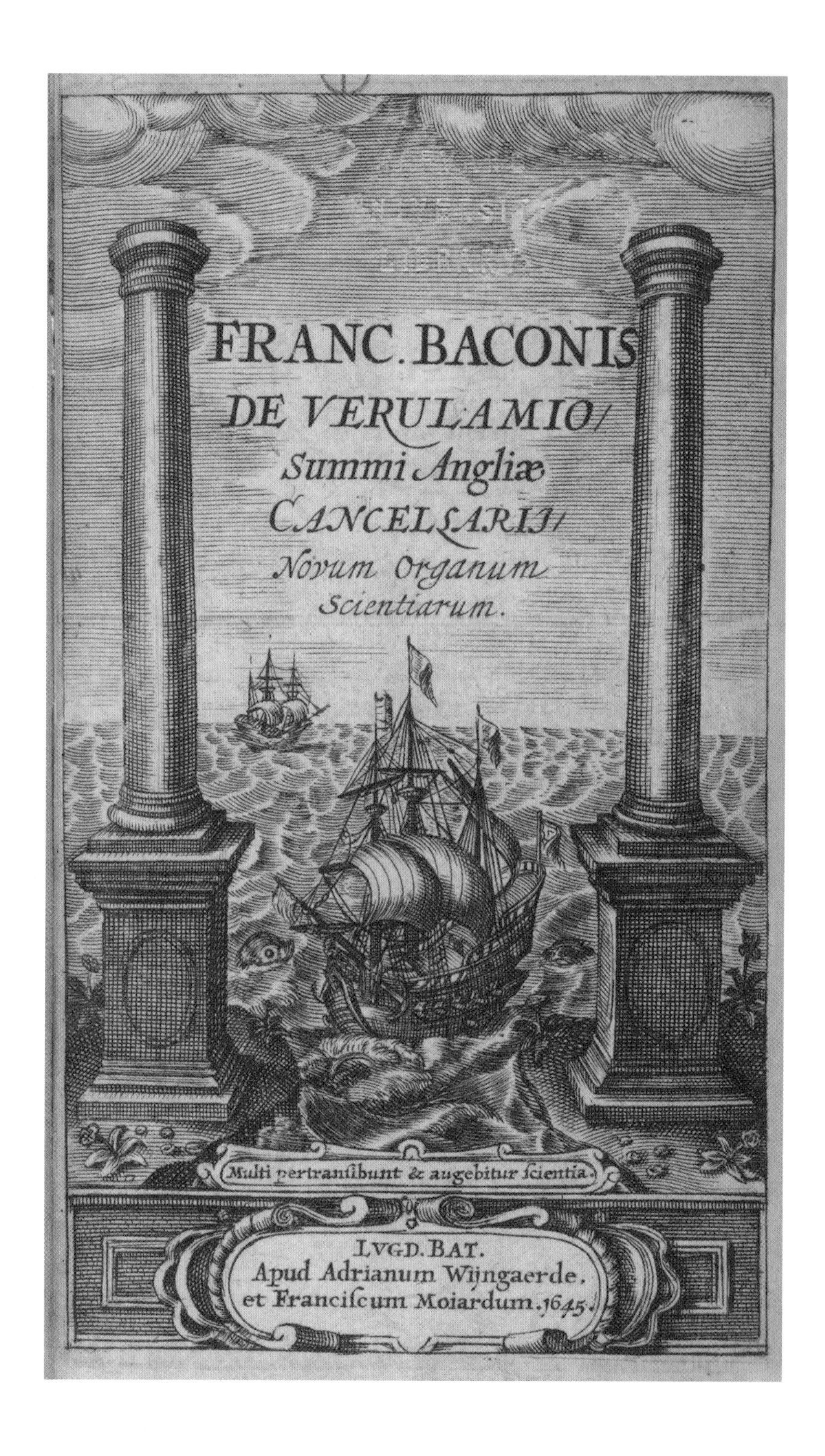

フランシス・ベーコン
『ノヴム・オルガヌム』
1645年、ヴィンゲルデと
モイアルダス：
オランダ、ライデン

『ノヴム・オルガヌム』のタイトルページに描かれた見事なイラスト。読者が、可能性という穏やかな海に立つ柱の間を抜けて船旅に出ることを示唆している。「ノヴム・オルガヌム（新機関）」という言葉は、「新世界」の植民地構想につながる。このイラストの下部には、「Multi pertransibunt et augebitur scientia（経験が多ければ、その分、知識は増える）」と書いてある。

教会の権威に盾突くのは大きな危険を伴った。デカルトは、地動説を唱えたガリレオ・ガリレイのように異端審問で有罪判決が下されることを恐れ、『世界論』の出版を取りやめた。一方、ベーコンは正式な告発こそ免れたが、彼を批判する作品は数多く生まれている。マーガレット・キャヴェンディッシュの『新世界誌 光り輝く世界』（1666年）も、そのひとつだ。

この作品は、パラレルワールドへの旅をテーマにしたユートピア小説だ。誘拐された乙女が異次元の世界にたどり着き、熊人間たちから「女帝」に選ばれる。完璧な社会の在り方——「君主はひとり、宗教もひとつ、法もひとつ、言語もひとつ。そうすれば全世界は団結したひとつの家族になる」——について書かれたこの作品のなかで、女帝は「新しい」科学的手法に反対する。女帝と臣民たちとの対話が示唆するのは、自然界に関する知識は経験より理性に基づく分析を通して得るのが一番、という考えだ。女帝に言わせれば、科学機器は現実を歪めてしまうからだ。たとえば、顕微鏡をのぞけば「ノミがゾウほどの大きさに見える」ではないか。キャヴェンディッシュの批判は、情報の収集と分析の信頼性に関する議論に影響をもたらしたが、科学的実践を重視する流れを食い止めることまではできなかった。

マーガレット・キャヴェンディッシュ
『新世界誌　光り輝く世界』
1671年、イングランド

『新世界誌　光り輝く世界』の口絵に描かれたマーガレット・キャヴェンディッシュの肖像画。1650年代に著者自ら、オランダ人版画家アブラハム・ファン・ディーペンベークに制作を依頼した。文房具を傍らに置くキャヴェンディッシュを囲むのは、貴族の地位を表す小さな王冠と月桂樹を彼女の頭に乗せようとしているプット（世俗的な智天使）たちだ。彼女は孤独を好む、学問好きの「物憂い」思想家に見える。多くの作家の肖像画と違って書物が描き込まれていないのは、彼女が外界からの影響を受けない、独創的な人間であることを示している。

ライプニッツ
1729年頃、ドイツ

ドイツ人画家クリストフ・ベルンハルト・フランケによる、バロック様式の衣装に身を包んだライプニッツの肖像画。アントン・ウルリッヒ公爵美術館所蔵。

〈右下〉
ゴットフリート・ライプニッツ
『弁神論』
1710年、アイザック・トロイエル：オランダ、アムステルダム

『弁神論』の初版本。アイザック・トロイエルは、原題から「自然神学」という論議を呼ぶコンセプトを取り除いた。

9 博学の徒

ベーコンの『ノヴム・オルガヌム』は、「帰納法」を始めとする哲学の新たな基礎を築いたが、諸科学――物理学・生物学・化学――はまだ、多くの現代人が哲学的探求の象徴と見なす範疇にあった。つまり、当時の哲学者は専門分野の枠を超えて活動する「博学の徒」でもあったのだ。しかし、ドイツ人思想家のゴットフリート・ヴィルヘルム・フォン・ライプニッツ（1646～1716年）ほど、多彩な才能を発揮した思想家は他にいなかった。

ライプニッツは、科学界においては論理計算の考案や物体の「活力説」だけでなく、アイザック・ニュートンと（微積分法開発の優先権をめぐる）確執があったことでも知られているが、哲学界においては独自の形而上学・神学、そして生物に対する新アリストテレス主義的な見解を示したことで有名だ。主著の『モナドロジー』（1714年）には、これらの思想の多くが盛り込まれている。この作品でライプニッツは、原子に似た観念上の一個体である「モナド」の概念と、この世界は、「調和する」ように神があらかじめプログラミングした無数のモナドによって創られる、とする「予定調和説」を唱えた。

ESSAIS
DE
THEODICÉE
SUR LA
BONTÉ DE DIEU,
LA
LIBERTÉ DE L'HOMME
ET
L'ORIGINE DU MAL.

A AMSTERDAM,
Chez ISAAC TROYEL, Libraire.
MDCCX.

ライプニッツは『弁神論』（1710年）で、『Babylonian Kohelet』（18ページ参照）でも扱われたテーマを再度俎上に載せ、私たちが暮らす世界は――どんな苦難があるにせよ――「最善の世界」であると主張した。そして、私たちが理想とする生活はそれぞれ異なるが、ロジックに縛られれば、神でさえも今、存在するものを進化させられなかっただろう、と語っている。ライプニッツはディーヴァスーリのように、可能と不可能、必然と偶然という除法助動詞の概念を広げたが、楽天的な彼の考えはさまざまな見解を呼んだ。一部からは礼賛されたが、（ボルテールこと）フランソワ＝マリー・アルエは著書『カンディード』に、どんな不幸な目に遭っても「この世は最善だ」と繰り返す、「パングロス」という多弁な哲学者を登場させてライプニッツを揶揄した。

10　科学を根拠とするレイシズム

近年の思想史家たちは、当時の学者たちに「新科学」と呼ばれていたものが、人種差別的な帝国主義の正当化にどれほど影響を及ぼしたのか分析している。カトリック教会などの旧体制は、人には神によって決められた「生来のヒエラルキー」があるという説を踏まえて異民族の征服（と天然資源の搾取）を擁護したが、この「新世界」と「新科学」の時代では、新たな論拠

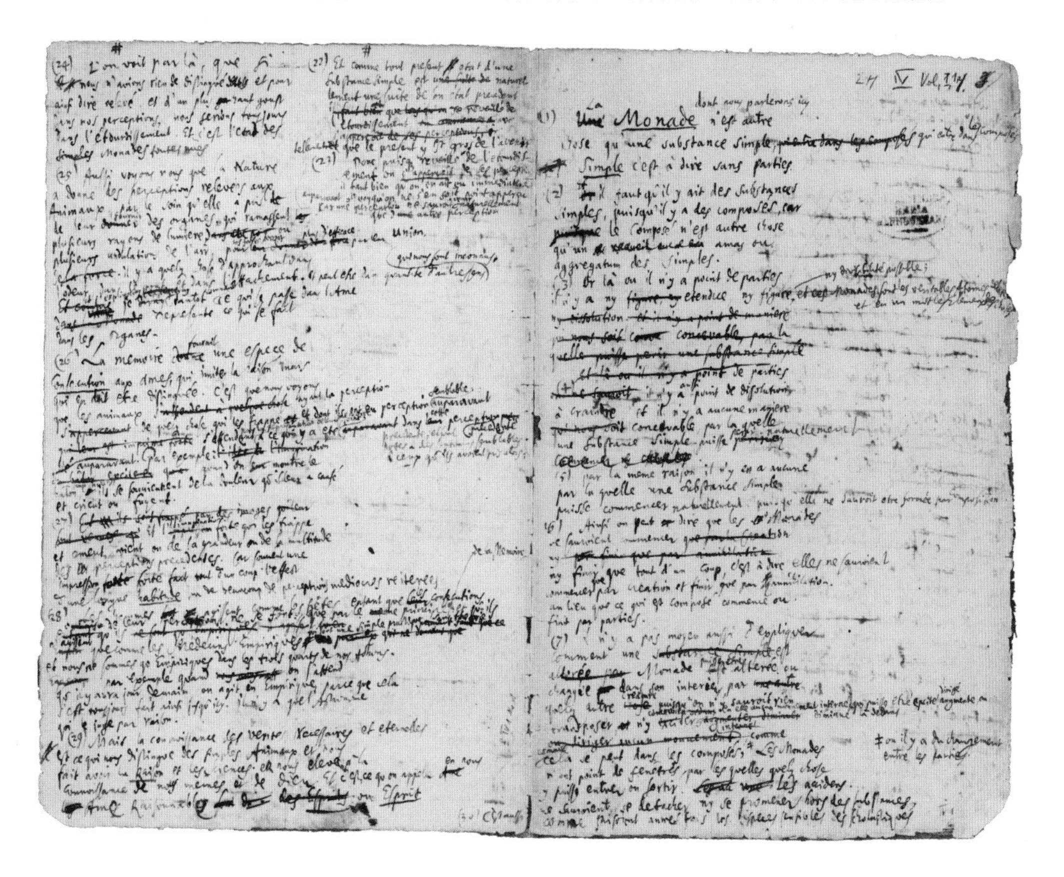

ゴットフリート・ライプニッツ
『モナドロジー』
1714年、ドイツ

たくさんの補遺や削除箇所が記された『モナドロジー』の草稿。哲学者の思考プロセスを理解するにはもってこいの資料だ。

が必要とされた。これまで神の法を根拠に自らを先住民より上に位置付けてきた入植者たちは、一見客観的で「科学的」な根拠が必要になったのだ。そこで、情報が蓄積された社会は「原始的な」社会より成熟していることを示す根拠として、人間学と「博物学」が利用された。

経験的観察によるたくさんのサンプルから導き出された一般原則が、植民地政策の正当化に役立てられた。大西洋奴隷貿易――西アフリカの港を出港した一隻のポルトガル船がブラジルに奴隷民を運んだのをきっかけに、1526年に開始された――がヨーロッパの知的精神と調和し、いわゆる「啓蒙思想」が開花すると、「理性的」「科学的」と言われる主張がこうした蛮行の言い訳に使われた。

哲学界で植民地政策を擁護した代表格は、イマヌエル・カント（1724～1804年）だ。（1784年の小論、「啓蒙とは何か」で）「啓蒙」という言葉を世に広める手伝いをした彼は、世俗主義をこの時代の決定的な特徴と見なしている。『たんなる理性の限界内の宗教』（1793年）などの作品は、信仰における権威が教会から理性に移る力関係の変化を促した。彼はまた、「定言命法」を始めとする倫理的公理を探究したことでも知られている。「定言命法」とは、道徳的実践は目的を達成するための手段ではなく、「～せよ」と断言できる目的そのもの、とする考えだ。

アンヌ・ダシエ
年代不詳

机に向かうダシエを描いた、カミーユ・ロヒールの彩色版画。本書で取り上げた人物も含め、女性哲学者の姿を描いたもの――絵画など――や情報は希少だ。

カントは、「体系的哲学者」としても知られている。美学・倫理学・形而上学――さらには人間学――の概念的なつながりを重視するシステム・ビルダーだった。『実用的見地における人間学』（1798年）では科学的レイシズムの観点に立ち、世の中にはさまざまな「人種」がいて、そのなかで最も洗練され、成熟しているのがヨーロッパの白人だと唱えた。20世紀の哲学者、エマニュエル・チュクウディ・エゼが指摘するように、当時のこうした人種差別的な見解は、「中立的」で、だからこそ否定できない理性が生んだものだと思われていた。エゼはカントの思想を、事実上の「人間の植民地化」を促すものだと非難している。

この新たな「理性」中心主義の中核を成すのは、「客観性」という概念だった。カントの作品が特に目指したのは、局所的・「主観的な」不安を乗り越えることだった。かつて神だけが有していた完全無欠な視点を、理性によって人間も手に入れられる、と読者に訴えた。理性中心主義が浸透していた当時、こうした結論は哲学者たちの心に届いたが、現代の読者にとって、客観的判断に関するこうした主張はくだらないとまではいかなくとも、さぞかし傲慢に聞こえることだろう。個人の嗜好の客観性をめぐる哲学的な議論ほど、傲慢さが顕著に現れるものはない。

スコットランド出身の哲学者、デイヴィッド・ヒュームは、小論「Of the Standard of Taste（趣味の基準について）」（1757年）と主著の『人間本性論』（1738年）に、美に関する大筋の合意は嗜好に客観的基準が存在することを示す、と書いている。「この芸術作品はすばらしい」と誰もが認めるのは、美の客観的な基準があるからだ、というのだ。また、ヒュームによれば、その基準は、（ワイン鑑定士のような）洗練された美的感覚の持ち主である「真なる判定者」によって設定される。こうしたエリート主義が特に問題となるのは、別の思想と融合したときだ。たとえばフランスの古典学者アンヌ・ダシエは、『Des Causes de la Corruption du Goust（嗜好の退廃の原因について）』（1714年）で次のように述べている。

……**個人的嗜好は、その文化の道徳面・芸術面における文明のレベルを示す。**

美は、（予想通り、ヒュームやダシエのような社会文化的に見て高い階層出身の）文化の管理者たちによる「客観的」判断に左右され、芸術作品のレベルはそれを生み出した文明のレベルを示すという。これでは、ヒュームの『人間本性論』もカントの作品と同じように、潜在的な（いや、結構あからさまかもしれない）白人至上主義思想にまみれていると言われても不思議ではない。

11　個人的な財

美学・倫理学・形而上学のこうした変化と同時に、所有・支配・人間性に対する考え方も変化し、それがヨーロッパ諸国の国内外における力を増大させた。

トマス・ホッブズの『リヴァイアサン』（1651年）は、イングランド内戦（1642〜1651年）で国王軍が敗北し、国王チャールズ1世が処刑された後に書かれた。この作品で提示されたのは、市民は自らの生存権が脅かされないかぎりは公権力に従うべきだ、とする保守的な見解だ。ホッブズは、市民が国家による庇護と引き換えにある種の権利を放棄する、「社会契約」なるものを考案し、契約のない「自然状態」では、市民がそれぞれ自分の欲求を満たそうとして自由を奪い合う、「万人の万人に対する戦い」が起こると訴えた。

イマヌエル・カント
18世紀、ドイツ

隅々まで色を塗り直したこのカントの肖像画は、彼の強靭な精神力を強調している。このカントはリクライニングチェアに背筋を伸ばして座り、アストロラーベ〔天体観測用の機器〕を操る傍ら、考え込みながら書き物をしている。

〈右下〉
イマヌエル・カント
『人間学』
1799年、ドイツ、フランクフルト

『人間学』のドイツ語版。ロンドンのウェルカム・コレクション所蔵。21世紀の多くの公共施設と同じように、ウェルカム・コレクションもデリケートな文献を研究者や一般市民が手軽に利用できるよう、全蔵書のオンラインによる閲覧を実施している。

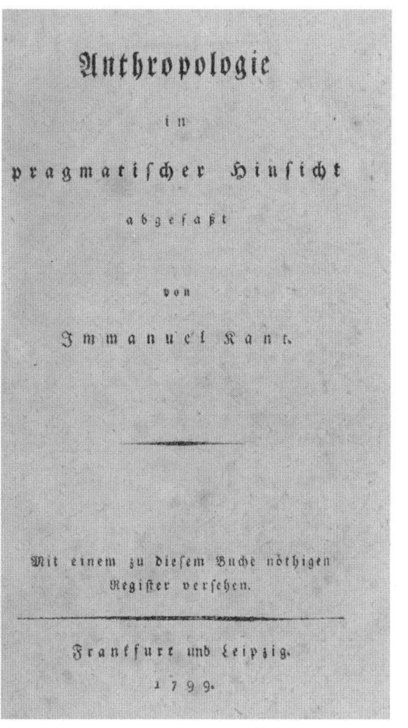

Anthropologie
in
pragmatischer Hinsicht
abgefaßt
von
Immanuel Kant.

Mit einem zu diesem Buche nöthigen
Register versehen.

Frankfurt und Leipzig.
1799.

ジョン・ロックは『統治二論』（1689年）で『リヴァイアサン』を批判した。第一論で王権神授説に異議を唱え、第二論では「自然状態」を再検証し、市民は暗黙のうちに（そして恐怖心から）すべての権利と自由を国に譲渡しているとするホッブズの見解を否定した。人間には生活・健康・自由・財産など、さまざまなものに対する「固有の権利」がある。国家の主権は君主ではなく、あくまでも市民にあると説いたロックは、近代の政治的「自由主義（リベラリズム）」の祖に位置付けられている。やがてこのリベラリズムは、無秩序な「自由」市場政策――次章で論じる資本主義体制の背景――を伴う（ときに「新自由主義」と呼ばれる）経済形態へと向かうことになる。

個人の所有権を訴えるロックの見解はヨーロッパ人に、アメリカ原住民の土地の収奪行為を正当化する論理を提供した。人（「男性」）は誰でも自分の身体に絶対的な所有権を持っている。だから自分の身体を労働に利用して土地を耕せば、その土地は身体の延長として自分の所有物となる。このロックの論理は、ネイティブ・アメリカンのような非定住民や生存権を保証されていない社会の所有権を完全に無視している。さらに、彼のこの論理から、当時、「新

トマス・ホッブズ
『リヴァイアサン』の口絵
1651年、アンドリュー・クルック：イギリス、ロンドン

アブラハム・ボッセによる有名な版画の色変更をしたバージョン。市民は、繁栄しつつも完全に統制が取れた絶対権力＝君主の体のなかに取り込まれている。

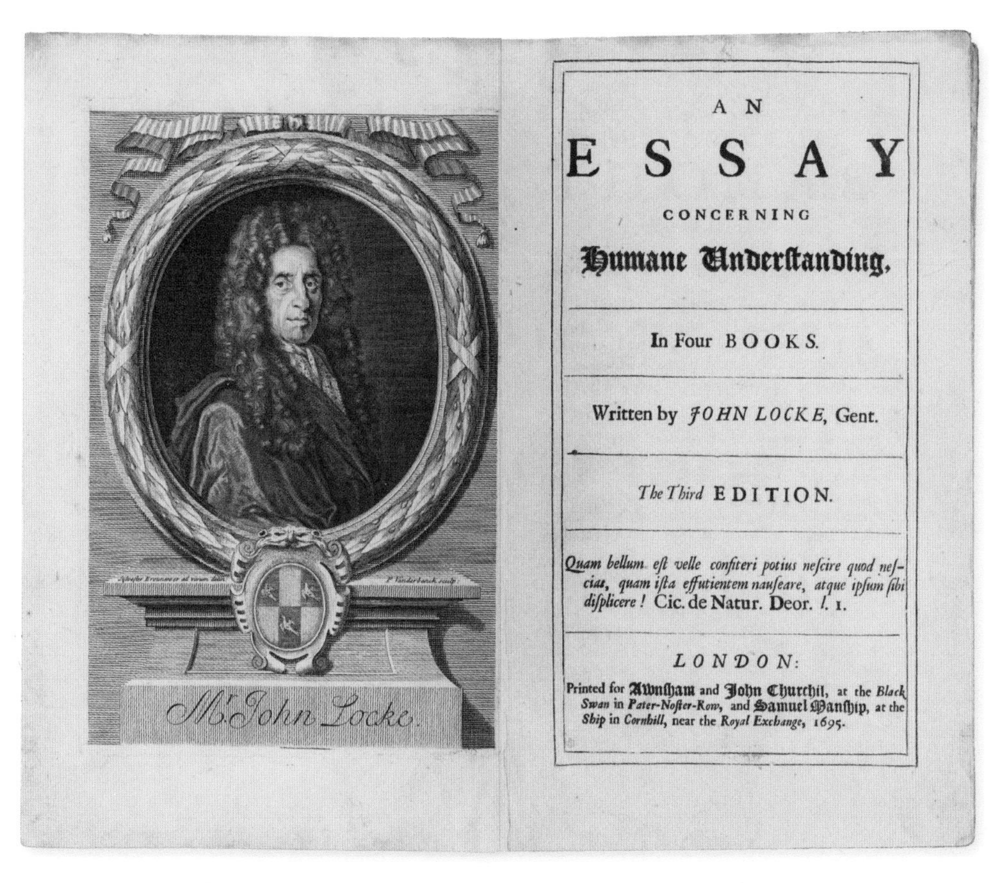

AN
ESSAY
CONCERNING
Humane Understanding,

In Four BOOKS.

Written by JOHN LOCKE, Gent.

The Third EDITION.

Quam bellum est velle confiteri potius nescire quod nesciat, quam ista effutientem nauseare, atque ipsum sibi displicere! Cic. de Natur. Deor. *l.* 1.

LONDON:
Printed for Awnsham and John Churchil, at the *Black Swan* in *Pater-Noster-Row*, and Samuel Manship, at the *Ship* in *Cornhill*, near the *Royal Exchange*, 1695.

ジョン・ロック
『人間悟性論』の口絵とタイトルページ
1695年、
アンシャム&J・チャーチル：
イギリス、ロンドン

『人間悟性論』の第3版。ロックの肖像画を紋章のついた架空の台座に載せているのは、彼の権威と知識を強調するためだ。タイトルページには、キケロの『神々の本性について』の次のような一節が題辞として記されている。「ウェッレイウスよ、自己嫌悪に陥るようなそんな無意味なことを口にする代わりに、知らないことを知らないと白状するのはなんと清々しい気持ちになることか！」

世界」という言葉がどんな重要な役割を果たしていたかもわかるだろう。つまり、侵略する場所を「新しい」土地（もっと不快な言葉を使えば「処女」地）と解釈すれば、自分たちの蛮行を擁護する必要がなくなる。誰かが所有している土地を盗むわけではないからだ。

このロックの唱える政治学は、彼の形而上学、とりわけ「個人のアイデンティティ」という概念にも直接反映されている。『人間悟性論』（1690年）の改訂版では、人間の在り方について論じられている。ロックは、この文章を読み始めた存在と読み終わった存在は、何をもって同一の存在と言えるのか、と考えた。彼の答え（継続的な意識）はこの問いを提示した理由に比べれば、面白味がないかもしれない。自己所有権を有し、政府の憲法的制約を受ける理性的な個人――自由主義の被治者――は、土地所有と商業に関するロックの見解に欠かせない要素だった。

ロックは、カトリック教会の長年の闇に光を当てる存在だと自負する自然哲学者のひとりであり、同時にアメリカとアフリカにおける強制的な植民地開発を真の近代的事業の一環と見なす「近代社会」の一員でもあった（これについては、彼が王立アフリカ会社などの奴隷貿易企業に投資していたことからも明らかだ）。彼の思想は、『社会契約論』（1762年）で「文明」とその不健全な影響

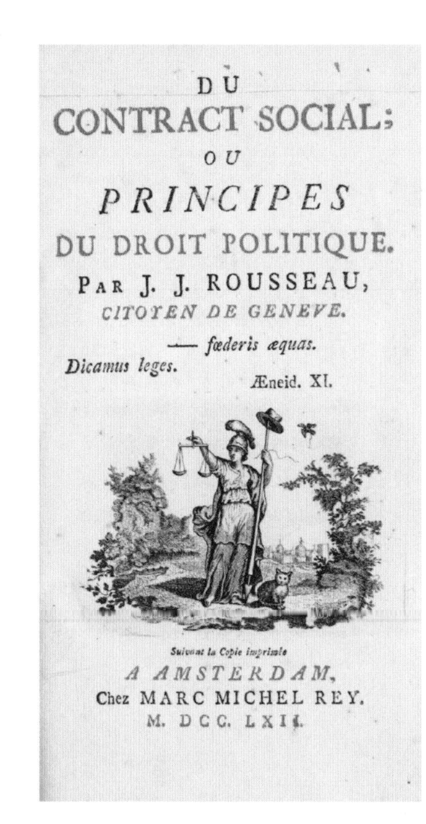

DU
CONTRACT SOCIAL;
OU
PRINCIPES
DU DROIT POLITIQUE.
PAR J. J. ROUSSEAU,
CITOYEN DE GENEVE.
—— fœderis æquas.
Dicamus leges.
Æneid. XI.

Suivant la Copie imprimée
A AMSTERDAM,
Chez MARC MICHEL REY.
M. DCC. LXII.

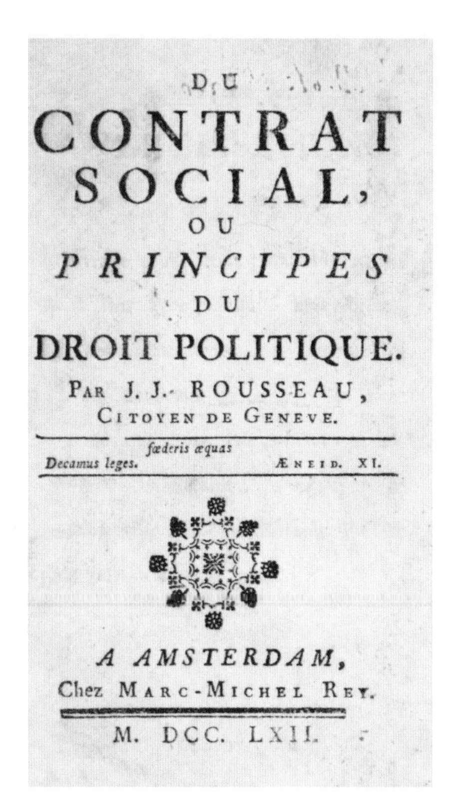

DU
CONTRAT
SOCIAL,
OU
PRINCIPES
DU
DROIT POLITIQUE.
PAR J. J. ROUSSEAU,
CITOYEN DE GENEVE.
fœderis æquas
Decamus leges.
ÆNEID. XI.

A AMSTERDAM,
Chez MARC-MICHEL REY.
M. DCC. LXII.

ジャン=ジャック・ルソー
『社会契約論』
1762年、マルク・ミシェル・レイ：
オランダ、アムステルダム

マルク・ミシェル・レイ発行の、この『社会契約論』のタイトルページには、帽子を載せた棒を手に、森のなかの空き地に立つ擬人化された正義と、その足元の猫が描かれている。題辞には、古代ローマの叙事詩、『アエネーイス』の次の一節が引用されている。「foederis aequas dicamus leges（契約には対等の条件を設定しよう）」。
（右）この版の発行人、マルク・ミシェル・レイはアムステルダムを拠点にし、賛否が激しくてよそでは出版できないフランス人哲学者の作品を数多く出版した。

を非難したジャン＝ジャック・ルソー（1712〜1778年）の思想とは、ある意味、対照的だった。ルソーは、近代化が道徳的堕落を引き起こすと考えた。しかし、注目すべきは、ルソーがヨーロッパ人に毒された「原始的な」先住民――彼が言うところの「高貴なる野蛮人」――に執着していた点だ。彼が近代的な生活と植民地政策を批判したのは、先住民の生活をやみくもに崇拝していたせいである。

12　神の論理

ヨーロッパの景気が回復すると、オランダは貿易に多額の投資を行った。1602年には、インドのムガル帝国との（奴隷民を含む）輸出入品を管理するオランダ東インド会社を設立する。17世紀初頭のオランダによるインド支配はほとんど非公式だったが、このオランダの侵略行為はヨーロッパ人による亜大陸の植民地化を急増させ、ひいては現地の社会や文化、記録保存に永続的なダメージをもたらした。

それまでのインドは昔ながらの文化大国だった。この時代の初め頃には、宗教改革者のカビール（15世紀に活躍）による『ビージャク』などの重要な宗教解説書や、ラグナータ・シローマニ（1477〜1547年頃）の『Tattvacintamanididhiti（タットヴァ・チンターマニ・ディーディティ）』を始めとする論理学者の作品が世間に出回っていた。ムガル帝国は、16世紀初頭にオスマン帝国とペルシャのサファヴィー朝の援助の下、デリー・スルタン朝を破って建国された。当初、イスラム教徒である新たな統治者たちは前身国の制度を土台にし、圧倒的多数派のヒンドゥー教徒との融和を図るため、宗教的な寛容策を取らざるを得なかった。

ムガル帝国のヒンドゥー教徒に寛容な雰囲気は、ムヒバーラー・イッラーハーバーディ（1587～1648年）などのイスラム教作家にとっても喜ばしいことだった。スーフィー教徒でもあったイッラーハーバーディは、スーフィズムの確立に貢献したアンダルシア出身の13世紀のイスラム思想家、イブン・アラビー（129ページ参照）に触発され、彼の著作である『叡智の台座』の注釈書を書き、『Taswiyah（平等化）』という作品で彼の「存在一性論」を支持した。ただし、万物は絶対存在の一者、アッラーの「自己顕現」の結果である、と説く「存在一性論」（もしくは「一元論」）を文字通り解釈せず、社会的な絆を築くための指針と解釈すべきだと唱えている。イブン・アラビーの形而上学をこのように解釈することによって、帝国政府が（どちらもアッラーの創造物である）イスラム教徒とヒンドゥー教徒を区別することを暗に防いだのだった。

ムガル帝国は多様な思想を受け入れただけでなく、多様な民族国家と貿易協定も結んでいる。これは、（ムガル帝国よりはるかに）オランダの利益になった。事実、オランダの貿易・科学・

ラグナータ・シローマニ
『Tattvacintamanididhiti』
1700～1850年頃、インド

ペンシルバニア大学の稀覯本図書館所蔵。20枚から成る、論理をテーマにした18、19世紀の原稿。重要な語句には赤で印がつけられている。

शि० अ०
२

यचेदं तेनकस्यचित्प्रथमं दुरूहे जिज्ञासोदयेपिनक्षतिः तथाचावसर संगत्याउपमाननिरूपणमिति
भावः। यथाचावसरस्यसंगतित्वं तथोक्तमाकरे शब्दांतरसमयग्नाहकं सप्रवृत्तिकलबोधसामान्यतो
दृष्टं अंततोदृष्टजनकप्रवृत्त्योपयिकं चानुमानमपेक्षते निखिलमेवोपमानमितीहाप्युपजीवकत्वमे
वसंगतिरित्यपिकेचित्। संभवतिचेह निरूपणायोरपिकार्यकारणभावः। अथतत्पूर्वकमित्या
दिसूत्रेप्रत्यक्षपूर्वकत्वेनानुमाननिरूपणात् तत्पदेनचव्याप्त्यादिप्रत्यक्षपरामर्शात् अत्रापिस
हचारप्रत्यक्षजन्यत्वादिना तन्निरूपणात् तस्यचप्रत्यक्षनिरूपणाधीनत्वात् एवंअनुमानभिन्न
त्वेनोपमाननिरूपणमपि अनुमाननिरूपणापेक्षमितिसंक्षेपः। तेनलक्षणरूपप्रामाण्यादिभि
रनुमानेनिरूपणीयेकरणस्यक्रियाभेदेभिन्नमूर्तिकतयाक्रियालक्षणपूर्वकं तल्लक्षणमाह व्या
प्तीति अत्रव्याप्तिविशिष्टत्वपक्षधर्मत्वसामानाधिकरण्यावगाहिज्ञानजन्यत्वमर्थः कर्मधारयो
त्तरभावप्रत्ययस्यपदार्थतावच्छेदकद्वयसामानाधिकरण्यवचनत्वात् ज्ञानपदोपसंदानेनचबाधि

श्रीः
२

ताबाधितसाधारणतत्ज्ञानलाभान्नभ्रांतानुमित्यव्याप्तिरित्याहुः तन्न परामर्शेनेनियमतोव्याप्तिवैशिष्ट्यादि
सामानाधिकरण्यग्रहेमानाभावात् गौरवेणतद्विषयकत्वेनाहेतुत्वात् संबंधसंबंधाग्रहेपिविशिष्टज्ञान
त्वस्योपपादितत्वात् भ्रमस्थलेचताहत्वासामानाधिकरण्याप्रसिद्ध्यातज्ज्ञानस्यासंभवात् असत्ख्या
तिनिरासात् अवांतरवाक्यार्थोयोग्यतानिर्णयेमहावाक्यार्थज्ञानानुदयात् विषाणेत्रासंबंधाभावनि
श्चयदशायांत्रा विषाणजन्यमिदंकार्मुकमितिशाब्दबुद्धेर्बल्याणिपदुरुपपादत्वात् नचात्रप्रमाण
प्रस्तावात्प्रमैवलक्ष्यायदिचुसल्लिंगकपरामर्शादिमिभ्रांतानुमितिस्तदाचरमज्ञानपदंप्रामापरं इति
वाच्यं अव्याप्यापक्षधर्मयोस्तत्वावगाहिनापरामर्शेनजनितायांवस्कतःसाध्यवत्पक्षावगाहित
याप्रमायामव्याप्तेः लिंगोपदितलैंगिकभाननिरासेनांशिकभ्रमत्वस्याप्ययोगात् ईश्वरताह
शज्ञानजन्यत्वस्यचातिप्रसंजकत्वात् अतएवव्याप्तिविशिष्ट पक्षधर्मतातदज्ञानंवेत्यादि
कमपास्तं व्याप्तिविशिष्टंचपक्षधर्मश्चेतिद्वंद्वाश्रयणात् व्याप्तिविशिष्टत्वपक्षधर्मत्वावगाहिज्ञा

バルフ・デ・スピノザ

18世紀、オランダ

オランダの印刷会社、トレスリング&Co.が制作した――作者不詳の――印刷物。

軍事・芸術が世界中で最も称賛された「オランダ黄金時代」の主な土台は、東方での搾取的な資源開発だった。哲学者も政治亡命者も保護した、この寛容な人道主義国家は、実は有害な外交政策の上に成り立っていたのだ。

オランダのリベラリズムから恩恵を受けたひとりに、ポルトガルのスペイン系ユダヤ商人の家に生まれ、カトリック教会による迫害から逃れてオランダに移住したバルフ・デ・スピノザ（1632～1677年）がいる。スピノザはイッラーハーバーディやイブン・アラビーとは違い、特定の神学体系の調和よりも概して組織宗教への批判に注力した。彼の主著『エチカ』（1677年）は、徹底した理性主義に基づいた反体制的な書だ。カントに強大な影響を及ぼしたこの作品の目的は、宗教思想を論理的に語ることだった。スピノザは擬人化された神観を否定し、代わりに神は自然と一体化した非人格的存在だと説いた。

すべては神のなかにあり、神なしでは何も存在できないし、感じ取ることもできない。

自然も私たちの意識も体もすべてひっくるめてひとつの神だとするこの考えだと、「祈り」は無意味なものになる。それに応える一時的な要素が存在しないからだ。理性に従って生きることで神の目線に近づける、と説いたスピノザにとっての宗教は自然哲学そのものだった。スピノザはさらに論を発展させ、世界の見方を次のふたつに分類した。ひとつは時間の枠にとらわれた、一時的な視点（持続の相の下）で見る方法、もうひとつは時間を超越した、絶対的な視点（永遠の相の下）で見る方法だ。後者の「永遠の相の下」での視点も、後世の哲学において中心的な役割を果たすことになる「客観性」の概念に取り込まれた。

13　オランダと日本の関係

オランダは、鎖国をしていた日本の唯一の貿易相手国であり、日本の発展にも貢献した。戦国時代が幕を閉じ、江戸幕府が政権統一を果たした17世紀初頭の日本は、比較的平和な治世と経済的発展を享受していたが、キリスト教の布教を抑えるために、海外との交流・貿易を制限した。しかし、こうして異国と距離を置いていたにもかかわらず、江戸時代の日本は儒教の隆盛期だった。それは、陽明学者の中江藤樹、別号「嘿軒」(1608〜1648年)が書いた『翁問答』(1641年)が当時、人気を博していたことからもわかる。『翁問答』は、「考」という道徳律を重視し、考こそが「最上の徳」「人間の営みの根幹」だと説く。藤樹は、出産直後の母子の姿を通し、子に対して犠牲を厭わない親の情愛について、次のように綴った。

子が寝ていれば、母は起こさぬようにと体を伸ばすこともせず、たとえ己の体が血で汚れていても、風呂に入ったり髪を洗ったりする暇さえない。

徳を積むには、こうした親の犠牲心や情愛に報いなければならない。こうした姿勢は日本土着の神道の教義と一致する、と藤樹は述べた。神道は、仏教と違って家族の縁を断ち切ることを勧めていないからだ。このような社会的結束を重視する思想は、鎖国政策の実施で閉塞感が深まる時代に強い共感を呼んだにちがいない。

江戸期にはもうひとつ、「武士道」という思潮があった。宮本武蔵の『五輪書』(1645年頃)や山本常朝の『葉隠』(1716年頃)に代表される、平時の武士の心得を綴った作品では、儒学思想と禅僧思想と神道思想が融合している。宮本武蔵(1584〜1645年)は、仕える主君を失った侍、いわゆる「浪人」だった。「兵法」指南と他の剣術流派に対する疑問が提示された『五輪書』の最終巻、「空之巻」には、仏教の空の概念を踏襲した精神的・実践的心得が綴られている。

のちに日本の鎖国政策が強化されると、「日本独自の精神文化」を研究する国学の勃興によって、日本の古典が新たに注目を浴びるようになった。『源氏物語』の注解書を著した本居宣長(1730〜1801年)は、日本古来の法や思想の理解に努め、復古神道〔儒教・仏教の影響を受ける以前の日本固有の精神に立ち返ろうという思想〕を唱えた。また、『源氏物語』に綴られた「もののあはれ」という、物事やそのはかなさに対する一般的な感性こそが「日本固有の」情緒だとする国粋主義的な理論を提唱し、中国の儒教は自然に背く教えだと非難した。

当時の日本には、1640年代に長崎の出島を拠点に始まったオランダとの交易が、ヨーロッパの思潮に触れられる唯一の機会だった。それゆえに17、18世紀の日本では、「オランダ」という言葉は西洋からの渡来物全般を意味するようになった。蘭学者・森島中良の『名勝図会　阿蘭陀紀聞』(1787年)や、蘭学医・杉田玄白によるオランダ語の解剖学書の翻訳本『解体新書』など、オランダゆかりの書物が出版されたのも交易の結果だ。その後、19世紀半ばになってようやく、新興国アメリカ合衆国の黒船来航によって、日本とオランダとの蜜月関係は解消され、江戸時代も終幕を迎えた。

中江藤樹
年代不詳

閑谷学校資料館に展示されている、日本の陽明学者、中江藤樹の肖像画のレプリカ。藤樹は当時の男性の一般的な髪型だった「ちょんまげ」を結っている。

宮本武蔵

1843年頃、日本

浮世絵画家、歌川国芳の作。文章と図版が合体しているダイナミックなデザインのこの版画は、全身うろこで覆われた龍と格闘中の宮本武蔵を描いたものだ。この作品は国芳の『通俗水滸伝豪傑百八人』に収められている。

14　レジスタンス

アメリカ合衆国は独立宣言（1776年）をもってイギリスから自立し、地政学上、大きな存在感を急速に高めていった。アメリカの成功は、オランダ、スペイン、ポルトガル、イギリスと同様、利己的な外交政策と奴隷民の無償労働によるものだった。

当時の社会を現代の進歩的な基準で判断するのはフェアじゃないと思う人もいるだろうが、現に、当時の書物にもこれらの慣習をあからさまに批判したものが多々ある。ヨーロッパの黒人の権利を擁護する、アモの『ヨーロッパにおけるムーア人の権利について』は、世界中が認めるレジスタンス文学の金字塔だ。1608年に『奴隷制反対論』を書いたアブー・アル＝アッバス・アハメド・イブン・アハメド・アル＝タクルリー・アル＝マスフィ・アル＝トンブクティ（アハメド・ババ、1556〜1627年）は、「不信心者」だけは奴隷にしてもいいと主張した——つまり、奴隷制は人種ではなく、信仰の有無を基準に実施されるべきだと説いたのだ。このような見解は特に進歩的に見えないかもしれないが、少なくともババのこの作品は、奴隷制の本質を変性させ、奴隷が信仰の力で（イスラム教への改宗によって）解放される機会を提供した。ソコト帝国（現在のナイジェリア）のナナ・アスマウ・ビン・ウスマン・ダン・フォディオ（1793〜1864年）の作品にも、同じような姿勢が見て取れる。彼女がハウサ語でまとめた『Tabbat Hakika（神の真理を確信せよ）』（1811年に父親が書いたオリジナル版を1831年に編集）では、イスラム教に基づく道徳規範と権利と義務の問題が検討されている。彼女は戦争捕虜の奴隷化を認める一方で、平時に自由民を奴隷化する人間は地獄の業火に焼かれるだろうと警告した。

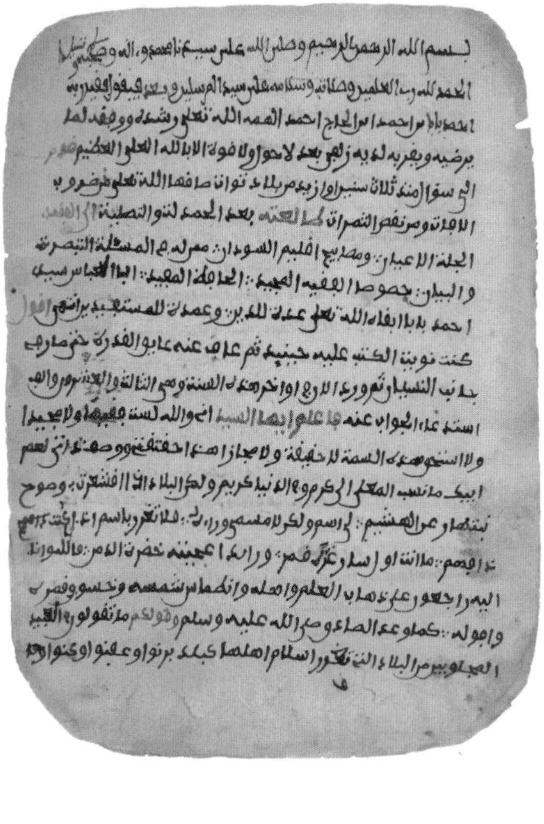

アハメド・ババ
『奴隷制反対論』
17世紀、マリ共和国、トンブクトゥ

イブン・ハルドゥーンなどのイスラム教法学者の作品を土台にし、アラビア語で書かれたアハメド・ババのこの作品は、17世紀の西アフリカにおける奴隷制について考察している。

ハイチ革命
1839年、ファーン&Cie：
フランス、パリ

ジャック・マルケ・ド・モンブルトン・ド・ノルヴィン著『Histoire de Napoléon（ナポレオン史）』に挿入された、フランス軍とハイチ軍の衝突を描いたオーギュスト・ラフェによるイラスト。注目すべきは、鑑賞者の視点がハイチ側にあることだ。

18世紀のアフリカでは、他にも奴隷制に異を唱える作品がいくつか生まれている。クオブナ・オトバ・クゴアーノ（1757～1803年頃）は、現在のガーナ南部にあるアジューマコという都市で生まれたが、13歳のときに誘拐されてグレナダのプランテーションで強制労働させられた後、イングランドで「売買」された。クゴアーノはそこで教育を受け、最終的には自由の身となった。彼の『Thoughts and Sentiments on the Evil and Wicked Traffic of Slavery and Commerce of the Human Species（人間を商品にする邪悪な奴隷売買に関する見解）』（1787年）は、聖書の記述や自らの生い立ちを引き合いに出しながら、奴隷制の非合法性を訴えている。さらに彼は、奴隷制という悪を積極的に防ぐ努力をしない人間は共犯者に等しい、とも主張した。

イギリス国民ひとりひとりに、アフリカの恐ろしい、非人道的な殺人や抑圧に対する何らかの責任がある。

クゴアーノの著作が、オラウダ・イクイアーノ（1745～1797年）の『アフリカ人、イクイアーノの生涯の興味深い物語』とともに世間に登場したのは、折しもブードゥー教司祭のデュティ・ブークマンらが率いた反植民地運動が盛り上がりを見せ始めた頃だった。「ブードゥー教」は、西アフリカの伝承・信仰がカトリック思想と融合した哲学的・宗教的思想だ。ブークマンは1791年のある式典で、ブードゥー教の巫女、セシル・ファティマン（1791年に活躍）とともに心の蜂起の必要性を訴えた。ふたりは「白人の神」と「自分たちの神」を区別し、神に対する反植民地的・反白人至上主義的なアプローチを説いた。ブークマンのこのスピーチはブードゥー教徒の間で口から口へと伝えられたが、1824年に活字化し、ヘラルド・デュメスル著の『Voyage dans le nord d'Hayiti（ハイチ北部への旅）』に掲載された。

教会の権威も君主の権威も衰退すると、周縁化された人々の力が増大し始めた。フランス革命（1789〜1799年）が一共和国の君主制と権力層の崩壊に成功すると、南アメリカにおけるスペイン・ポルトガルの植民地も独立を求めた。軍人・政治家のシモン・ホセ・アントニオ・デ・ラ・サンティシマ・トリニダード・ボリバル・イ・パラシオス・ポンテ・イ・ブランコ（1783〜1830年）は『Carta de Jamaica（ジャマイカからの手紙）』（1815年）に、外国勢力による支配に比べれば、自国民による独裁政治の方がまだましだ、と書いている。ボリバルは団結を通して力を得ることを目指し、南アメリカのアイデンティティを共通認識にすべく努力した。

おそらく最も注目すべきはハイチ革命（1791〜1804年）だろう。ハイチ軍将軍のフランソワ＝ドミニク・トゥーサン・ルヴェルチュールが、クゴアーノやブークマンなどのレジスタンス文学を土台にして書いた『Constitution of Saint-Domingue of 1801（1801年のサン＝ドマング憲法）』には、当時、「サン＝ドマング」と呼ばれたハイチの独立後の立て直し計画が哲学的な視座から綴られている。ルヴェルチュールは、奴隷制は禁止されるべきもの、あってはいけないものだと語り、人種によって決まるヒエラルキーを拒絶して、「美徳と才能」に基づく差異のみを受容した。やがて本格化したハイチ革命は、1804年にハイチに独立をもたらした。

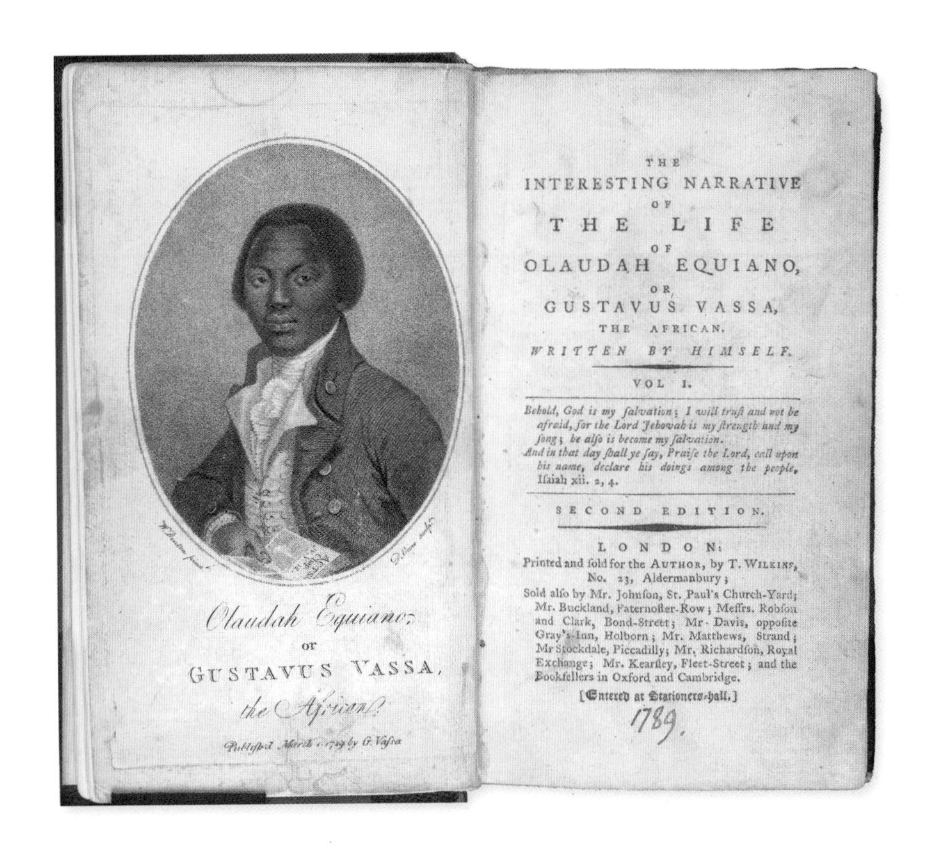

Olaudah Equiano;
or
GUSTAVUS VASSA,
the African.
Published March 1789 by G. Vassa

THE
INTERESTING NARRATIVE
OF
THE LIFE
OF
OLAUDAH EQUIANO,
OR
GUSTAVUS VASSA,
THE AFRICAN.
WRITTEN BY HIMSELF.

VOL I.

Behold, God is my salvation; I will trust and not be afraid, for the Lord Jehovah is my strength and my song; he also is become my salvation.
And in that day shall ye say, Praise the Lord, call upon his name, declare his doings among the people.
Isaiah xii. 2, 4.

SECOND EDITION.

LONDON:
Printed and sold for the AUTHOR, by T. WILKINS, No. 23, Aldermanbury;
Sold also by Mr. Johnson, St. Paul's Church-Yard; Mr. Buckland, Paternoster-Row; Messrs. Robson and Clark, Bond-Street; Mr. Davis, opposite Gray's-Inn, Holborn; Mr. Matthews, Strand; Mr Stockdale, Piccadilly; Mr. Richardson, Royal Exchange; Mr. Kearsley, Fleet-Street; and the Booksellers in Oxford and Cambridge.
[Entered at Stationers-hall.]
1789.

T・ウィルキンス
『アフリカ人、イクイアーノの生涯の興味深い物語』の口絵とタイトルページ
イングランド、ロンドン

口絵に描かれたオラウダ・イクイアーノは（おそらく）自分の著書を手に、読者をまっすぐ見つめている。タイトルページには、「オラウダ・イクイアーノ、別名グスタヴス・ヴァッサ、アフリカ人」と記されている。

15　交差点

市民権獲得をめぐる戦いは、他所でも進行中だった。オランダのアンナ・マリア・ファン・シュルマンによる『Dissertatio, de Ingenii Muliebris ad Doctrinam, et Meliores Litteras Aptitudine（教養があるメイド）』（1638年）、イギリスのメアリー・アステルによる二部構成の『A Serious Proposal to the Ladies（淑女たちへの重大な提言）』（1964年と1967年）、メアリ・ウルストンクラフトによる『女性の権利の擁護』（1792年）は、女性にも教育の機会を与えることの重要性を説いている。これらの作品は、民主主義における理性の可能性に焦点を当て、理性の力は男性だけでなく女性にもあり、特定の集団を不当に排除する男性の「権威者」は自分自身が設定した基準を満たせないだろうと主張した。

こうした動きはヨーロッパだけにとどまらなかった。のちにソル・フアナ＝イネス・デ・ラ・クルスの名で知られるようになるフアナ＝イネス・デ・アスバヘ・イ・ラミレス・デ・サンティラナ（1648～1695年頃）は、『Respuesta a Sor Filotea de la Cruz（シスター・フィロテア・デ・ラ・クルスへの返事）』（1691年）を著し、女性が知性を磨く権利を擁護した。一方、ロシア帝国でもエカチェリーナ2世という名称で知られているアンハルト・ツェルプストのゾフィー（1729～1796年）が『訓令（Nakaz）』（1767年）を書き、拷問や死刑を非難すると同時に、法の前では万人は平等だと強く訴えた。

女性の権利の擁護者のなかには、自分の考えが奴隷や先住民の権利擁護運動と相通ずるものがあることを理解している者もいた。『Productions of Mrs. Maria W. Stewart（ミセス・マリア・W・スチュワートの作品）』（1835年）に反奴隷制の思想をまとめた、政治活動家のマリア・W・スチュワート（1803～1879年）は、ウルストンクラフトやファン・シュルマン、アステルのように、黒人を解放し、彼らに自己啓発の機会を与えるべきだと主張した。

> ……**私が思うに、アメリカの黒人奴隷を解放すれば、黒人たちは自らの道徳心や知的能力の向上に熱心に目を向けるようになる。そうなれば偏見は徐々に消え、白人たちは奴隷解放を支持せざるを得なくなるだろう。**

この頃、インドのベンガルでは、ヒンドゥー思想家のラーム・モーハン・ローイ（1772～1833年）が『Conference Between An Advocate For and An Opponent of the Practice of Burning Widows Alive（寡婦殉死の賛成論者・反対論者間の協議）』（1818年）を書いている。この作品は、寡婦が夫の亡骸を火葬するときに一緒に焼身自殺することを求められる「サティ」という慣行を非難した。当時、イギリス東インド会社で働いていたローイの著作が注目されたひとつの理由は、ムガル人社会の「野蛮さ」が描写されていたからだった。つまり、このサティ反対論は、道義的・啓蒙的な支配力を誇示するイギリスによる植民地政策に、意図せず政治的なお墨付きを与えることになったのだ。

〈上〉
メアリ・ウルストンクラフト
1790～91年頃、イングランド

ジョン・オーピー作のこの肖像画のウルストンクラフトは、髪を後ろに束ね、本から一瞬、目をそらしてこちらを見ている。

〈下〉
アンナ・マリア・ファン・シュルマン
1649年、オランダ

ヤン・リーフェンス作の油彩画。ロンドンのナショナル・ギャラリーに展示されている。

Dessinée en 1777 par Ch. Monnet Peintre du Roi.

『訓令』と
エカチェリーナ2世
1778年、フランス

サンクトペテルブルクのエルミタージュ美術館で発見された、ピエール・フィリップ・ショファール作の版画。天使のファンファーレが華々しく鳴り響くなか、アンハルト・ツェルプストのゾフィー（エカチェリーナ2世）が大衆に『訓令』を差し出している。

ГОСПОДИ БОЖЕ МОЙ! ВОНМИ МИ, И ВРАЗУМИ МЯ, ДА СОТВОРЮ СУДЪ ЛЮДЕМЪ ТВОИМЪ ПО ЗАКОНУ СВЯТОМУ ТВОЕМУ СУДИТИ ВЪ ПРАВДУ.

Domine Deus mi! exaudi me, et da mihi intelligentiam, vt constituam iudicium genti tuae, quo secundum legem tuam sanctam dicatur ei ius.

НАКАЗЪ

КОММИССІИ О СОСТАВЛЕНІИ ПРОЕКТА НОВАГО УЛОЖЕНІЯ.

INSTRVCTIO

Coetui ad condendam ideam noui legum Codicis conuocato, plenaque ad id donato potestate.

1.

Законъ Христіанскій научаетъ насъ взаимно дѣлати другъ другу добро, сколько возможно.

1.

Religio Christiana docet nos, vt alter alteri mutuo tantum boni faciamus, quantum quidem in cuiusque nostrum viribus situm est.

ソル・フアナ=イネス・デ・ラ・クルス
1750年、メキシコ

メキシコの芸術家、ミゲル・マテオ・マルドナド・イ・カブレラ（1695～1768年）が、ソル・フアナの死後に描いた油彩画の肖像画。絵のなかのソル・フアナは、サン・ヘロニモ修道会の習慣に沿って、受胎告知の絵が描かれた「修道女のバッジ」を身につけている。

〈右〉
エカチェリーナ2世
『訓令』
1770年、科学アカデミー：ロシア、サンクトペテルブルク

このページには、ヤコブ・シュテーリンがデザインした印象的な章頭飾り（ページ上部を横切る図版）と、クリストファー・メルヒオール・ロス作の版画が含まれている。

16　歴史的な躍進

インド亜大陸の植民地化と搾取行為が経済への強力な追い風となっていたイギリスは、18、19世紀に「産業革命」と呼ばれる技術革新の時代を迎える。たとえば、不当な安値のインド綿にひどく依存していた国内の繊維産業は、この技術革新からさらなる恩恵を受けた。石炭を燃料とする蒸気エネルギーによって、生産コストが大幅に削減したのだ。また、フランスとアメリカ大陸での革命が重なって生じた地政学的変化も、ヨーロッパの歴史的な躍進の一因となった。ヨーロッパの「近代化」が幕を開けたのだ。

前述した反差別主義の大衆運動は、印刷技術の進化と新聞産業の発展によって国民の関心を集めるようになった――そして形而上学者たちは、こうした社会政治学的な流れについて検証し始める。ドイツの思想家、ゲオルク・ヴィルヘルム・フリードリヒ・ヘーゲルの『精神現象学』（1807年）は、ヨーロッパの歴史的な躍進を初めて西洋人が分析した書のひとつで、そこには社会の発展に必要な宇宙原理が示されていた。彼はそれを「弁証法」と呼んだ。ヘーゲルの言う弁証法とは、矛盾した事柄や反対の立場を受け入れてひとつにまとめる、一連の手法のことだ。反対意見や矛盾を取り入れながら何度も調整を繰り返すことで、最終的に皆が歩み寄った理想的な社会が実現する。初めの主張（テーゼ）と次に登場する反対意見（アンチテーゼ）を統合し（アウフヘーベン）、より高い次元の考えを生み出すのだ。

Die

Welt

als

Wille und Vorstellung:

vier Bücher,

nebst einem Anhange,

der die

Kritik der Kantischen Philosophie

enthält,

von

Arthur Schopenhauer.

Ob nicht Natur zuletzt sich doch ergründe?

Göthe.

Leipzig:

F. A. Brockhaus.

1819.

『意志と表象としての世界』
1819年、E・A・ブロックハウス：
ドイツ、ライプツィヒ

ショーペンハウアーの『意志と表象としての世界』初版第1巻のタイトルページ。

アルトゥール・
ショーペンハウアー
1859年、ドイツ

銀メッキをした銅板にヨウ化銀を塗布して感光性を持たせ、水銀蒸気で現像する「ダゲレオタイプ」という手法でヨハン・シェーファーが撮影した写真。ショーペンハウアーは撮影が終わるまで最大15分間、リーディンググラスを持ったこのポーズでじっとしていなければならなかったはずだ。

宇宙バランスの原理に関するこうした考えに、覚えはないだろうか。万物には対立しながら依存し合う、「陰と陽」のエネルギーが存在するという宇宙の法則を体系化した道教思想に、ヘーゲルが影響を受けていたとしても意外ではない。道教を始めとしてさまざまな非西洋哲学がヨーロッパ文学に活路を見出した。たとえば、ポーランド・リトアニア共和国出身のアルトゥール・ショーペンハウアーが書いた『意志と表象としての世界』（1819年）には、仏教思想が反映されている。これは、フッサールの『現象学の理念』と同様、人間的・社会的発展を実現させる非物質的エネルギーに注目した作品だ。ショーペンハウアーは、「生きんとする意志」（Wille zum Leben）と自ら名付けた非理性的な衝動こそが、人々と人々が住む社会を前進させる主な原動力だと考えた。だが、この盲目的な生への意志からは絶えざる苦悩と不安しか生まれない。ショーペンハウアーは、この目的がなく、有害な作用を及ぼしかねない衝動に抗う人たちのことを「聖人」と呼んだ。

このように、社会や人の動きと心理状態を理解しようとする試みは、その後、世界各国の思想家たちが世界戦争や強制労働、持続的な植民地政策によって実存的危機に陥ると、哲学研究の主流となった。

大きな物語

GRAND NARRATIVES

1850～2000年

1 歴史の構築

19世紀も20世紀も、さまざまな点でそれ以前の時代と大差ない。大国が台頭しては衰退し、哲学は政治の流れと深く結びついていた。だが、産業革命の恩恵を大いに受けたという点で特徴的だ。印刷物の大量生産もその恩恵のひとつである。本や定期刊行物、新聞が世間に出回り、技術開発や国内外の出来事に関する情報が幅広い層に届くようになった。この大量の情報が物語や歴史をより複雑化し、今度はこの複雑化した物語や歴史が、19世紀初期にヘーゲルによって確立された「歴史哲学」というジャンルを発展させた。

当時の思想家たちが最も関心を抱いた世界的出来事のひとつは、インドのムガル帝国がイギリスの支配下に置かれたことだ。18、19世紀、イギリス東インド会社が東インド諸島と清に加えてムガル帝国とも貿易関係を結び、（茶だけでなく）綿や絹、インディゴ染料を安く輸入したことでイギリスの製造業が勢いを増した。しかし、1857年に、こうした従属的で搾取的な「貿易」関係に不満を募らせたインド人労働者たちが、東インド会社からの独立を求めて反乱を起こす。この反乱は鎮圧されたものの、イギリス政府は東インド会社を解体し、（英領インド帝国を建設して）1858年から1947年までインド亜大陸を直接支配した。

このイギリスの植民地政策を議論の俎上に載せた思想家に、カール・マルクス（1818～1883年）がいる。このドイツ生まれの政治理論家は、『ニューヨーク・トリビューン』紙の連載記事（1853～1858年）でインドにおけるイギリスの収奪行為を批判する一方、マンチェスターにある父親の紡績工場で働いていた、スポンサーで盟友のフリードリヒ・エンゲルスを介してイギリスの繊維産業と深い関りを築いていた。

マルクスは、『資本論』（1867年）の著者として極めて有名だ。ヘーゲルから強い影響を受けたこの作品は、階級闘争と抑圧を内在する経済学と概念を分析している。マルクスによれば、社会はふたつのグループに分かれているという。ひとつは、生産手段を所有し制御する「資本家階級（ブルジョワジー）」、もうひとつはブルジョワジーの下で働く「労働者階級（プロレタリアート）」だ。そして、ブルジョワジーは労働者に不当に少ない賃金を支払うことで自分の利益を増やし、被雇用者の労働報酬の一部が雇用主の懐に入るというこの構図は、もはや「搾取」に等しい、そうマルクスは主張した。

『資本論』には、このシステムが維持される理由についても記されている。すなわち、経済力のある支配階級が（法制度やメディアなどの）社会的機関を管理して「思想統制」を行い、自分たちの思想が常識だと世間に思い込ませ、その結果、プロレタリアートはこの搾取の構図をごく当たり前のことだと錯覚する。マルクスはそれを「誤った階級意識」と呼んだ。

ブルジョワジーが作り出したこの錯覚は、人々に「商品の物神崇拝」をもたらした。これは、（たとえば自動車やテレビといった）商品を生み出した社会関係を無視し、商品自体の価値をやみくもに崇める現象だ。だが、商品はスーパーマーケットの棚に魔法のように現れるわけではない。マルクスとエンゲルスは、（1857年のインド大反乱のような）労働者による革命を通じて、極めて有害な幻想から人々の目を覚まさせようと腐心した。

Das Kapital.

Kritik der politischen Oekonomie.

Von

Karl Marx.

Erster Band.

Buch I: Der Produktionsprocess des Kapitals.

Das Recht der Uebersetzung wird vorbehalten.

Hamburg

Verlag von Otto Meissner.

1867.

New-York: L. W. Schmidt. 24 Barclay-Street.

カール・マルクス

1857年、イングランド

マルクス52歳のときの肖像写真。当時の彼は、演劇批評家で政治活動家でもあったイェニー・フォン・ヴェストファーレンと子供たちと一緒に、ロンドンで亡命生活を送っていた。

〈左〉

カール・マルクス

『資本論：経済学批判』

1867年、オットー・マイスナー：ドイツ、ハンブルク

このタイトルページの最大の特徴は、いくつもの異なる書体が使われている点だ。セリフ体と、19世紀初期に誕生した比較的新しいサンセリフ体が入り交じっている。また、表題の最後にピリオドが打たれているのも珍しい。

カール・マルクス
『資本論：経済学批判』
〈左上〉
1872年、ポリャコフ：
ロシア、サンクトペテルブルク

〈右上〉
1889年、アップルトン&Co.：
アメリカ合衆国、ニューヨーク州
ニューヨーク市

〈下〉
1867年、オットー・マイスナー：
ドイツ、ハンブルク

異なる言語に翻訳された『資本論』の各タイトルページ。原著はドイツ語で書かれ、1872年にロシア語に、1887年に英語に翻訳された。ドイツ語版には花模様の縁飾りが施され、英語版には小さな四角い枠のなかにイラストが描かれているが、ロシア語――キリル文字――版は装飾がない、いたって簡素なデザインだ（9世紀のブルガリア帝国君主シメオン1世の命により、それ以前のグラゴル文字に取って代わったキリル文字は、文化と政治が新しい局面を迎えたことを象徴するものだった）。

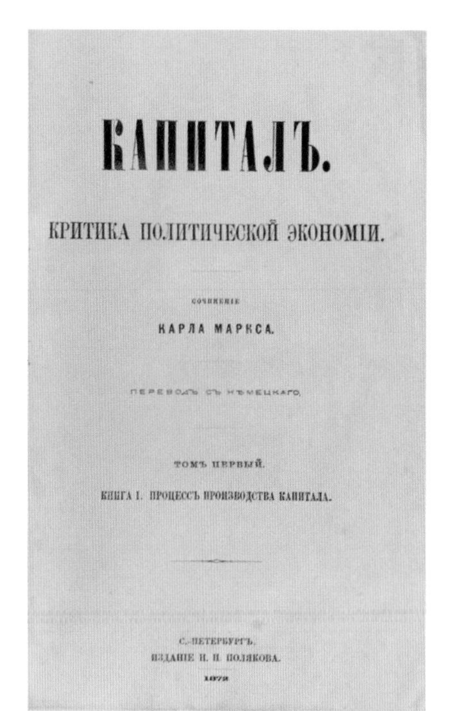

КАПИТАЛЪ.

КРИТИКА ПОЛИТИЧЕСКОЙ ЭКОНОМІИ.

СОЧИНЕНІЕ
КАРЛА МАРКСА.

ПЕРЕВОДЪ СЪ НѢМЕЦКАГО.

ТОМЪ ПЕРВЫЙ.
КНИГА I. ПРОЦЕССЪ ПРОИЗВОДСТВА КАПИТАЛА.

С.-ПЕТЕРБУРГЪ.
ИЗДАНІЕ Н. П. ПОЛЯКОВА.
1872

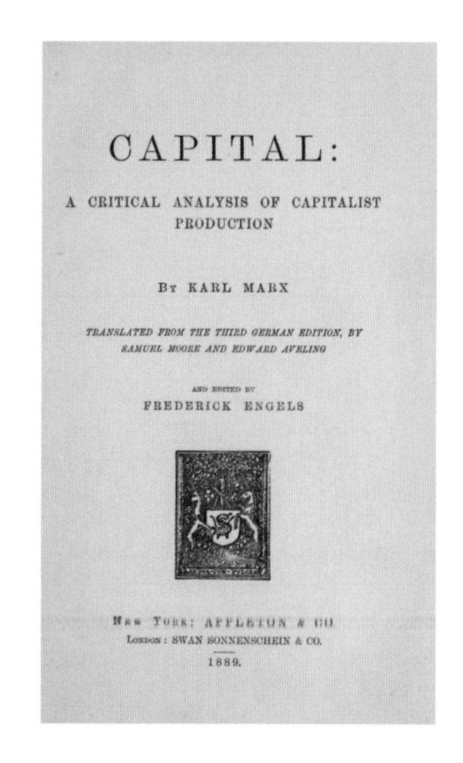

CAPITAL:

A CRITICAL ANALYSIS OF CAPITALIST
PRODUCTION

BY KARL MARX

TRANSLATED FROM THE THIRD GERMAN EDITION, BY
SAMUEL MOORE AND EDWARD AVELING

AND EDITED BY
FREDERICK ENGELS

NEW YORK: APPLETON & CO.
LONDON: SWAN SONNENSCHEIN & CO.
1889.

Das Kapital.

Kritik der politischen Oekonomie.

Von
Karl Marx.

Erster Band.
Buch I: Der Produktionsprocess des Kapitals.

Hamburg
Verlag von Otto Meissner.
1867.
New-York: L. W. Schmidt, 24 Barclay-Street.

ゲオルク・ジンメル（1858～1918年）は、『貨幣の哲学』（1900年）で資本と社会をめぐる同様の問題を取り上げ、貨幣が人間の思考と行動に及ぼし得る影響を分析した。ジンメルの考えによれば、貨幣は、さまざまなしがらみから個人を解放して自由をもたらすが、人間的な温かみのない金銭的なやり取りは、顔の見えない単なる交換ネットワークと化し、人々に社会的分断や疎外〔手段を持たない労働者が資本家の利益追求に振り回され、自分自身を表現できる喜ばしいものであるはずの労働を苦役と感じるようになること〕をもたらすという。

当時の思想家たちの研究テーマは、ヨーロッパ諸国の海外政策と深い関連性があった。イギリス人入植者はインド人から労働搾取することで莫大な利益を得たが、疎外とイデオロギー操作のプロセスによって、これらの不当行為は消費者のためと称して常態化された。

2　歴史の表舞台

これらの思想家たちが唱えた理論は、歴史の発展を「単系進化的な進歩」と見なす考え、つまり、社会は狩猟採集集団から牧畜集団、農業社会、商業社会へと直線的に進化するという考えに基づいている。マルクスはヘーゲルと同じく、歴史は弁証法というプロセスによって、「未開」の状態から「野蛮」な状態を経て「文明」に至ると考えた。イギリスに関する彼の記述は、インドがイギリスによって近代化を経験しているさなかの、実質上の封建社会であることを暗黙裡に前提にしている。

だが、この「単系進化的な進歩」という見解が一般的になると、ある国は他の国より「成熟している」という考えが助長され、結果的に、植民地政策を正当化する声が高まっていった。植民地化は「未成熟」な社会を成熟へと向かわせる「啓蒙的」な政策だと見ることもできるからだ。この考えを支持したのが、イギリス人哲学者のハリエット・テイラー・ミル（1807〜1858年）とジョン・スチュアート・ミル（1806〜1873年）だった。かの有名な『自由論』（1859年）はこのミル夫妻の共著だが、残念なことに、夫の単著だと誤解している人もいる。彼らはこの『自由論』で、次の「危害原理」というものを提唱した。

> **文明社会のいかなる成員に対しても、その人の意志に反して、正当に権力を行使し得る唯一の目的は、他者への危害を防止することだ。**

ここで注目すべきは、「文明」という言葉が使用されている点だ。哲学者にして経済学者だった父親ジェイムズ・ミルの『英領インド史』が成功した後、ジョンが東インド会社の高給職に就いていることから、「文明」に対する彼とハリエットの見解は、イギリスの植民地政策と直接的な関連性があったにちがいない。彼らの「危害原理」は、「文明社会」に属さない人間の権利を暗に無視している。ミルは、そうした人々に権力を行使するのは、あくまでも「彼らのため」だと信じていた。

ミル夫妻は、イギリスのインド支配をまったく批判しなかったわけではないが、支配の方法はともあれ、支配自体については問題視していなかった。植民地政策における権力の乱用はこの国策の正当性を蝕むが、その乱用が是正されればイギリスが撤退する必要はないと考えていたのだ。

『自由論』はイギリスを、「他人化」〔対象を未知のものや自分とは異なるものと見なす過程〕というプロセスを踏んで「文明化した国」だととらえている。そして20世紀後半に入ると、「脱植民地化」を訴える思想書がこの見解に焦点を当てた。パレスチナ出身の思想家、エドワード・サイード（1935〜2003年）は『オリエンタリズム』で、イギリスは「道徳観が高い」というイメージは、「偉大」ではない「他者」との比較によって形作られたと指摘した。19世紀のイギリス哲学は、ヨーロッパの秩序を必要とする異国の空間に「オリエント」という言葉を当てはめていた（前述

ハリエット・テイラー
1834年、イギリス

個性を強調するマニエリスム手法を用いて無名の画家が描いた、（ジョン・スチュアート・ミルと結婚する前の）若き日のハリエット・テイラー。ロンドンのナショナル・ポートレート・ギャラリーに展示中。

〈右〉
ジョン・スチュアート・ミル
『自由論』
1864年、ロングマン、グリーン、ロングマン・ロバーツ＆グリーン：イギリス、ロンドン

ミルがセント・アンドルーズ大学の名誉学長に就任した直後に出版された、『自由論』第3版のタイトルページ。現代でもここ数十年、著作の出版が大学などの役職就任の条件となる傾向がかなり強まっている。

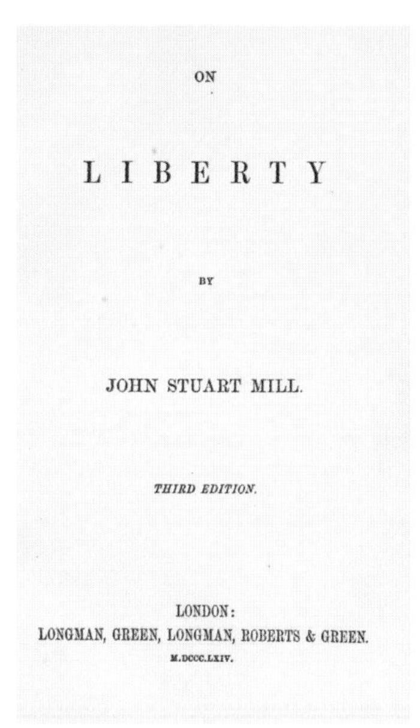

ON

LIBERTY

BY

JOHN STUART MILL.

THIRD EDITION.

LONDON:
LONGMAN, GREEN, LONGMAN, ROBERTS & GREEN.
M.DCCC.LXIV.

したような何千年も続いてきた文明を無視して、だ）。「対抗的な語り（カウンター・ナラティブ）」の普及に一役買った、ガヤトリ・チャクラヴォルティ・スピヴァクの小論「サバルタンは語ることができるか」（1988年；1999年発表の『ポストコロニアル理性批判』に収録）は、サバルタン（植民地主義の文脈において、周縁化された先住民や奴隷）の視点で物事をとらえるにはどうすべきかという問いを投げかけ、植民地支配による偏見が学術研究にもサバルタンの生活環境にも浸透しているがゆえに、サバルタンの目線で物事を正確に認識するのは不可能だ、と結論づけた（これは、植民地政策を含む歴史の研究に重大な影響をもたらす見解だ）。

エドワード・サイード
1979年、アメリカ合衆国、ニューヨーク州ニューヨーク市

ニューヨークのオフィスで机に向かう、コロンビア大学時代のサイード。彼は、1963年から2003年まで同大学の比較文学教授として働いた。

3　内戦と公民権

ジョン・スチュアート・ミルは、妻のハリエット・テイラー・ミルと死別した直後、彼女の見解をふんだんに取り入れた『女性の解放』（1861年）を発表する。それは、当時のイギリス人女性たちが、法によって男性に隷従させられていることを批判する書であった。女性は結婚し、子供を育て、報酬をもらえない家事に従事することを求められていた。『女性の解放』は、女性の教育権擁護を唱える大昔からの思想を足場にし、ジェレミー・ベンサム（1748〜1832年）の「功利主義」にも影響を受け、こう説いている。女性の隷属はそれ自体が間違いなだけでなく、人間的価値の向上を妨げる主要因のひとつであり、女性に男性と同じ機会を与えなければ、社会全体の幸福を損ねる。のちにイギリス人作家のヴァージニア・ウルフが『自分ひとりの部屋』（1929年）に、作家として世に出るには「自分ひとりのお金と部屋」が必要だと記したように、女性も経済的・精神的に自立しなければならないのだ。この主張は、仕事もお金もなく、家事や育児もできない女性は解放されないと綴った、モロッコの作家ファーティマ・メルニーシーの

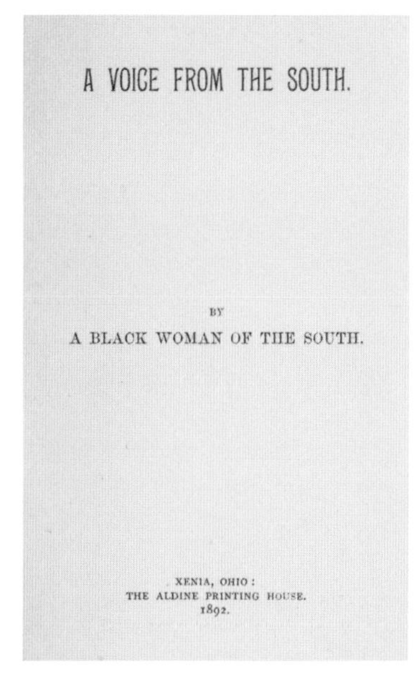

A VOICE FROM THE SOUTH.
BY
A BLACK WOMAN OF THE SOUTH.
XENIA, OHIO:
THE ALDINE PRINTING HOUSE.
1892.

〈左〉
アンナ・ジュリア・クーパー
1892年、アメリカ合衆国

本が積まれたテーブルを前に座る、クーパーの若い頃の写真。本人の直筆で「Yours sincerely（敬具）A・J・クーパー」と書いてある。

〈右〉
アンナ・ジュリア・クーパー
『A Voice from the South』
1892年、オルダイン印刷所：
アメリカ合衆国・オハイオ州ジーニア

このタイトルページで注目すべきは、著者名が省かれている点だ。書名と発行者の情報の間に、「南部の黒人女性による」とだけ書いてある。これは彼女の意向によるものなのだろうか、それとも彼女の社会的アイデンティティに目を留めてもらうための発行者側の作戦なのだろうか、とつい勘繰りたくなる。

『ヴェールよさらば』（1975年）に引き継がれている。

同様の議論ははるか西でも始まっていた。南アメリカで解放運動が広がった後、すでにイギリスからの独立を果たしていた北アメリカは、1860年代に自己定義の厄介なプロセスを開始する。結束力が最優先課題だった、まだ歴史の浅いこの「合衆」国は、南北戦争（1861～1865年）に突入したのだ。これは、自然地理学的な観点のみならず、道徳的観点においても重要な戦いだった。北軍は近代化という旗印を掲げ、文明化が進んだ自分たちキリスト教同盟が奴隷制撤廃に努めるのは必然だと主張した。その結果、ソジャーナ・トゥルース（1797～1883年頃）やスーザン・B・アンソニー（1820～1906年）などの公民権運動活動家たちの作品が注目され、広まった（これには、新聞の印刷技術の進歩も少なからず役に立っている）。

北部がこの内戦に勝利した1865年、連邦政府は奴隷制を（有罪判決を受けた犯罪者への刑罰として実施する以外は）違憲とし、1870年には、国内のいかなる州においても「人種、肌の色あるいは以前の隷属状態」を理由に男性市民の投票権を制限してはならない、とする合衆国憲法修正第15条が批准された。

こうした状況を背景に、社会学者にして活動家のアンナ・ジュリア・クーパー（1858～1964年）は、『A Voice from the South（南部からの声）』（1892年）を書いた。ノースカロライナ州の奴隷として生まれたクーパーは、黒人の参政権獲得がもたらした社会的変化をその目で見たが、そうした新しい権利にも限界があることを痛感していた。南部にはまだ人種差別が根強く残り、合衆国全体を見渡しても投票権があるのは男性だけだったのだ。『A Voice from the South』には、奴隷制廃止後の経済と政治の勢力関係がどう変化したかが記録されている。クーパーのこの作品は、イギリスの政治・社会制度の問題を自由の原理から指摘したミルの『自由論』の

ファーティマ・メルニーシー
『ヴェールよさらば：
イスラム女性の反逆』の表紙
1975年、ジョン・ウィリー：
アメリカ合衆国、ニューヨーク州
ニューヨーク市

ジョン・ウィリー出版社による、シンプルながら洗練されたこのデザインは、読者の興味を引く表紙の好例。表紙自体がヴェールを模り、そこにタイトルが浮かび上がっている。表紙を開けると、ヴェールをはいだように見える仕掛けだ。

W・E・B・デュボイス
1930年、アメリカ合衆国

特徴的な口髭と顎髭を生やし（どうやらプロイセン国王ヴィルヘルム2世を手本にしたらしい）、謎めいた笑みを浮かべるデュボイスの肖像写真。

ような作品とは対照的に、一部の人間が女性という性別や人種を理由に権利を奪われている現状を訴えた。その主張の土台となっているのは、トゥルースが1851年に行った有名な演説、「Ain't I A Woman？（私は女じゃないの?）」だ。

> **ぜひ……南部の黒人女性たちのために言わせていただきたい。聡明で、将来必ず美しく成長する人たち……前途有望で可能性に満ちているのに、破滅の道を歩むのが確実な人たちのために。**

迫力と説得力のあるクーパーのこの主張は、（タイトルに「声」とある通り）実際の証言に基づいている。ウィリアム・エドワード・バーグハード・デュボイス（1868〜1963年）も『黒人のたましい』で、人種差別は人間性を奪い取ると訴え、「二重意識」――ひとりの人間に内在する、人種差別に抑圧される「黒人」としての自意識と、人種差別主義的な視点を持つ「アメリカ人」としての自意識との精神的葛藤――について言及した。この作品はのちに、精神の植民地化に

ついて論じたフランツ・ファノンを始めとする思想家たちに多大な影響を与える。

4　基本計画

アメリカが新たな安定を求めていた頃、ヨーロッパは依然として帝国主義的な政策と国家統一に注力していた。1871年にオットー・フォン・ビスマルクによって統一されたばかりのドイツは、誰もが認めるイギリスの「成功例」に倣い、他のヨーロッパ諸国と競うようにして植民地獲得を目指した。この政策を概念的に支えたのが、国家の性質とアイデンティティを研究テーマに掲げた思想書であり、その代表格がフリードリヒ・ニーチェ（1844～1900年）の著作であった。

3つの論文から成るニーチェの『道徳の系譜』（1887年）は、「善」と「悪」という道徳的価値観に対する先入観の由来を説き起こしている。この考古学的手法、いわゆる「系譜」の発掘は、一見単一に見える概念が、（家系図のように）系統が異なる複数の思想を束ねた集合体であることを明らかにする思想の歴史的分析にも用いられ、近年、極めて大きな影響力を持ち始めている。『道徳の系譜』の目的は、キリスト教の善悪の概念は人間固有の価値観でも、神から与えられたものでもなく、特定の社会文化的な背景から生まれたものだと示すことだった。

『道徳の系譜』は、もっと一般的な説も唱えている。それは、歴史を通じて見られる闘争にはふたつの異なる道徳観の対立が含まれているとする説だ。すなわち、強さと勇気と成功を重視する貴族主義的な「主人道徳」と、反対に、優しさや寛容、思いやりを重視する「奴隷道徳」との対立である。ニーチェは、キリスト教を「奴隷道徳」だと主張した。キリスト教は、傲慢・

フリードリヒ・ニーチェ
1870年代、スイス

スイスの大学で教鞭を取っていた、若かりし日のニーチェ。この写真ではきれいに整えていた口髭も、晩年には、ドイツ軍の伝統に敬意を表してかなり伸ばしていた。

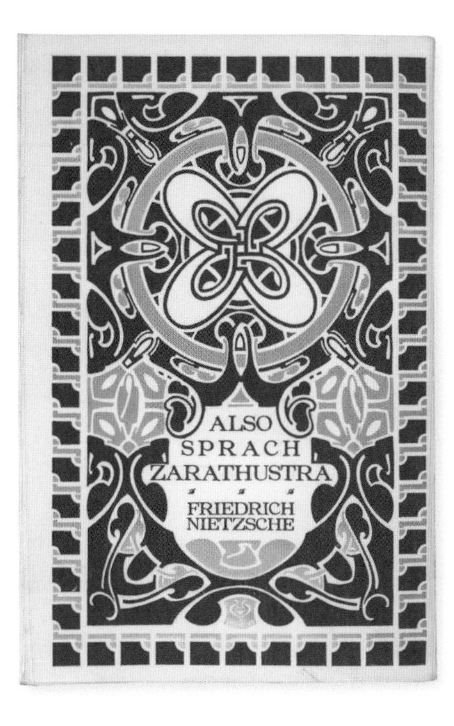

フリードリヒ・ニーチェ
『ツァラトゥストラはかく語りき』
1908年、インゼル：
ドイツ、ライプツィヒ

著者の死後に、ドイツの出版社インゼル・フェアラークが制作した版の、思わず見入ってしまうような渦巻き模様が描かれたアール・ヌーヴォー調のページ。謎は心のなかにあることを象徴するデザインだ。

強欲・色欲・嫉妬・暴食・憤怒・怠惰――歴史的にキリスト教徒を弾圧してきた集団が誇示し、称賛した利己主義な感情――を重い罪業と断じている。しかし、古代ローマ人にとって、大胆さ・勇敢さ・育ちの良さ・強さは「善」であった。だから、虐げられた側のキリスト教徒たちは、こうした秩序を弾圧と結びつけ（「悪」と見なし）、正反対の価値観を支持して「柔和な人たちは地を受け継ぐ」などと言い放ったのだ。ニーチェに言わせれば、――ユダヤ思想を母体とする――キリスト教が爆発的に普及したのは、弱者の精神的反乱と価値観の反転を支持したからだった。

ニーチェのユダヤ倫理学に対する見解には、たびたび反ユダヤ主義的な傾向がうかがわれるが、彼はキリスト教の道徳観を積極的に否定していたわけではない。しかし、キリスト教の道徳観は限定的で、それゆえ再活性化が必要だと信じていた。「主人道徳」から派生した希望や願望こそが、人を目標へと駆り立てると考えていたからだ。そして、希望や願望を抱いて前に進み続けるのは、既存の価値にとらわれずに新たな価値を生み出す人間――「超人」――だと『ツァラトゥストラはかく語りき』（1883年）で語っている。このような見地に立つ彼は、ビスマルクの国家統一プロジェクトを野卑でしみったれた「民族主義的な」政策と非難した。ビスマルクは外国嫌いと紙一重の狭量なナショナリズムに関心を抱いていたが、ニーチェが求めていたのはもっと偉大な政策だった。彼は、国単位の統一ではなく、ヨーロッパ全土の統一を夢見ていたのだ。

人の心を引き付けるニーチェの思想は、20世紀半ばになると勝手に利用され、浅薄化された。ナチスの御用哲学者アルフレート・ボイムラーは、ニーチェの妹フォルスター・エリーザベトの助力を得て、体制を批判したニーチェの繊細な思想を「支配者民族」という視点に立った野蛮なファシズム擁護論に変容させた。「アーリア人」こそが、ヨーロッパを支配し、植民地を通して世界をも支配する「超人」だと説いたのだ。そして20世紀後半には、こうしたニーチェ思想の歪んだ解釈が、ドイツ哲学を問題視したがる戦後の英語圏の書物によって広まっていく。

トバイヤ・ベン・モシェ・ハ＝コーエン
1707年、ポーランド

昔から知識の象徴であるアストロラーベと本棚、開いた本と一緒に描かれた、『トバイアスの作品』の著者、トバイヤ・ベン・モシェ・ハ＝コーエンの肖像画。室内にいながら被り物を着けているのは、それが当時のユダヤ人男性の習慣だったからだろう。

5　新たな体制

第一次世界大戦が幕を閉じ、第二次世界大戦の幕が上がるまでの20年の間に、ふたつの大国が――国内外の政治的・軍事的圧力に屈して――崩壊した。

オスマン帝国は、13世紀にオスマン1世（1259～1326年）が建国して以来、中東と北アフリカの中心勢力だった。文化遺産も豊富で哲学も盛んだったことから、百科事典並みの思想書が数多く誕生した。たとえば、キャーティブ・チェレビー（本名はムスタファ・イブン・アブド・アッラー、1609～1657年）の『Kaşf az-Zunūn ʻan 'asāmī ʻl-Kutub wa'l-funūn（名だたる書物と芸術作品からの疑いを取り除く書）』と、トバイヤ・ベン・モシェ・ハ＝コーエン（1652～1729年）の『kolel ha-arba'ah 'olamota（トバイアスの作品）』は、神性や健康、衛生学から根本的な形而上学に至るさまざまな問題を取り上げている。

しかし、18世紀末の対オーストリア戦・対ロシア戦で領土を失うと、これが経済・社会状況の悪化と信仰の自由の剥奪につながった。そして19世紀後半には、アブド・アル・ラーマン・アル＝カワキビ（1855～1902年）の『Tabā'iʻ al-istibdād wamasāriʻ al-istiʻbād（専制政治の本質）』

を始めとする反体制文学が、オスマン家の専制政治を攻撃し始める。アル＝カワキビは最終的に当局に暗殺されたが、彼が文字にした反体制感情は第一次大戦での大敗と相まって、このかつての強大国を崩壊へと導いた。

一方、ロシア帝国の思想界では神秘主義が復興する。その代表的な作品のひとつが、ヘレナ・ペトロヴナ・ブラヴァツキー（1831～1891年）の『シークレット・ドクトリン　宇宙発生論』（1881年）だ。仲間とともに神智学協会を設立したブラヴァツキーは、古代の神秘主義思想や新プラトン主義に通ずると言われる「隠された」神的叡智の再興に努めた。同じ頃、貴族階級出身でキリスト教徒のアナーキスト、レフ・ニコラエヴィチ・トルストイ（1828～1910年）は――のちにロシア文学の名作となる小説だけでなく――ヒンドゥー教と中国思想に影響を受けた道徳・精神哲学関連の作品を数多く輩出し、広く読まれた。

オスマン帝国同様、ロシア帝国も、国内外の要因が重なったせいで崩壊する。まず、皇帝ニコライ2世の指示を受けた軍隊が、労働者階級のデモ隊に発砲し、多数の死傷者を出したことが大規模な反政府運動を招く。そして一連のロシア革命は1917年の「十月革命」で頂点に達し、旧体制は最終的に、共産主義勢力ボリシェヴィキによって崩壊させられた。この激動の中心となったのは、ロシア人理論家ウラジーミル・イリイチ・ウリヤノフ（1870～1924年）、筆名「レーニン」が書いた『ロシアにおける資本主義の発展』だった。この作品は、ロシアの社会状況をマルクス主義的に分析した論文で、さまざまな政治と哲学の研究論文、記事、統計データを引用し、ロシアの封建制の衰退と、資本主義台頭の兆候である階級格差の拡大の証拠が示されていた。労働者階級は農民と同盟を結び、資本主義階級を打倒すべし。このレーニンの主張が世間の広い支持を得て、ボリシェヴィキの勝利につながったのだ。

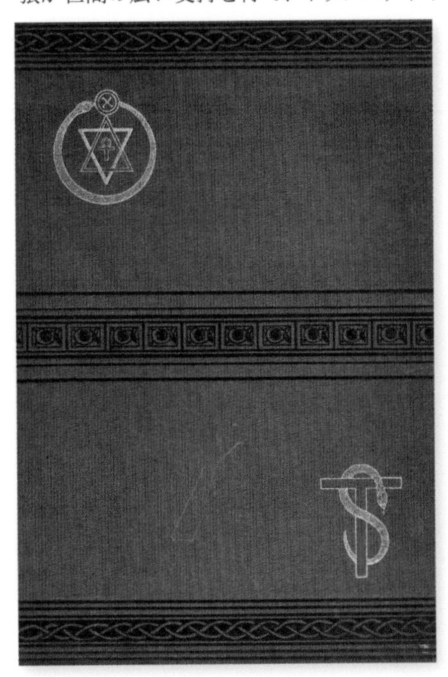

〈左〉
ヘレナ・ペトロヴナ・ブラヴァツキー
『シークレット・ドクトリン　宇宙発生論』
1888年、神智学出版社：イギリス、ロンドン

この表紙に描かれたふたつのシンボルは、世界情勢を霊的に洞察したとされている『シークレット・ドクトリン』の隠れた本質を示している。右下の蛇が杖に絡みついた図形は医術のシンボル、「アスクレピオスの杖」だ。一方、左上の自分の尾を噛んだ蛇が描く円（無限性のシンボル、ウロボロス）の真ん中にある「ダビデの星」は、ユダヤ教・ユダヤ民族のシンボルであり、ユダヤ教をオカルトと結びつけたブラヴァツキーの反ユダヤ思想の象徴でもある。

ヘレナ・ペトロヴナ・ブラヴァツキー
1875年、アメリカ合衆国、ニューヨーク州ニューヨーク市

ニューヨーク市イサカで撮影された、ロシア生まれのアメリカ人神智学者の写真。彼女は1874年にイサカに移住し、ヘンリー・オルコットらとともに神智学協会を発足した。

ウリヤノフ一家
1920年、モスクワ

この家族写真の前列左がウラジーミル・レーニン、その隣が妻のナデジダ・クルプスカヤ、右端がレーニンの姉、アンナ・ウリヤノフ。後列にいる妹のマリア・エリーザロワ＝ウリヤノフはレーニンの背中に手を置き、レーニンの弟、ドミトリー・ウリヤノフは猫を抱いている。ドミトリーの隣にいるのは、アンナの養子のグレゴリー・ロズガチョフ＝エリーザロワ。

〈左下〉
レフ・ニコラエヴィチ・
トルストイ
1900年頃、ロシア

モスクワ国立歴史博物館所蔵の、一枚の紙を手に持つ晩年のトルストイの写真。彼の小説では、服装がその人物の道徳観を表している場合が多い。この写真で彼がシンプルな黒いシャツを選んだのは、禁欲主義の平和主義者だとアピールする目的があったのかもしれない。

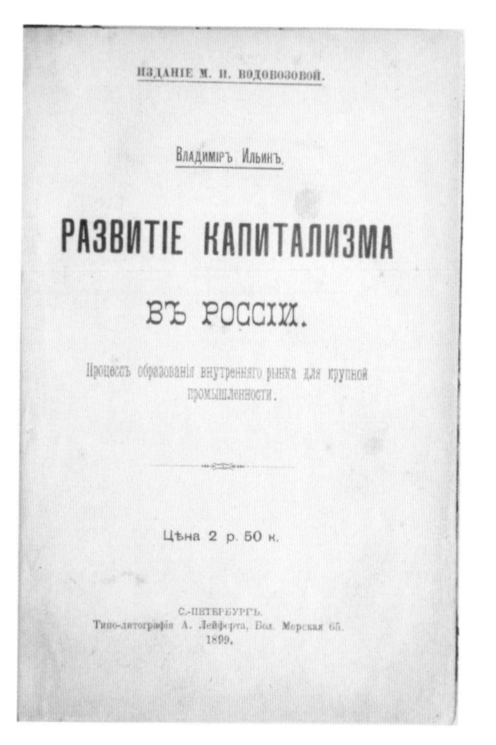
ИЗДАНІЕ М. И. ВОДОВОЗОВОЙ.

ВЛАДИМІРЪ ИЛЬИНЪ.

РАЗВИТІЕ КАПИТАЛИЗМА
ВЪ РОССІИ.

Процессъ образованія внутренняго рынка для крупной промышленности.

Цѣна 2 р. 50 к.

С.-ПЕТЕРБУРГЪ.
Типо-литографія А. Лейферта, Бол. Морская 65.
1899.

〈右下〉
ウラジーミル・
イリイチ・ウリヤノフ（**「レーニン」**）
『ロシアにおける
資本主義の発展』
1899年、A・ライフェルト：
ロシア、サンクトペテルブルク

『ロシアにおける資本主義の発展』初版本のタイトルページ。サンセリフ体のキリル文字が、レーニン主義に関連する禁欲主義を連想させる。

レーニン率いる新たな政治体制は、マルクスの『資本論』（210ページ参照）に記された共産主義の理想の実現、すなわち貴族で構成される支配階級の解体と、労働者・農民への権限譲渡を目指した。だが、残念ながら、レーニンが形成したソビエト社会主義共和国連邦（USSR）は、こうした哲学的・政治的大志を実現できない運命にあった――その後、他の多くの民族国家も、ソ連と同じ轍を踏むことになる。

6　形式主義

バートランド・ラッセルとアルフレッド・ノース・ホワイトヘッドが共同執筆した『プリンキピア・マテマティカ序論』（1910年）は、数学的見地に立って哲学のパラドクス解明を試みた、いわば20世紀の知の始点である。数学と記号論理学に基づくこの作品は、反ユダヤ主義のドイツ人思想家、ゴットロープ・フレーゲの『概念記法』（1879年）と『算術の基礎』（1893年）に大きな影響を受けている。論理学を科学的に公理化するという壮大な試みは、エドムント・フッサールが目指したものでもあった。『イデーン　純粋現象学と現象学的哲学のための諸構想』（1913年）で、フッサールは、意識の特徴とその経験的側面を研究する「現象学」という新たな哲学的手法の体系的な概要を提示している。

ルドルフ・カルナップ（1891～1970年）の『Der logische Aufbau der Welt（世界の論理的構造）』（1928年）は、「ウィーン学団」と呼ばれる科学者と思想家の集団が輩出した代表的な作品のひとつだ。モーリッツ・シュリック、ローゼ・ラント、オットー・ノイラート、クルト・ゲーデル、カール・ポパーも名を連ねたこの集団は、科学と哲学を明確に区別しつつ、哲学の効用を科学と絡めて考える「論理実証主義」（「論理経験主義」とも言う）を標榜した。彼らは（形而上学を否定して）知識の基礎を経験に求め、哲学の務めは観察や実験などで検証できる科学的命題を論理的に分析することだと説いた。カルナップの著作は、科学知識を体系化する方法論に加え、科学的精査に値する有意義な命題を見分けるツールを読者に提示した。

> **命題の意義は、（必ずしも存在しているわけではない、考えられ得る）事態を言葉で表すことにある。（考えられ得る）事態を言葉で表せない（表向きだけの）命題に意義などない。それは見せかけの命題にすぎないからだ。**

反形而上学の立場に立ったカルナップの科学的な――一部からは「自然科学的」とも呼ばれている――手法は、イギリス人哲学者、リジー・スーザン・ステビングの『Logical Positivism and Analysis（論理実証主義と分析学）』（1933年）によって初めてイギリスで紹介され、アルフレッド・ジュールズ・エイヤーの『言語・真理・論理』（1936年）を通して広く知られるようになった。オーストリア出身のルートヴィヒ・ウィトゲンシュタインも、ページ数は少ないものの――スピノザを彷彿とさせる、簡潔で幾何学的な文体の――論理的な小冊子、『論理哲学論考』（1921年）が英語に翻訳されると、イギリスで多くのファンを獲得した。哲学に対するどこか「科学的な」アプローチの追求は、その後、数十年で広がり、その勢いはある方面で今日も続いている。

『善の研究』

1992年、イェール大学出版局：アメリカ合衆国、コネティカット州ニューヘイブン

初刊の8年後に再版された、イェール大学出版局発行の英語版『善の研究』。思考が連鎖するこの作品は、表紙に著者の写真を掲載して彼のアイデンティティを最前面に押し出すという歴史的な判断を下した。

7　近代

植民地拡大という「新帝国主義」の（道徳的成功ではなく）経済的成功は、ヨーロッパ以外でも注目を集め、さまざまな国がイギリスの近代化と植民地政策を模倣しようとした。そのなかで、最大の成功を収めた国のひとつが日本である。

1850年代の強制的な開国は、経済の停滞と飢饉とともに、徳川幕府崩壊の一因となった。1868年に明治天皇を中心とする新たな政府が成立し、外国人の日本国内での商取引が解禁になったことをきっかけに、日本国民は国外の社会的変化に目を向けるようになる。そして、1889年の大日本帝国憲法の発布によって、欧米流の政治体制が実現し、全国の産業化が促進された。ヨーロッパの政策に対抗しようとした日本は、彼らと同じ帝国主義的拡張を追求し、まずは韓国、台湾、中国の植民地支配を目標に掲げる。

日本の思想家たちは、古代中国の文献に依存していた江戸時代の姿勢は近代化にそぐわないと感じ、自分たちの国民性を尊重すべく、改めて「国学」に焦点を合わせた。その結果、神道と禅宗が精神的中核を成す、「日本人の精神性」と「西洋人の想像力」を融合させた新たな思想体系が誕生する。

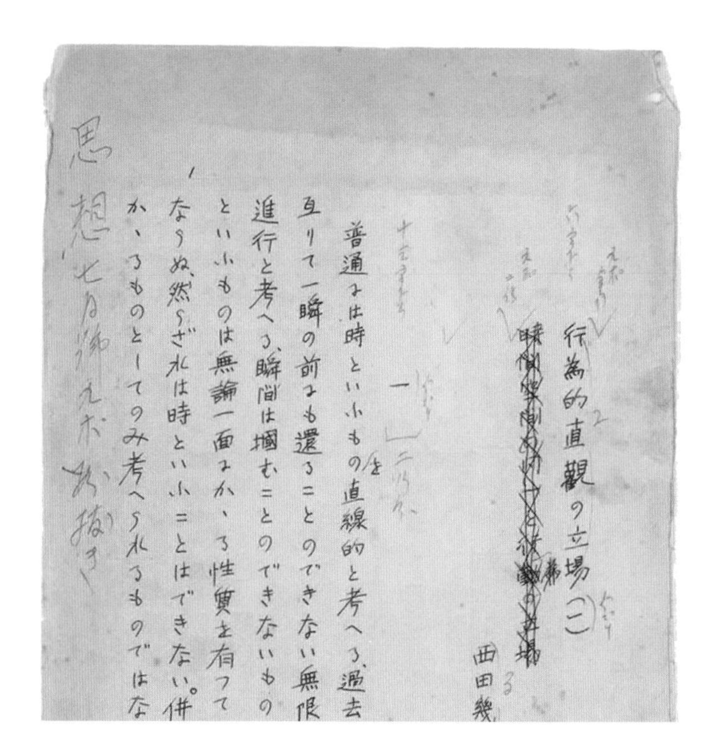

行為的直観の立場（二）

西田幾

一

普通に時といふものを直線的と考へる、過去
互りて一瞬の前にも還ることのできない無限
進行と考へる、瞬間は摑むことのできないもの
といふものは無論一面にかゝる性質を有つて
ならぬ。然らざれば時といふことはできない。併
か、るものとしてのみ考へられるものではな

西田幾多郎の『善の研究』(1911年)は、この統合的なアプローチの好例だ。京都学派の創始者である西田は、西洋哲学よりも「無」という大乗仏教の概念に立脚した日本独自の思想体系の研究に重点を置くことで、西洋哲学の根本問題を乗り越えた。たとえば、『善の研究』では、「存在」を強調する西洋思想独自の形而上学と、「絶対無」や「空」に対する東洋思想独自の姿勢を比較している。後者は「存在」のただ対局にあるだけのものではない(死後の世界を信じる者にとって、死は単に生の欠落ではないのと同じだ)。西田によれば、大乗仏教は、洗練されているが見当違いな西洋哲学の論争に重要な解決策を提供してくれるものだという。

和辻哲郎(彼も京都学派の一員だった)も西田同様、ヨーロッパ思想界を席巻した心身二元論について自身の『倫理学』(1937年)で検証し、身体は、西洋哲学では認識するもの(主体)ではなく、認識されるもの(客体)と見なされると記した。『倫理学』はこの西洋の見解を、瞑想や「心身一如」の考えに見られる「具現化された知」という仏教の概念と対比させている。

非身体的事象を伴う精神的な物事と、身体的体験と無関係な身体的プロセスは、互いに関りなく存在している身体と精神との対立という構図のなかに存立するという見解は、経験の具体的事実に合致しない。

この和辻独自の思想体系は、さまざまな方面に影響を与えた。とはいえ、日本独自の――ときに日本民族の純粋性と優越性を主張する神話的物語を盛り込んだ――世界観を展開した京都学派は、のちに日本のナショナリズムとのつながりを理由に人気が凋落した。京都学派をナショナリズムと切り離して語るには、まだ多くの課題が残る。所属の思想家たちとドイツのファシズムとの直接的・間接的なつながりを考えると、それは非常に困難な道のりだ。

和辻哲郎
1959年、日本

日本の大手新聞、『朝日新聞』のカメラマンが撮影した、笑みを浮かべる和辻。70歳のときの写真。

〈前ページ右〉
西田幾多郎が書いたメモ
年代不詳、日本

京都学派アーカイブで閲覧できる、赤字の線や傍注を付した西田幾多郎の生原稿。このアーカイブは、ユーザーが著名な日本人哲学者の原稿を分析・検証できるよう、デジタル画像の提供に努めている。

8　戦時下の思想

1930年代の日本とドイツは学術交流が盛んだった。田邊元(1885～1962年)を始めとする京都学派の思想家たちはヨーロッパに渡り、マルティン・ハイデガーという急進的な哲学者を含む、ドイツの著名な知識人たちと交流した。ハイデガーは、師であるフッサールの現象学や、同時代の日本人哲学者たちの研究を土台にし、ヨーロッパ形而上学の研究の目的と骨組みを再構築した。

ハイデガーの『存在と時間』(1927年)は、そもそも「物が存在するとはどういうことか」を検証している。彼によれば、人間は自己の存在を認識できる唯一の動物だという。だから考えたり、反省したり、生理的・社会的欲求を持ったり、自分は死から逃げられないという事実を戸惑いながらも受け入れたりできるのだ。『存在と時間』は難解で読みにくいが、それにはもっともな理由がある。ハイデガーは、存在論を新たな視点で語るには新たな語彙が必要だと考え、概念的な既存の用語からの脱却を図ったからだ。『ヒューマニズムについて』(1946年)に綴ったように、彼にとって、言葉は「存在の家」だった。

産業革命の影響を考えれば当然のことながら、ハイデガーの関心事は、たいがい科学技術というテーマに集約できる。『存在と時間』は、近代化が、世界は相互接続された存在物でなく、分離可能なもので構成されていると見なす特定の世界観をいかに育むかを説明している。私たちは身の回りの物体――たとえば電話、コンピューター、テレビなど――を「常にそこにあるもの」、つまり、文脈から概念的に抽象化され得る個別の人工物と見なすことに慣れきっている。物体を、世界に概念的に縛られた「すぐに使える道具」的な存在ととらえる見方は、現代の科学技術によって覆され、おかげでその「世界性」は曖昧になった。ハイデガーは、近代的なマインドセットは人間本来のあり方ではないと考え、科学技術の暴挙に抗い、ハイデガーが言うところの「詩的に住む」ことを追求するよう読者に奨励した。たとえば、人は自然の考察を通じて、しばしば厄介な命題である存在の尊さに身をさらすことができるのかもしれない、と考えたのだ。

ハイデガーの死後40年を経て出版された『黒ノート』(2014年)を読むと、彼の形而上学は、ドイツのナショナリズムと反ユダヤ主義にも密接な関連性があったことがわかる。彼は(自分も入党していた)ナチスがドイツ人の価値観を牧歌的なものに回帰させ、現代の科学技術の有害な影響力を中和させると信じていただけでなく、ドイツ語はドイツ国民に、ヨーロッパ思想の起源に対する特権意識を芽生えさせるとも確信していた。また、「存在」の真実を解明するためには新たな概念的用語が必要であり、そのためには言語学的見地から見てドイツ語が適していると考えていた。さらに、『黒ノート』には、過激な反ユダヤ思想や、「世界中のユダヤ人集団」と西洋近代化の有害性とのつながりを歴史的視点でとらえた仮説も含まれている。

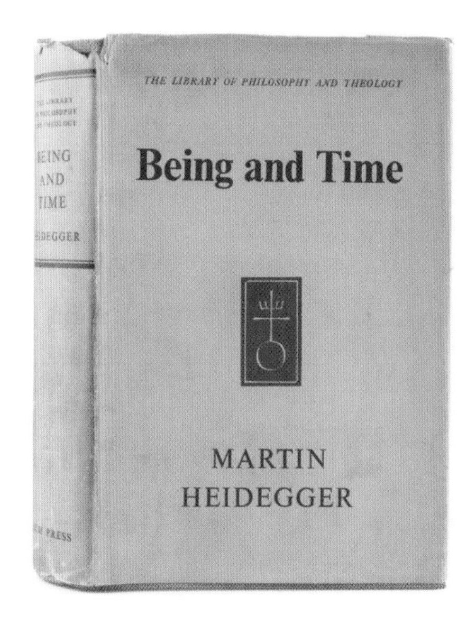

〈左〉
マルティン・ハイデガー
『存在と時間』
1962年、SCMプレス：
イギリス、ロンドン

ハイデガー作品最初の英語翻訳版。「哲学・神学ライブラリー」に加えるため、ジョン・マッコーリーとエドワード・ロビンソンが翻訳を担当した。冠を載せた十字架という表紙の図案の著作権は、発行元のステューデント・クリスチャン・ムーブメント・プレスにある。

〈右〉
マルティン・ハイデガー
『存在と時間』
1927年、マックス・ニーマイヤー：
ドイツ、ハレ

ドイツ語版『存在と時間』の初版本。

マルティン・ハイデガー
『黒ノート』
1931〜41年、ドイツ

1931年から1941年の間に執筆された、『黒ノート』の直筆原稿。これを読むと、反ユダヤ主義が彼の思想の中心だったことがわかる。この作品はペーター・トラヴニーによって編集され、2014年にようやく出版された。

マルティン・ハイデガー
1933年、ドイツ

フライブルク大学総長に選出され、ナチスに入党した頃のハイデガーの写真。これらの出来事は、師のエドムント・フッサールがユダヤ人であることを理由に大学構内への立ち入りを禁じられた直後のことだった。

ドイツ社会も日本社会も帝国の論理に従い、ナショナル・アイデンティティと民族国家の優位性という概念を軸にまとまっていた。連合軍側の――特に英語圏の――哲学者たちに言わせれば、この二国の哲学的取り組みが第二次世界大戦を引き起こしたという。だが、実際には、哲学的思想と社会政治的な背景とのデリケートな相互作用を含む、もっと複雑な原因があった。とはいえ、どんな因果関係を説いても結果は変わらない。第二次世界大戦は1937年の日本による南京事件と1939年のドイツによるポーランド侵攻をきっかけに勃発したのだ。そして、民族の純粋性と優越性という神話が、ホロコーストと呼ばれる恐ろしい大量虐殺プロジェクトと融合した。

9　戦後の哲学

第二次世界大戦が世界中の思想界に及ぼした影響は、そう簡単には解明できない――が、ある程度の出来事や流れはわかっている。ドイツ軍と日本軍の敗北は、彼らが戦争の大義名分に利用した思想体系の崩壊を引き起こした。ハイデガーは教職を追われて哲学界ののけ者となり、京都学派は解体。英語圏（連合軍側）の思想界では、ナショナリズムに結びつくヘーゲル哲学からの脱却が図られた。

一部の学派では、言語分析という手法が普及し始めた。ジョン・ラングショー・オースティンの『言語と行為』（1962年）がその好例だ。この方法論は、そのままでは解決が難しい大きな問題を小さな問題に分割し、ひとつひとつ攻略するという、バートランド・ラッセルが「分割攻略」と呼んだ「段階的な」アプローチと重なる点が多い。論理と言語に軸足を置きつつ、「常識」と言われるものを重視し、「存在と実在」に関するややこしくてわかりにくい命題らし

メアリー・ミッジリー
2012年、イギリス

『ガーディアン』紙掲載用にサラ・リーが撮影した、トレードマークの黒いつば広帽をかぶって新聞に印をつけているメアリー・ミッジリー。『ガーディアン』紙の読者におなじみだったミッジリーは、大衆とのかかわりを哲学の主眼のひとつに置いていた。

〈次ページ下〉
フィリッパ・フット
1999年、イギリス、オックスフォード

写真家スティーブ・パイクがオックスフォードで撮影したフットの写真。フットは同大学で学んだ後、専任講師から特別研究員、サマーヴィル・カレッジの個人指導教員になった。

きものを否定することが、英語圏の「分析」哲学の重要な特色となった。この、より「客観的な見地に立った」、検証可能な方法論は近代化への一歩として提示されたが、その背景には、ファシズムの台頭を促進したと見なされた、解釈自由な形而上学に対する人々の不信があった。

ここで特筆すべきは、1945年に著名な知識人バートランド・ラッセル（1872～1970年）の『西洋哲学史』が刊行されたことだ。これは、ドイツ観念論や、もっと一般的にはドイツ思想をファシズムに関連づけるという明確な目的を掲げた歴史書である。ラッセルは、「超人」思想をナチスのイデオロギーに利用されたニーチェを、ずば抜けて頭の切れる、理性的な敵役に配し、先の大戦を「ニーチェの戦争」と呼んだ。

学術機関は、一部の人間を締め出すと同時に、別の人間に門戸を開いた。第二次世界大戦におけるイギリス軍の女性徴兵をきっかけに、かつては男性中心だった大学の研究職に女性も多く就けるようになったのだ。オックスフォード大学には、対話を思索活動の根幹ととらえ、「新ソクラテス学派」を非公式に自称する女性哲学者グループがいた。『インテンション』（1957年）の著者として知られるガートルード・エリザベス・マーガレット・アンスコム（1919～2001年）と、小説家で『善の至高性』（1970年）の著者、アイリス・マードック（1919～1999年）、数々の著述でエイヤーとリチャード・マーヴィン・ヘアを批判したフィリッパ・フット（1920～2010年）、『Beast and Man: The Roots of Human Nature（野獣と人間：人間の本性のルーツ）』（1978年）で最もよく知られているメアリー・ミッジリー（1919～2018年）の4人である。

エリザベス・アンスコム
1990年、イギリス、ケンブリッジ

スティーブ・パイクが撮影した、夫ピーター・ギーチと肩を並べるケンブリッジ時代のアンスコム。ここではシンプルな服装だが、アンスコムはつなぎ服で片眼鏡をかけ、タバコをふかす姿でおなじみ。パイクは、英語圏の著名な哲学者たちを独特なモノクロ写真に収めることで有名な写真家だ。

また、戦争で荒廃した国々からの脱出の動きは、ヨーロッパ本土では頭脳の流出を意味したが、他の地域、特にアメリカには頭脳流入という恩恵をもたらした。1930年代半ばから50年代にアメリカに移住した知識人には、アルベルト・アインシュタイン（1879～1955年）、ハンス・ライヘンバッハ（1891～1953年）、ルドルフ・カルナップ、ローゼ・ラント（1903～1980年）らがいる。彼らの論理経験主義的な思想は新たな本拠地で受け入れられ、スーザン・クナウト・ランガー（1895～1985年）の『シンボルの哲学　理性、祭礼、芸術のシンボル試論』（1941年）などの作品に取り上げられた。

社会政治的指向の強い思想家たちは戦後体制を積極的に支持した。ハイデガーの教え子だったハンナ・アーレント（1906～1975年）が「全体主義」の性格とその成り立ちを分析した『全体主義の起源』（1951年）は、世界に一大センセーションを巻き起こし、その影響は長く続いた。フランクフルト学団のテオドール・ヴィーゼングルント・アドルノとマックス・ホルクハイナー共著の『啓蒙の弁証法』（1947年）は、分析哲学の勢いに逆らい、啓蒙に対して批判的評価を下している。つまり、啓蒙を、心の解放をもたらす前向きなエネルギーとはとらえず、（支配階級の利益のために）一般民衆の間に服従姿勢を生み出す、有害であまりにも合理主義的なプロセスと見なしたのだ。

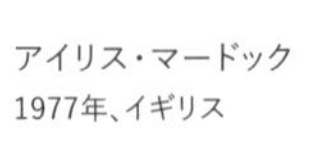

アイリス・マードック
1977年、イギリス

哲学者・小説家にして芸術評論家でもあったマードックが、損壊した像をじっと見つめている写真。こちらに視線を合わせている像は、彼女の作品に見られる実存主義という古典的なテーマを連想させる。

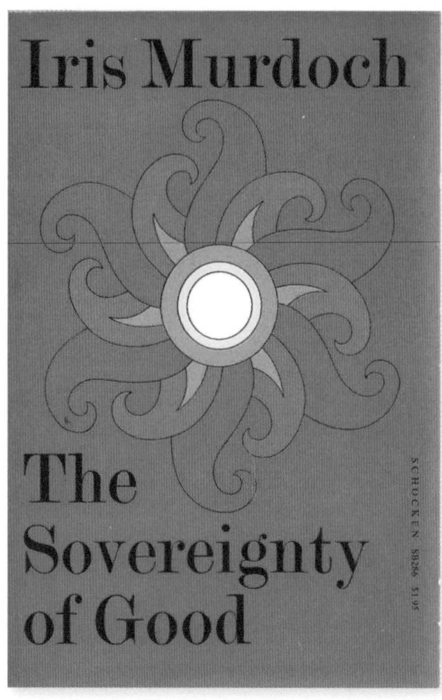

〈左下〉
アイリス・マードック
『善の至高性』
1971年、アメリカ

ショッケンブックス発行のこの版の表紙は、派手な装丁でおなじみの出版社らしく真っ赤だ。

〈右下〉
メアリー・ミッジリー
『Beast and Man』
1980年、ラウトレッジ：
イギリス、ロンドン

この表紙に描かれている不気味な生き物は、エドワード・トプセルが1608年に発表した『Historie of Four-Footed Beasts（四足獣の歴史）』のなかの「マンティコラ」という伝説の動物。

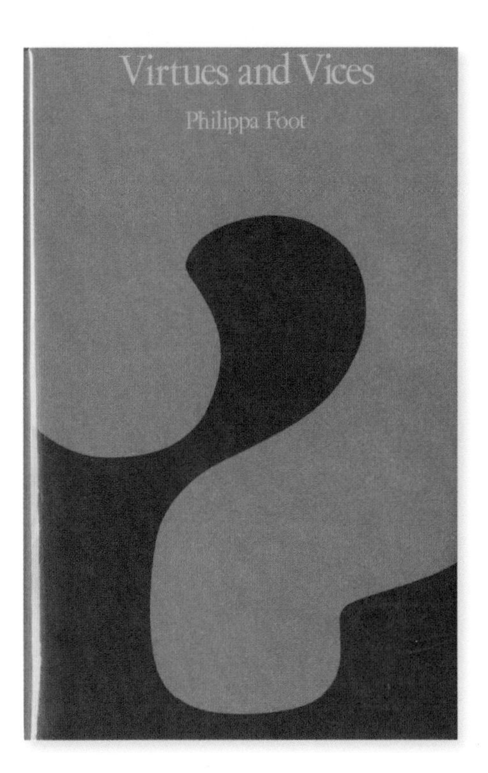

〈左上〉
ハンナ・アーレント
1963年、アメリカ

『エルサレムのアイヒマン』や『革命について』を出版した頃の、ゆったりとタバコをくゆらすアーレント。

〈右上〉
ハンナ・アーレント
『全体主義の起源』
1951年、ハーコート・ブレイス：
アメリカ、ニューヨーク州
ニューヨーク市

アーレントがアメリカ国籍を得た年に発刊された、『全体主義の起源』の初版本。紺地のカバージャケットはショッケンブックスによるデザイン。1931年にサルマン・ショッケンが創設したショッケンブックスは、宗教書とユダヤ人作家の文学作品を中心に出版している。

〈左下〉
フィリッパ・フット
『美徳と悪徳』
1979年、
カリフォルニア大学出版局：
アメリカ、カリフォルニア州
バークレー

抽象的概念を象徴する緑の大きなクエスチョンマークを描いた、『美徳と悪徳』の表紙。発行元のカリフォルニア大学出版局は、当大学とカリフォルニア州から運営資金の援助を受けている非営利の出版部門。

〈右下〉
スーザン・K・ランガー
『シンボルの哲学』
1948年、ペンギン：
アメリカ、ニューヨーク州
ニューヨーク市

1936年に創業したペンギンブックスの「ペリカン」シリーズは、一般教養書の出版に特化している。1948年出版のランガーのこの著作は、「一般大衆向けの哲学書」としてイギリスで販売された最初の書籍のひとつだった。

10　亡国の是非

シモーヌ・ヴェイユ
1936年、スペイン

軍服に身を包んで肩にライフル銃を下げたヴェイユの写真。彼女はスペイン内戦に従軍し、第二次世界大戦中もレジスタンス運動に参加した。

20世紀半ばの大戦によって、国家としてのあるべき姿や民族国家という概念に、より注意が向けられるようになった。ヒルダ・ダイアナ・オークリー（1867～1950年）は1942年に発表した『Should Nations Survive?（国家は生き残るべきか?）』で、「ナショナリズムのパラドクス」を取り上げている。一部の国が多様な文化の構築に重要な役割を果たしてきた一方で、（当時の観察対象だった）ナショナリズムは文化と社会の分断を引き起こしていた。オークリーは、自著のタイトルにもなっている問いに、条件付きの「イエス」という答えを出している。彼女は、国家は過去から未来へと延びる「歴史的なコミュニティ」だと言い、このそれぞれのコミュニティに属している人たちが、ある種の絶対的な道徳基準を理解することができれば、平和的な共存は可能だと主張した。

『開かれた社会とその敵』（1945年）は、科学哲学者カール・ライムント・ポパー（1902～1994年）初の政治哲学書だ。オークリーと同様、ポパーも、自由民主主義という「開かれた社会」が社会組織の最良形だと見なしている。彼は、ウィーン学団の論理実証主義を大きく回転させた反証主義の立場から、全体主義を歴史発展の目的論的解釈（歴史は目標に向かう普遍的な法則に従って展開するという考え）に結びつけて強く批判した。

一方、シモーヌ・アドルフィーヌ・ヴェイユ（1909～1943年）は、「根」を持つことの重要性を説いている。主著の『根をもつこと』（1949年）は、「根こぎ」がもたらす問題点を提示し、根を持つという魂の最も重要な欲求を無視することは、コミュニティとの精神的・文化的関係の崩壊につながると指摘した。さらには、根を持つことは任意的なものでなく、人が充実した道徳的生活を送るのに必要不可欠なものだと主張している。

根を持つこと、それはおそらく人間の魂の最も重要な欲求であると同時に、最も無視されている欲求である。また、最も定義の難しい欲求のひとつでもある。人間は、過去のある種の富や未来へのある種の予感を生き生きといだいて存続する集団に、自然な形で参与することで、根をもつ。

このヴェイユの見解は、興味深いことに、ユダヤ系の血を引く彼女の生い立ち（と、のちに心酔したカトリック教義）と関係があるようだ。ナチスが反ユダヤ主義のプロパガンダに利用した「さまよえるユダヤ人」という比喩的表現が、根を持つことの重要性を説くヴェイユの思想に影響したのかもしれない。他にも「さまよえるユダヤ人」の影響を受けたものがある。『ユダヤ人国家』（1896年）に記されたテオドール・ヘルツルの思想に相通ずる、ユダヤ人国家建設の主張だ。こうしたユダヤ人国家の必要性を説く思想は、1940年代後半、当時、イギリスの統治領だったパレスチナを分割し、そのひとつにユダヤ人国家、イスラエルを建設するという形で実現する。

11　脱植民地化の精神

第二次世界大戦は、脱植民地化の広がりという影響ももたらした。植民地支配下に置かれた人々は、解放を長く訴え続けてきた。インドでは、モーハンダース・カラムチャンド・ガンディー（1869〜1948年）らが率いる解放運動が効果を見せ始めていた。ガンディーは、「扇動罪」で収監中だった頃の思索を中心にまとめた『ガーンディー自叙伝　真理へと近づくさまざまな実験』のなかで、自分の経験を踏まえた自制と非暴力の哲学を展開している。

20世紀の後半には各植民地が独立を果たしたが、何世紀もの間、搾取行為の被害を受け続けてきた新たな独立国は、自己統治と自己定義の問題に直面することになる。入植者が先住民に押しつけた対立的な社会構造を解体するために、膨大な労力が費やされた。また、インドのカースト構造のように、抑圧的な政府が組織化のために取り入れた伝統的なヒエラルキーについても再考された。それをいち早くテーマに取り上げたのが、ビームラーオ・ラームジー・アンベードカルの『カーストの絶滅』（1936年）だ。アンベードカルは、カースト制はヒンドゥー経典と非常に強力な結びつきがあると見なし、カーストを破壊するには経典を始めとするヒンドゥー教全体の改革が必要だと主張した。

仏領マルティニーク島で生まれ、アルジェリア独立運動に尽力した哲学者にして精神科医のイブラヒム・フランツ・ファノン（1925〜1961年）は、1952年に『黒い皮膚・白い仮面』を発表し、自身が「精神の植民地化」と見なしたものについて、デュボイスの作品と絡めて論じている。この論考をさらに発展させた『地に呪われたる者』（1961年）では、入植者側が浸透させたさまざまな形態の――身体的、概念的、そして漠然とした――暴力について綴り、脱植民地化のプロセスは有害にならざるを得ないとも述べた。

> **脱植民地化は暴力性を伴う。私たちがこの目で見るかぎり――スポーツクラブに入会するにしても、カクテルパーティーの来客名簿に記入するにしても、警察に入隊したり、国営銀行や個人銀行の役員会に参加するにしても、名前を変えなければならないという事態を個別に考えてみても――脱植民地化とは単に、本来の「人種」を別の人種に置き換えることにすぎない。**

ファノンは、かつて植民地支配下にあった人々に対し、植民地化以前の理想化された「純粋な」時代への思い込みを捨てるべきだと唱えた。そして、師であり友であるエメ・セゼールが牽引するネグリチュード運動を、かえって黒人と白人の対話の可能性を閉ざしてしまうものだと批判する。アフリカ系民族が自らのアイデンティティを求める「パン・アフリカ主義」を軸としたネグリチュード運動は、セゼールが1950年に発表した『植民地主義論』の主要テーマであった。ファノンが指摘したことは、のちに、シルヴィア・ウィンターを始めとする作家たちに引き継がれる。

南アフリカでは、ネルソン・ホリシャシャ・マンデラ（1918〜2013年）が、白人至上主義思想やアパルトヘイト（人種隔離）政策に反対の声を上げていた。マルクス主義哲学を唱える彼は、当

フランツ・ファノン
年代不詳

ファノンは1950年代前半に精神科医になる教育を受けていることから、植民地問題に関する彼の著作は、人間心理への理解を軸に展開された。これは、人生の終わりに近づいた頃のファノンの写真（彼は白血病により36歳で亡くなった）。

〈前ページ下〉
シモーヌ・ヴェイユ
『根をもつこと』
1949年、ガリマール：
フランス、パリ

フランスのガリマール出版社が1949年に発行した、『根をもつこと』の初版本。ガリマールの創始者ガストン・ガリマールは、第二次世界大戦中にフランスを占領したナチス軍の要請を受け、ナチス支持の書物を出版した。

スティーヴン・ビコ
『俺は書きたいことを書く』
1978年、ハイネマン：
アメリカ合衆国、
ニューハンプシャー州ポーツマス

ビコの長年の友人で支援者だったエルレッド・スタブス神父が、反アパルトヘイト運動に関する彼の著述を1冊にまとめ、出版した。下の写真はビコの葬儀に参列する人々の様子。

初は非暴力を謳っていたが、その後、ターゲットを絞った暴動を呼びかけたことで当局の怒りを買い、終身刑を言い渡される。そして27年間の獄中生活を経て、マンデラは南アフリカ共和国の大統領に就任した。アパルトヘイトに反対する「黒人意識運動」活動家、バントゥー・スティーヴン・ビコ（1946～1977年）のケースでも、書物に対する支配者層の恐怖は明らかだ。ビコはファノンの影響を受け、真の意味で黒人解放を実現するには、善良だがしばしば家父長的な、自由主義の白人から独立し、自己組織することが必要だと説いた。発禁処分となった著作、『俺は書きたいことを書く』（1978年）は、彼が白人警官らの暴力によって死亡した後に出版された。

これらの主張は、ヘンリー・オデラ・オルカとクワシ・ウィレドゥが「民族哲学」の危機と称したものとオーバーラップする。植民地化の終焉後、哲学的文化の再定義に挑んだ現地の思想家たちは、哲学と民族誌学をごちゃ混ぜにした。ウィレドゥは『Cultural Universals and Particulars（文化の普遍性とその詳細）』（1996年）で、「アフリカ固有の文化や伝統にすがることが、即、哲学的啓示につながる」という考え方に異を唱え、アフリカ特有の考え方を魔術や宗教から切り離し、アフリカ独自の「哲学」を見出すべきだと唱えた。

12　一意専心

この頃、フランスの一部の理論家たちはフッサールの現象学（221ページ参照）に回帰し、野蛮な行為や自己欺瞞を防ぎ、正しい行動の理解に努めた。そうするなかで、アブラハムが息子イサクを神に捧げようとした旧約聖書の逸話に関連づけて意思決定の概念を問題視した『おそれとおののき』（1843年）の著者、セーレン・キルケゴール（1813〜1855年）や、『地下室の手記』（1864年）などの作品を書いたフョードル・ミハイロヴィチ・ドストエフスキー（1821〜1881年）の「実存主義」〔普遍的な真理ではなく、「私」にとっての真理を探究する思想〕にたどり着く。この実存主義という思想運動から生まれた最も興味深い研究には、ジェンダー、セクシュアリティ、アイデンティティへの取り組みが含まれていた。それが特に顕著だったのは、シモーヌ・ド・ボーヴォワール（1908〜1986年）の作品だ。

> **人は女に生まれない。女になるのだ。人間の雌が社会のなかでとっている形態は、どんな生理的・心理的・経済的宿命がこれを定めているのでもけっしてない。文明の全体が雄と去勢体との中間産物をつくりあげ、それに女性という名をつけているだけのことである。他人というものが入って来てはじめて、「他者」としての個体を成立させることができる。**

上下巻組の『第二の性』（1949年）に記されたこの文章は、「女性であること」は本質的な特徴でなく、社会がある種の人々を押し込めたカテゴリーだと主張している。「woman」という呼称はなぜか常に「man」の派生形や、その副次的なものとして扱われている。こうして家父長制社会が、女性の選択肢や主体性や自由を狭めている。このボーヴォワールの分析は、ジュディス・バトラーやダナ・ハラウェイ、リュス・イリガライなどのフェミニズム思想作品の誕生に一役買った。

ジャン・ポール・サルトルの『存在と無』（1943年）は、「自己欺瞞」（悪しき信念）という概念を読者に提示している。サルトルによれば、一部の行為者は自己を欺くという。彼らは自分自身のことを、本来の自分と違う人間と思い込んだり、あるいは自分には自由がないとか、社会文化的地位の所産にすぎないと決めつけたりする。サルトルは、そのように自分を解釈するのは間違った行為であり、自分をだましているに等しいと指摘し、どんなに悲惨な状況下でも、行為者には自分の行動を選択できる根本的な自由があると主張した。

このサルトルの思想に対し、アルベール・カミュは、『シーシュポスの神話』（1942年）で不条理主義をもって反発した。この作品は「自殺」について、次のような問いを投げかける。人生は不条理に満ちて意味がないものだという、知るべき事実を知ったなら、なぜその人生を自らの手で終わらせてはいけないのか？　カミュとサルトルはジャンルの垣根を越え、『異邦人』（1942年）や『出口なし』（1944年）などの小説や戯曲というフィクション作品でこうした問題を取り上げた。

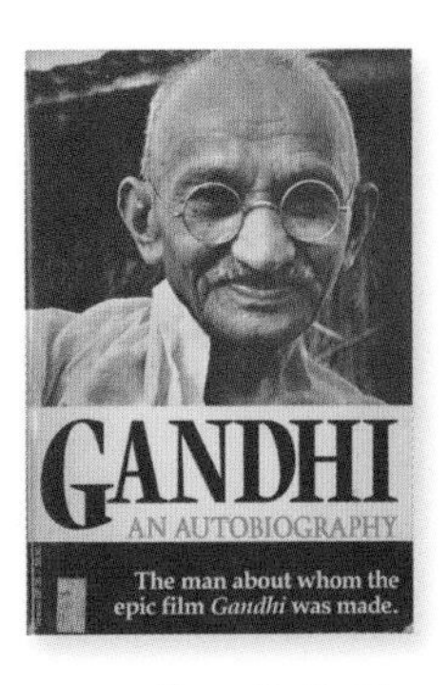

モーハンダース・K・ガンディー
『ガーンディー自叙伝　真理へと近づくさまざまな実験』
1972年、ビーコン：
アメリカ合衆国、
マサチューセッツ州ボストン

ガンディーの幼少期から1921年までの出来事を綴ったこの作品は、もともと本人が発行していたグジャラート語の週刊誌『ナヴァジーヴァン』で、1925年から1929年まで連載した記事を1冊にまとめたものだった。その後、ガンディーが手掛けたもうひとつの週刊誌、『ヤング・インディア』にこの英語翻訳版が掲載された。

エメ・セゼール
『植民地主義論』
1972年、
マンスリー・レビュー・プレス：
アメリカ合衆国、ニューヨーク州
ニューヨーク市

この版の発行元であるマンスリー・レビュー・プレスは、周縁化された作家たちの左派寄りの作品に重点を置く、アメリカの社会主義系出版社。

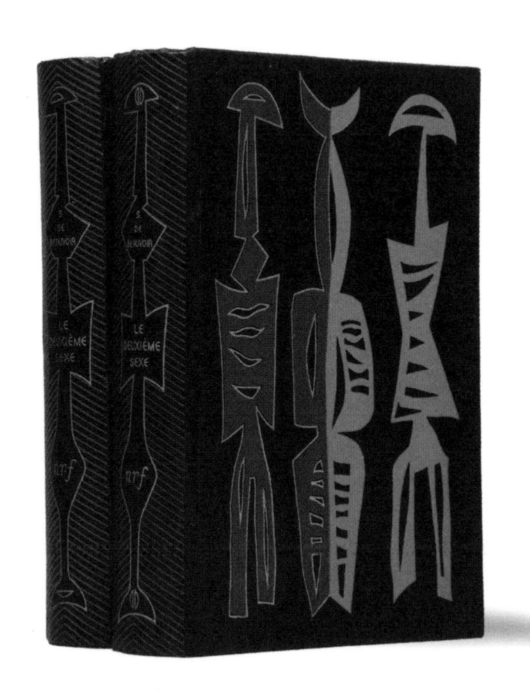

シモーヌ・ド・ボーヴォワール
『第二の性』
1949年、ガリマール：
フランス、パリ

黒字にマリオ・プラシノスのデザインを施した、『第二の性』限定版の表紙。右の写真はボーヴォワールの『第二の性』第2巻「体験」のタイトルページ。

〈左下〉
『第二の性』のイタリア語版
1965年、イル・サジアトーレ：
イタリア、ミラノ

〈右下〉
『第二の性』の日本語版
1953年、新潮社：
日本、東京

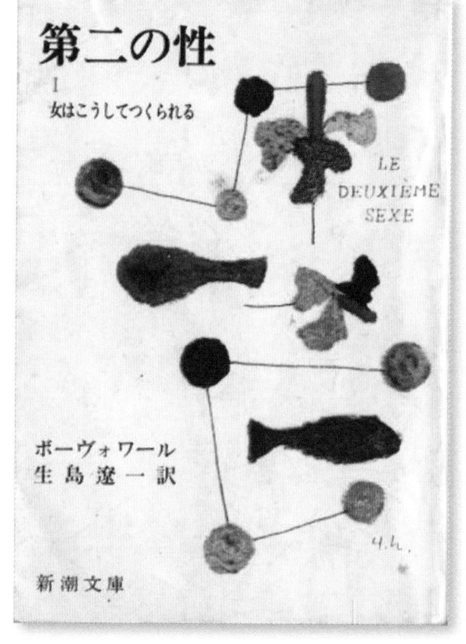

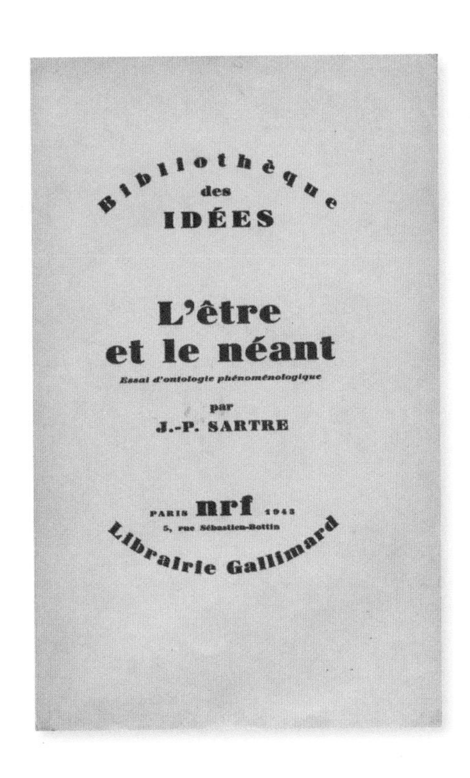

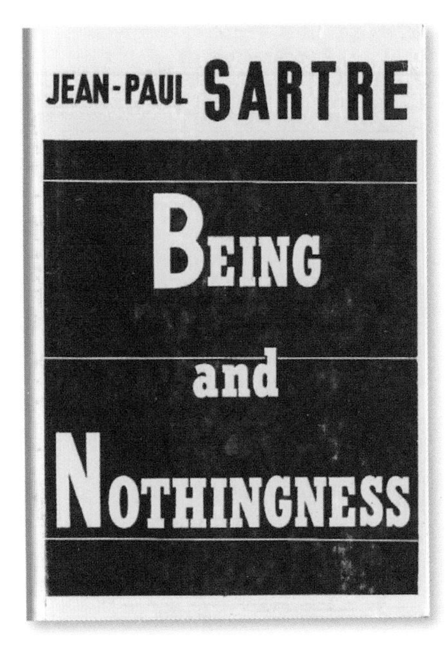

〈左上〉
シモーヌ・ド・ボーヴォワール
1947年、アメリカ合衆国

ハルトン・アーカイブ所蔵の、ボーヴォワールの写真の一部。

〈右上〉
ジャン＝ポール・サルトル
『存在と無』
1943年、ガリマール：
フランス、パリ

サルトルは、戦争捕虜となっていた1941年に読んだハイデガーの『存在と時間』を自分なりに解釈し、このドイツ人思想家に倣って現象学を用いた存在論を探求した。ドイツの占領下にあったフランスで、ナチスとの契約合意により経営が順調だったガリマールは、『存在と無』の最初のフランス語版を出版した。

〈左下〉
『存在と無』
1957年、メシュエン：
イギリス、ロンドン

イギリス版初版の表紙。発行元のメシュエンは、当初は学術書の出版に特化していた。

〈右下〉
『存在と無』
1956年、
フィロソフィカル・ライブラリー：
アメリカ合衆国、ニューヨーク州
ニューヨーク市

アメリカで『存在と無』の初版を発行したフィロソフィカル・ライブラリーは、民族離散（ディアスポラ）を経験したヨーロッパの知識人の作品を出版するために、1941年にダゴバート・D・ルーンズによって設立された。

〈次ページ上〉
毛沢東主席の語録を掲げる兵士を描いた「防原子防化学防細菌」のポスター
1971年、
中国人民解放軍総参謀部：
中国、北京

〈次ページ左下〉
毛沢東
『毛主席語録』の口絵と題辞
1966年、中国

〈次ページ右下〉
『毛主席語録』の表紙
1964年、
中国人民解放軍総政治部：
中国、北京

13　キャンペーン

著名なキューバ人写真家、アルベルト・ディアス・グティエレス（通称アルベルト・コルダ）が1960年に撮影した印象的な写真がある。それは、アルゼンチンの革命家エルネスト・「チェ」・ゲバラと会談するボーヴォワールと、その傍らで葉巻をふかすサルトルをとらえたものだ。当時、フランス文壇の知識人たちは、急進的な政治家たちとやたらと親交を結んでいた。それによく考えてみると、この写真はさほど現実離れした光景でもない。ボーヴォワールもサルトルも政治活動に積極的で、アルジェリア戦争では反植民地の立場からフランス人の残虐行為を非難し、サルトルにいたっては、ファノンの『地に呪われたる者』に序文を寄せるくらいだったからだ。それにゲバラも、キューバにマルクス主義革命を起こすことを目指す、教養豊かな政治理論学者だった。この写真は当時、「西欧」の資本主義かソビエト流の社会主義かという大きな政治的・思想的葛藤が存在していた証左である。

マルクス主義的な政策を追求したのは、キューバだけではない。脱植民地化を果たしたばかりの国の多くは、入植者側の市場重視型の政策よりも社会主義政策を選んだ。民族国家はマルクスの『資本論』を崇拝し、富の再分配やイデオロギーの再教育という急進的でしばしば不安定な政策を実施し、「資本階級の価値観」をやり玉に挙げた。

西欧諸国で「リトル・レッド・ブック（小さな赤い本）」として広く知られている、『毛主席語録（毛沢東語録）』（1964年）という本がある。これは、中国共産党の創立党員のひとりで、中華人民共和国の初代最高指導者だった毛沢東（1893〜1976年）の言葉を収録したものだ。数十年に及ぶイギリスと日本による占領が終わると、中国の民衆は反帝国主義的な共産主義思想を徐々に受け入れていった。レーニンの『ロシアにおける資本主義の発展』に倣い、民主主義と文化と軍事戦略に対する疑問を網羅しつつ、歴史の発展の形而上学にも言及する『毛主席語録』は、文化大革命のときには中国国民の必読書となり、その結果、累積読者数は何十億人にも上った。しかし、毛沢東の専制支配によって粛清や強制労働、文化財の破壊、何百万人もの国民の死が引き起こされ、国内が荒廃したという事実に照らせば、この作品が伝えた楽観的な反帝国主義のメッセージは偽りだったといえる。

中国、キューバ、ソ連などの共産主義国と、アメリカや西ヨーロッパを含む「西側」の資本主義国との確執は、1960、70年代の地政学を特徴づけた。「冷戦」と呼ぶにはあまりにも熱い共産主義国と資本主義国との対立によって、ベトナム、韓国、南アメリカ、アフリカ諸国で血みどろの軍事行動が展開され、代理戦争の舞台となった地域はいまだ落ち着きを取り戻していない。

東西冷戦は、ソ連だけでなくアメリカ、イギリス内にも、国家による文化生産支援という構図を誕生させた。アメリカ政府は、ジャクソン・ポロックに代表される抽象表現主義を奨励し、国家の威信をかけてソ連の社会主義リアリズムに対抗しようと試みる。また、芸術界のみならず、思想界にも介入した。ラッセル、

チェ・ゲバラと会談する
シモーヌ・ド・ボーヴォワールと
ジャン＝ポール・サルトル
1960年、キューバ、ハバナ

キューバ人写真家アルベルト・コルダが、キューバに滞在していたふたりのフランス人哲学者を撮影した写真。サルトルとボーヴォワールは当初、キューバ革命を熱心に支持していたが、政権を批判したキューバ人詩人エベルト・パディージャが逮捕されたことから、最終的には最高指導者のフィデル・カストロを非難する側に回った。

毛主席語录
防原子防化学防细菌掛图

毛主席語录
中国人民解放軍总政治部編印

エイヤー、アーレント、ポパー、マードックなど、大勢の哲学者、詩人、評論家たちの寄稿を歓迎した、長い歴史を持つ文芸雑誌『エンカウンター』（1953〜1991年）が、左傾の思想家たちを監視したいイギリスの情報機関（MI6）とアメリカの中央情報局（CIA）から、運営資金の一部を援助されていたことがのちに明るみになったのだ。こうした戦略は、当時の西側諸国の文学作品に顕著に表れているように、より大きなイデオロギーの対立を引き起こすこととなる。

14　個人的な関心事

共産主義国の哲学はたいてい、資本主義に対する文化批判や、マルクス主義と伝統的な価値観との同化に焦点を合わせていた一方、資本主義国の哲学の大半は個人の権利と技術礼賛へと向かった。こうした変化が如実に表れている作品と言えば、ロシアからアメリカに移住したアリーサ・ジノヴィエヴナ・ローゼンバウムの著作だろう。アイン・ランドの筆名で発表した『水源』（1943年）や『肩をすくめるアトラス』（1957年）などの過激な資本主義小説で有名になった彼女には、他にも『利己主義という気概』（1964年）という作品がある。ランドはそのなかで利他的行動を否定的に描き、エゴイズムを合理的かつ道徳的と讃美した。ランドにとって、資本主義だけが個人の自由を保証してくれるものだったのだ。

〈次ページ左上〉
アイン・ランド
1957年、アメリカ合衆国

フィリス・サーフが撮影した、タバコを手に微笑むランドの写真。ランドは講演者としての経験も豊富で、イェール、プリンストン、コロンビア、ハーバードなどの各大学で学生たちを前に話をすることで「客観主義」思想を広めた。

〈次ページ右上〉
シドニー・シューメーカー
『自己知と自己同一性』
1963年、コーネル大学出版局：
アメリカ合衆国、
ニューヨーク州イサカ

シューメーカーは職業人生のほとんどをコーネル大学の教授として過ごした。彼の最も有名な著作は、アメリカ国内の大学で初めて出版事業を開始した、コーネル大学出版局によって発行された。大学の出版事業と学術研究との関係は、厄介で興味深い。

個人の権利を守りたいなら、資本主義だけがそれを守れるシステムであると理解すべきだ。

「自由放任」資本主義と個人の権利を重視したランドは、「アメリカン・ドリーム」という強力な民族概念の象徴的存在となった。こうした個人の自由を絶対視し、それに制約を加える国家の役割を最小限にとどめようとする自由至上主義の思想、リバタリアニズムは、ロバート・ノージックが1974年に発表した『アナーキー・国家・ユートピア』に引き継がれる（この作品は、1971年のジョン・ロールズによる『正義論』に対抗すべく書かれた）。

哲学研究の世界における新自由主義（ネオ・リベラリズム）の典型例は、シドニー・シューメーカーやデレク・パーフィットの著作に見られる「自己同一性についての議論」だ。シューメーカーは『自己知と自己同一性』（1963年）で、不運な人間が脳を他人の体に移植される「脳移植」について取り上げ、パーフィットは『理由と人格』（1984年）で、人間を原子化して他所へ瞬時に送る「瞬間移動」を例示した。これらは「思考実験」という文学ジャンルの基本となるもので、どちらもロックの『人間悟性論』（195ページ参照）に立脚し、自己をしばしば分離可能で原子的な、実体のない存在ととらえている。それゆえにシューメーカーは肉体の入れ替わりを、人種と性別を無視して論じているのだ。そして、個人を社会的現実と切り離して概念化し、自らの労働力を意識的かつ自由に売る、完全に自立した存在として提示している。

こうした思潮は形而上学だけにとどまらない。のちのレーガン政権やサッチャー政権の経済政策と足並みを揃え、倫理学も「原子的な」個人の選択的自由のまわりに集まってきた。しかし、この理論に依拠すれば、金銭の寄付を始めとする慈善活動の道徳的意義が失われてしまう。ピーター・シンガーの『実践の倫理』には、その答えとなる原理が明示され、今も影響力を持ち続けている。

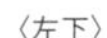

〈左下〉
ピーター・シンガー
『実践の倫理』
1980年、ケンブリッジ大学出版局：イギリス、ケンブリッジ

1979年にケンブリッジ大学出版局から初版が発行された、シンガーによる応用倫理学入門書の1980年版の表紙。

〈右下〉
ロバート・ノージック
『アナーキー・国家・ユートピア』
1974年、ベーシック・ブックス：アメリカ合衆国、ニューヨーク州ニューヨーク市

この作品の初版の発行元であるベーシック・ブックスの前身は、精神分析の専門家向けにジークムント・フロイトやクロード・レヴィ=ストロースの作品を出版していたグリニッジ・ビレッジ・ブッククラブである。1960年に思想書の数を増やしたが、のちに老舗出版社ハーパー&ロウに買収された。

ロバート・ノージック
1975年、アメリカ合衆国

マーサ・ホルムズが撮影した、1975年に『アナーキー・国家・ユートピア』が全米図書賞を受賞したときのノージック。

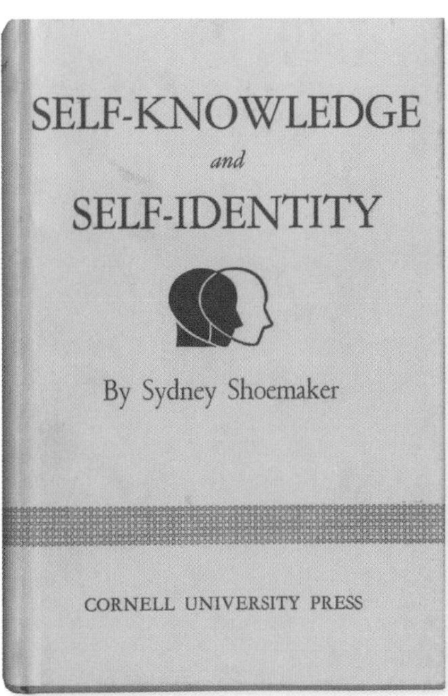

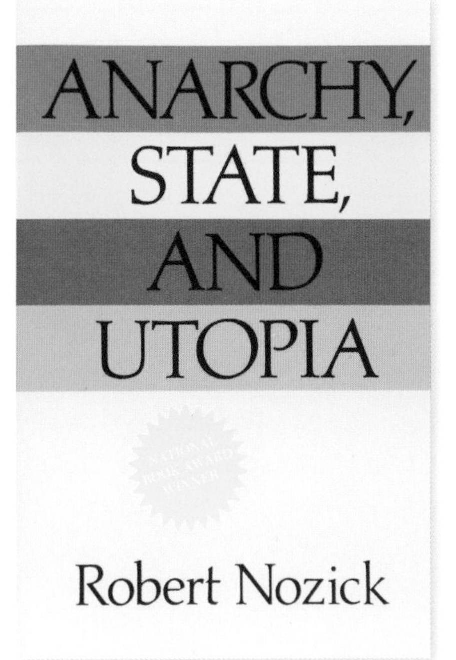

15 嘘かまことか

20世紀後半、政治による思想活動への暗黙の介入を糾弾する作品が続々登場する。アメリカの黒人解放組織「ブラックパンサー」の党員で学者でもあるアンジェラ・イボンヌ・デイヴィス編集の『もし奴らが朝に来たら　黒人政治犯・闘いの声』（1971年）は、監獄制度を政治問題として取り上げ、なかでも刑務所の廃止を強く訴えた。『監獄の誕生　監視と処罰』（1975年）や『性の歴史』（1976〜84年）のミシェル・フーコーに代表されるような思想家たちは、ニーチェの系譜学に回帰し、人間と真理と理性に対する「現代」の概念を批判した。フーコーの『性の歴史』は、ニーチェ学者で彼の協力者でもあったルー・アンドレアス・ザロメが1911年に発表した『The Erotic（エロティーク）』のセクシュアリティの哲学に通ずるものがある。

オードリー・ロードは、『Sister Outsider（シスター・アウトサイダー）』（1984年）で、黒人フェミニスト集団「カンビー・リバー・コレクティブ」による『Combahee River Collective Statement（カンビー・リバー・コレクティブの声明）』にも見られる、アイデンティティの複合的な差異（インターセクショナリティ）について取り上げた。両作品に共通するのは、個人を多様な他者と多様な方法でつながっている多様な存在、ととらえている点だ。ロードにとって「アイデンティティ」は、そもそも自立性や人間性にかかわるものではなく、ましてやデュボイスが『黒人のたましい』に記したような「二重意識」とも無縁だった。ロードは個人の多面的な役割や、家族・コミュニティとの関係を重視したのだ。

その一方で、ジル・ドゥルーズとピエール＝フェリックス・ガタリ共著の『アンチ・オイディプス　資本主義と分裂症』は、資本主義社会の維持における欲望の役割について検証している。抑圧という社会的な力学は子供のうちからすでに働いているのだとドゥルーズとガタリは指摘する。彼らによれば、人間は子供時代から（無意識のうちに）従順になることや抑圧されることを覚え、動き続ける資本主義マシンの歯車になる準備を整えるのだという。

マルクス主義の科学史学者ダナ・ハラウェイは、とりわけ『サイボーグ宣言』（1985年）において、人間を閉じ込めるさまざまな境界線を問題視した。「サイボーグとは、人工頭脳生物、機械と生体のハイブリッド、現実社会とフィクションの両方を生き抜く生物のことだ」とハラウェイは語る。このような存在は安定したアイデンティティや本質がない——ゆえに、ジェンダーや生物学的性に関する本質論に侵されない。

ハラウェイやボーヴォワールなどの作品に立脚したジュディス・バトラーの『ジェンダー・トラブル　フェミニズムとアイデンティティの攪乱』（1990年）は、「男女」という性差は生まれながらの「本質」だとする考えに異論を唱えた。ジェンダーは「パフォーマンス」として理解すべきもの、つまり、日常生活を通して、他人の前で行う演技のようなものだとバトラーは主張する。

ジェンダーのカテゴリーは不確かで再解釈可能だとする考え方は、学術分野の内外で大きな影響力を持ち、クィア理論〔性的マイノリティの思想・文化・歴史の研究分野で整理された思考の枠組みの総称〕やLGBTQ+〔「レズビアン」「ゲイ」「バイセクシャル」「トランスジェンダー」「クエスチョニング」「インターセックス」の頭文字を取った性的マイノリティの総称〕研究と並んで大衆文化に溶け込んだ。レスリー・ファインバーグの『Trans liberation: Beyond Pink or Blue（トランスジェンダーの解放　ピンクか青かの世界を超えて）』（1992年）は、こうした探求を引き継いでいる。ファインバーグは性表現に関する（しばしば暗黙の）規範に反して抑圧された人々の概念的（かつ実際的）な解放を訴えた。ファインバーグによると、ジェンダーの多様なあり方は昔から切れ目なく存在しているという。つまり、固定化された性差の概念は、現代の産物なのだ。

> **トランスジェンダーは昔から存在する。**（……）**従来方の「男性」「女性」を装って生活する、歴史的に新しい生き方を「パッシング」という。パッシングとは本来の自分を隠すこと、見えない人間になることだ。トランスジェンダーが批判や暴力にさらされることなく、自らのジェンダーを自由に表現して生きられるようにすべきである。**

これらの批判は、厳格な神秘主義者シモーヌ・ヴェイユの『重力と恩寵』（1942年）や、彼女の思想を継いだキリスト教哲学書に見られるような「理性的」な認識規範の再評価、また、しばしば理性の対極と見なされる探求手段への再関与と交差する。高い精神性は、ラテン系フェミニスト哲学を代表するグローリア・エヴァンジェリーナ・アンザルデュアの『Borderlands/La Frontera（ボーダーランズ／ラ・フロンテラ）』（1987年）でも、主要モチーフのひとつとして取り上げられた。アンザルデュアは、フェミニストとクィアとメキシコ系アメリカ人女性（チカーナ）というアイデンティティをひとまとめにし、それらを異なる文化を持つアメリカとメキシコの国境地帯という文脈のなかに置いた。作品の根幹に位置するのは、「混合」という概念だ。アンザルデュアは「純血」を重視することに反発し、「混血」の概念を支持している。

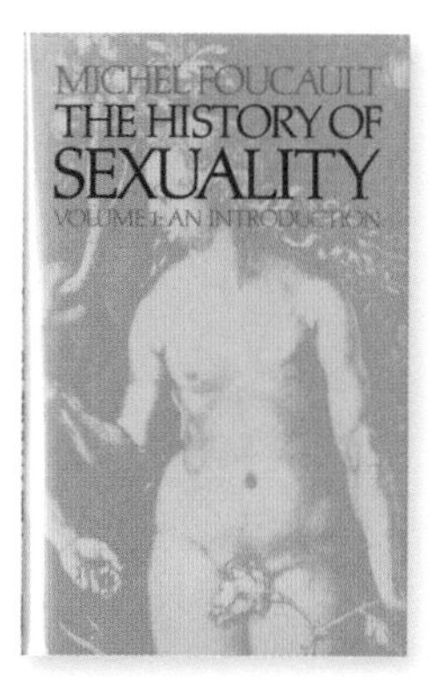

ミシェル・フーコー
『性の歴史』の表紙
1979年、ヴァイキングプレス：
アメリカ合衆国、ニューヨーク州
ニューヨーク市

西欧諸国の性に関する研究書、全4巻のうちの第1巻。この英語版は1979年にヴァイキング社から発行された。

アンジェラ・Y・デイヴィス
1970年頃、アメリカ合衆国

この写真が撮影された1970年代、デイヴィスは極刑に相当する重罪で起訴・収監されたが、のちに完全無罪となった。彼女の作品の大半は、監獄制度の廃止が中心テーマだ。

オードリー・ロード
1983年、アメリカ合衆国

自伝的作品の『The Cancer Journals（癌日記）』（1980年）と『ザミ　私の名の新しい綴り』（1982年）を出版後にアメリカ人写真家ジャック・ミッチェルが撮影した、吸い込まれそうな眼差しでカメラをまっすぐ見つめるロードの写真。

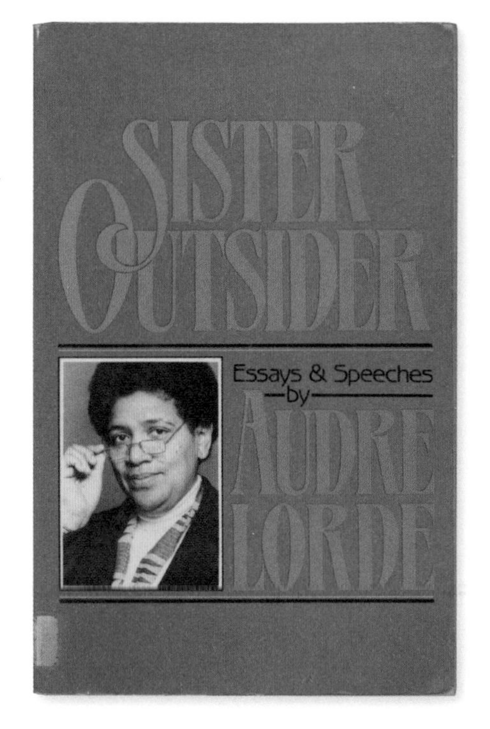

オードリー・ロード
『Sister Outlander: Essays and Speeches（シスター・アウトランダー　エッセー・演説集）』
1984年、クロッシング・プレス：アメリカ合衆国、カリフォルニア州バークレー

哲学書専門の出版社、クロッシング・プレス発行のこの作品には、1976〜1983年のロードの画期的なエッセーと演説が収録されている。

ソフィー・ボセデ・オルウォレの『Witchcraft, Reincarnation and the God-Head（魔術と生まれ変わりと神）』（1992年）も、同じように一般的な認識的価値観を分析している。オルウォレは、ヨルバ人〔ナイジェリア南西部に集中して居住する、西アフリカ最大の民族集団のひとつ〕の思想に共通する魔術や秘儀は信じるに足るものだろうかと問い、魔術を「非科学的」なものと片付けず、真剣に受け止め、記録を残しておくべきだと結論づけ、さらには、魔術が現実理解の代替手段となる可能性も提示した。

理性や理性的な言説への拒絶と見られるものに、不安を抱く者もいる。「代替的な事実（オルタナティブ・ファクト）」は民主主義的自由への脅威になりかねないのではないか？　ここからなし崩し的に、地球平面説が主張されたり、医学が拒絶されたりする事態にならないか？　こうした不安は多様で、ときに矛盾も生じるが、そこには、科学の進歩であろうと、歴史的な出来事、哲学の発展、思想家個人の英雄的功績であろうと、国家が記憶を主導して物語を構築する「グランド・ナラティブ」への懸念が一貫してうかがわれる。それらの不安は、私たちにある警告を発する。すなわち、「大きな物語」には事実の要素も歪曲の要素も含まれていること。そして、哲学はそうした問題すべてとしばしば密接に絡み合っていること。本書は、この警告をもって締めくくろうと思う。

〈左上〉

グローリア・E・アンザルデュア

『Borderlands/La Frontera: The New Mestiza（ボーダーランズ／ラ・フロンテラ　新しい混血）』

1987年、アント・ルート・ブックス：アメリカ合衆国、カリフォルニア州サンフランシスコ

周縁化された作品が普及したのは、独立系出版社の後押しがあったからだった。アンザルデュア作品を出版したアント・ルート・ブックスは、「昔から過小評価されてきた女性作家の作品」を世に送り出すという志を持ったバーブ・ヴィーザーとジョーン・ピンクボスによって、1982年に創設された。この表紙デザインはパメラ・ウィルソンによるもの。

〈右上〉

ジュディス・バトラー

『ジェンダー・トラブル　フェミニズムとアイデンティティの攪乱』

1990年、ラウトレッジ：アメリカ合衆国、ニューヨーク州ニューヨーク市

タイトルの書体は1930年代の映画のポスターを想起させる。写真は、スクリーンでよく見られるジェンダー・パフォーマンスを示唆している。

〈下〉

レベッカ・ポール

『ダナ・ハラウェイの「サイボーグ宣言」の分析　20世紀後半の科学技術、社会主義、フェミニズム』

2018年、マカット：イギリス、ロンドン

結び：起こりうる未来――2000年以降

21世紀に入って20年が過ぎた現時点では、どの思潮が長く続くのか、どの書物が時代を特徴づけるのかはまだわからない。しかし――前世紀、いや、もっと大昔から続く――特定の流れが、新たな千年紀に入っても続くことは間違いない。

その例をひとつ挙げるとすれば、思想書はこれからも書かれ、世に出回り、その数もまったく減らないだろう。どの国のどの本屋に行っても、たいてい専用のコーナーが設けられているはずだ。かつて人気を博した他のテーマとは違い、哲学の星は輝き続けるのだ。

勢いが衰えないこの学問分野では、19、20世紀を特徴づけた思想が相変わらず優位を占める。20世紀の終わりに植民地哲学を浸透させた市場主義的・科学的・個人主義的見解は――倫理学や形而上学などに――さまざまな形で登場するだろう。おそらく現代で最もよく知られている倫理的立場は「効果的利他主義」だ。ウィリアム・マッカスキルの『効果的な利他的宣言！　慈善活動への科学的アプローチ』(2015年)は、19世紀にジェレミー・ベンサムが最初に唱え、1980、90年代にピーター・シンガーが発展させた功利主義を足場に、「慈善活動」を正当化する科学的根拠を示している。マッカスキルはこの作品で、個人の金儲け――と不正な蓄財の再配分――が、不平等を是正する「効果的な」手段のひとつになると主張した。

個人主義的なアプローチは、人生哲学の分野でも活用されている。汎神論という根っこを引き抜かれたストア主義が、精神的ストレスと景気後退への対処法を謳った大衆向けの哲学書で再ブランド化された。仏教思想の根幹である「無我」という根本概念も、一連の個人的なマインドフルネス・エクササイズへと変貌している。『人生がときめく片づけの魔法』(2011年)で近藤麻理恵が示したように「空」の哲学ですら儲かる商業帝国へと変わり得るのだ。

同じく形而上学の分野でも、「個人的アイデンティティ」産業が発展を続けている――ただし、今では脳移植や瞬間移動の問題への関心は薄れ、代わりに「遺伝子組み換え」や(マイケル・ベスによる2017年の『Make Way for the Super Humans(超人に道を譲れ)』や、ロッシ・ブライドッチによる2013年の『ポストヒューマン　新しい人文学に向けて』などに取り上げられた)「人間強化」というテーマに注目が集まっている。哲学的科学主義への傾向が最も顕著なのは、「実験哲学」という急成長中の分野かもしれない。17世紀のアプローチをベースにしたこの学問の目的は、経験的データを用いて哲学的問題の解決を試みることだ(実験哲学については、タニア・ロンブローゾの著作に詳しい)。

実験を用いた哲学研究の登場は、何世紀も前に確立された学問分野の境界の多くが曖昧になりつつあることを示す一例にすぎない。ここ数年来、革新的な哲学小説も登場している。特に多いのは、シェイラ・ヘティの『Motherhood(母性)』に代表されるような自伝的要素の強い作品(オートフィクション)だ。こうした作品は、哲学・文学、フィクション・ノンフィクションといった、多くの本屋で設定されているような標準的なジャンルに分類しにくい。

思想書は昔から「世界的」関心の的だった。本書でも見てきたように、思想のグローバリゼ

近藤麻理恵
2019年、フランス

近藤は、「コンマリ」メソッドという神道の精神修養に根差した片付けプロセスの唱道者として知られている。

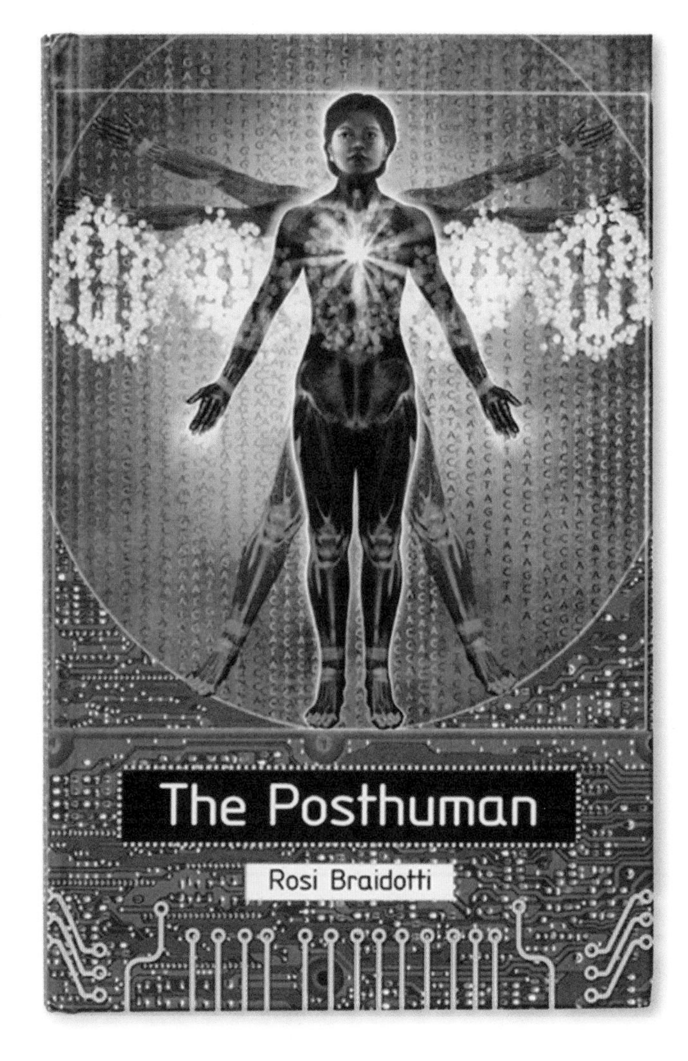

ロッシ・ブライドッチ
『ポストヒューマン』
2013年、ポリティ：
イギリス、ケンブリッジ

ブライドッチは臣民統制にかかわる伝統的な人文思想の限界を調査し、ポストヒューマンという概念は、技術が大きく変化する時代に多様なアイデンティティを理解する一助になると主張した。

ロッシ・ブライドッチ
2013年、オランダ、ユトレヒト

ブライドッチはヨーロッパの女性研究の第一人者として、フェミニズム研究の大学間ネットワークを構築し、数々のフェミニズム系学術誌の諮問委員を務めてきた。

クワメ・アンソニー・アッピア
年代不詳

アッピアは政治・道徳論、アフリカの思想史、言語哲学に関する多数の著書を持ち、現在はニューヨーク大学哲学科で教えている。

ーションはシルクロードの開発を起点にして今も進展を続けている。グローバルな視点で書かれた昨今の思想書は、プリヤンバダ・ゴパルの『Insurgent Empire（反乱者の帝国）』（2019年）、クワメ・アンソニー・アッピアの『Cosmopolitanism（コスモポリタンという考え方）』（2006年）、ノーベル平和賞受賞者のマララ・ユスフザイ著・編『マララが見た世界　わたしが出会った難民の少女たち』（2019年）などを見てもわかるように、依然として植民地問題や難民問題、ナショナル・アイデンティティや多文化主義の問題を取り上げている。と同時に思想家たちも、他国の長く豊かな歴史を持つ哲学に積極的に関与し、その恩恵を改めて認識し始めている。ちなみに、この10年で最もよく売れた思想書のひとつは、クリスティン・グロス＝ローとマイケル・ピュエットがアメリカ人の視点から儒学思想を考察した、『ハーバードの人生が変わる東洋哲学　悩めるエリートを熱狂させた超人気講義』である。

他にも、世界の関心を集めている問題がある。「気候の非常事態」だ。地球温暖化は今、思想書界で最も需要が高いテーマのひとつだ。グレタ・トゥーンベリ著『グレタ　たったひとりのストライキ』（2019年）から、エクスティンクション・レベリオン（絶滅への反乱）という市民運動の名前で刊行された『This is Not a Drill（これは訓練なんかじゃない）』（2019年）に至るまで、思想家たちは――しばしば共著という形をとりながら――地球温暖化の道徳的・社会的・実存的意味の把握に取り組んでいる。この新たな問題が浮上した結果、（現在）温暖化の最大の被害を被っている一部の地域の先住民思想家たちと、西欧の産業モデルから外れた思想体系への関心が（まだ十分ではないものの、ある程度は）高まった（2016年のチェルシー・ボウエル著『Indigenous Writes（先住民の言葉）』や、2009年のダニエル・R・ワイルドキャット著『Red Alert!: Saving the Planet with Indigenous Knowledge（非常警報！　先住民の知識で地球を救う）』を参照してほしい）。

近年は認識論も、特に情報技術に関連して著しく変化している。インターネットは、真実や知識に関する未知の謎や問題、そして、それらを倫理学や政治学と結びつける方法をもたらした。私たちは、ショシャナ・ズボフの『監視資本主義　人類の未来を賭けた闘い』（2019年）や、ラナ・フォローハルの『Don't Be Evil: The Case Against Big Tech（邪悪になるな　大手テクノロジー企業に対する訴訟）』（2019年）にも取り上げられているこうした問題についてじっくり考えるべきかもしれないが、（本などの）古い知識生産システムに基づく古い認識論的枠組みが「デジタル時代」にふさわしいのかどうか疑問だ。

マララ・ユスフザイ
2018年、オーストラリア

女性の教育の機会を訴えるパキスタン人活動家のユスフザイは、史上最年少のノーベル賞受賞者だ。これは、2018年にオーストラリアのシドニーで撮影されたユスフザイ。

Winner of the Nobel Peace Prize
Malala
YOUSAFZAI
WE ARE DISPLACED
My Journey and Stories from Refugee Girls Around the World

〈右〉
マララ・ユスフザイ編著
『マララが見た世界　わたしが出会った難民の少女たち』
2019年、リトル・ブラウン・アンド・アカンパニー：
アメリカ合衆国、
マサチューセッツ州ボストン

故郷パキスタンからイギリスへの移住を余儀なくされたユスフザイの子供時代の体験と、世界中の避難民の少女たちの話を併録したベストセラー作品。疎外と抑圧の被害者たちの悲痛な証言が、簡潔な文章で淡々と記されている。

エクスティンクション・レベリオン
2020年、イギリス、ロンドン

エクスティンクション・レベリオンによる一連の「大規模反乱」の最終日の様子。

〈左下〉
ダニエル・R・ワイルドキャット
『Red Alert!: Saving the Planet with Indigenous Knowledge』
2009年、フルクラム：
アメリカ合衆国、
コロラド州ゴールデン

〈中央下〉
グレタ・トゥーンベリ
『グレタ　たったひとりのストライキ』
2019年、ペンギンブックス：
アメリカ合衆国、ニューヨーク州
ニューヨーク市

〈右下〉
グレタ・トゥーンベリ
2019年、アメリカ合衆国、
ニューヨーク

若き環境活動家は気候変動への対策を訴えるため、スウェーデンの国会議事堂の前で座り込みをした。

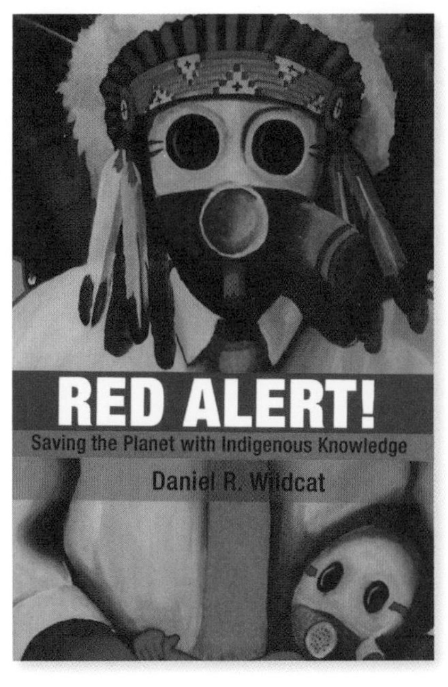

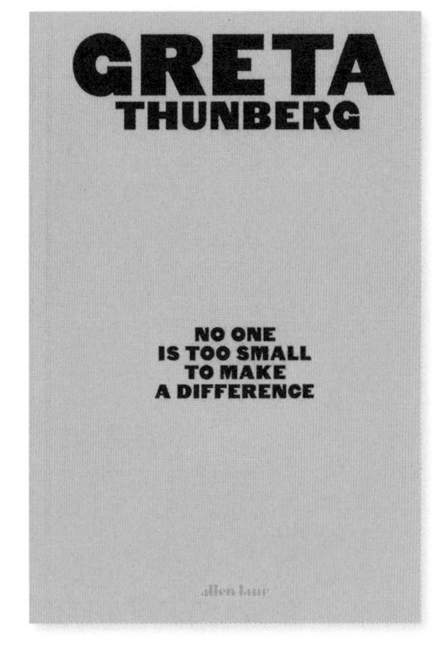

〈左上〉
ラナ・フォローハル
2019年、アメリカ合衆国、
カリフォルニア州

アメリカ人経済学者のラナ・フォローハルは、大手テクノロジー企業の倫理学的・認識学的影響を理解している、極めて視点の鋭い知識人のひとり。

〈右上〉
ラナ・フォローハル
『Don't Be Evil: The Case Against Big Tech』
2019年、ペンギンブックス：
アメリカ合衆国、ニューヨーク州
ニューヨーク市

「Don't Be Evil（邪悪になるな）」はテクノロジー界の巨人、グーグルの社是のひとつだった。フォローハルの研究は、デジタル企業が創立理念から離れていった過程を検証する。

〈左下〉
ショシャナ・ズボフ
『監視資本主義　人類の未来を賭けた闘い』
2019年、アシェット・ブック・グループ、パブリックアフェアーズ：
アメリカ合衆国、ニューヨーク州
ニューヨーク市

タイトルの「監視資本主義」とはつまり、ユーザー監視とデータ収集を実施しているグーグルやアマゾンのようなデジタル企業のビジネスモデルにたとえられる資本主義形態のことだ。

〈右下〉
ショシャナ・ズボフ
2019年、ドイツ、ベルリン

ハーバード大学の教授であるショシャナ・ズボフは、デジタル革命と、資本主義の影響と進化を検証した作品の著者として知られている。この写真は、アクセル・シュプリンガー賞を受賞したときのズボフ。

The
Case
Against
Big
Tech

RANA FOROOHAR

THE AGE OF
SURVEILLANCE
CAPITALISM

THE FIGHT FOR A
HUMAN FUTURE
AT THE NEW
FRONTIER OF POWER

SHOSHANA
ZUBOFF

サラ・アーメド
『Living a Feminist Life』
2017年、デューク大学出版局：
アメリカ合衆国、
ノースカロライナ州ダーラム

デューク大学出版局によって発行され、幅広く絶賛された『Living a Feminist Life』は、有色人種のフェミニストたちの研究を前面に押し出した、抒情的で個人的な現代フェミニズムの探求書だ。

サラ・アーメド
2019年、スイス、ジュネーヴ

アーメドにはたくさんの著作物があるが、哲学的議論に最も貢献したもののひとつは彼女の研究ブログ、feministkilljoys.comだ。

思想界でも足元を見つめ直す空気がそれなりに強まった結果、さまざまな学術機関にいまだ帝国主義や家父長制度のなごりが残っていることが広く認識され始めた。孤立主義的とも言える分析哲学の世界も例外ではない。ここに具体例を挙げておこう。サラ・アーメドが、組織化された人種差別や性差別を鋭く分析した『Living a Feminist Life（フェミニストの人生を生きる）』（2017年）を書いたのは、勤めていた大学を辞めてからのことだった。それに関連して言えば、21世紀に多発したセクシャルハラスメントやいじめに関する注目を集めた訴訟の被告は、20世紀にもてはやされた、英語圏の白人男性哲学者たちである。

一方、学術界と出版産業界両方の変化に応じて、思想書の生産様式も変わりつつあるようだ。（インターネットを介して誰もが自由に思想家の著作物を閲覧できる）「オープンアクセス」を求める声が世界中で上がっている。将来、顧客の注文に応じて印刷・出荷する「オンデマンド印刷」や、電子ブック、オーディオブックの需要が高まる可能性もある。そうなれば、特に学術書の生産コストが下がるかもしれない —— 今の学術書のなかには、価格が100ポンド（約1万5000円）を超えるものもある。しかし、必ずそうなるとは言い切れない。学術書はたいてい一般市場への訴求力がほとんどないからだ。

艾未未（アイ・ウェイウェイ）
2015年、イギリス、ロンドン

「Bare Life（剥き出しの生）」と銘打った展覧会で、「Forever Bicycles（自転車よ、永遠に）」という作品の前に立つ艾未未。「Bare Life」は、ジョルジョ・アガンベンが『ホモ・サケル　主権権力と剥き出しの生』で言及した、政治的・法的保護の権利を剥奪された人間存在という概念を指す。

〈左下〉
サラ・ベイクウェル
2016年、イギリス、エジンバラ

このイギリス人哲学者の処女作の歴史小説『The Smart（うずき）』は、彼女がウェルカム図書館で、初期の印刷された書籍のキュレーターを務めていたときに読み込んだ、忘れられた作品の断片や論文から着想を得た。

〈右下〉
ジャック・ランシエール
2011年、フランス、パリ

スイスのサースフェーにある欧州大学院大学の哲学教授だったランシエールは、ルイ・アルチュセールと共同で『資本論を読む』を執筆したことで初めて名前が知られるようになった。写真は、哀愁漂うポーズをとるランシエール。

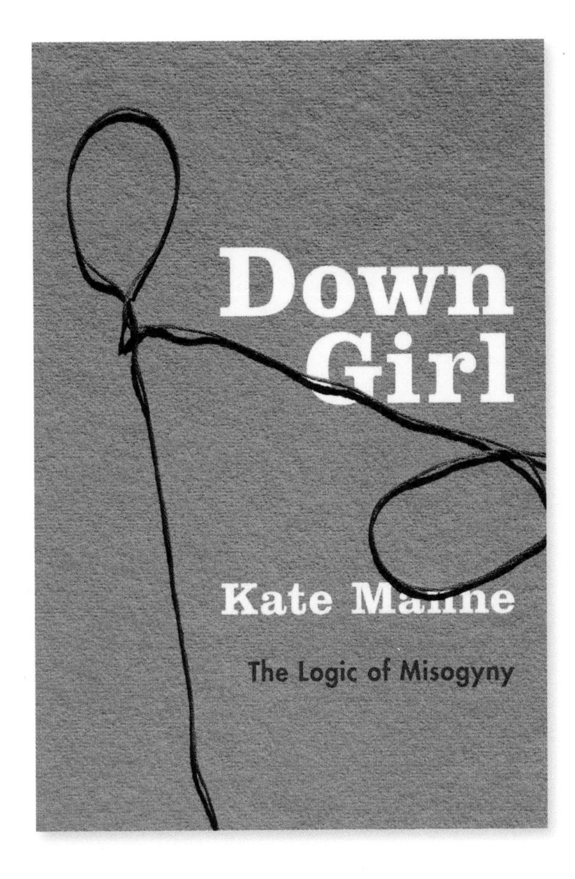

ケイト・マン
『ひれふせ、女たち　ミソジニーの論理』
2017年、
オックスフォード大学出版局：
アメリカ合衆国、ニューヨーク州
ニューヨーク市

2017年にオックスフォード大学出版局のアメリカ支部が初めて出版を手掛けた、マンの家父長制度・性差別・女性差別に対する時代に即した分析書は、アメリカ出版社協会主催のPROSE賞哲学・人文両部門で受賞した。

他にも、短い対話形式のテクストが増えたという興味深い変化がある——たとえば、艾未未の『アイ・ウェイウェイスタイル』（2014年）や、ジャック・ランシエールとピーター・エンゲルマンの『Le partage du sensible（政治学と美学）』（2019年）などの作品には、会話やインタビューが（しばしば一言一句）転写されている。知的労働コストの低い会話調・口語体で書かれているのは、幅広い読者を想定しているからだ。その背景には、サラ・ベイクウェルやジュリアン・バジーニなどの作品に代表される「大衆向け哲学書」の成長がある。それらの作品の目的は、難解すぎる学術用語を一般読者にもわかりやすく伝えることだ。メアリー・ミッジリーから学んだように、「メタ形而上学（meta-metaphysics）」や「生物哲学の歴史哲学」など、この分野がどんどん枝分かれして特化性が進んでいることを考えれば、こうした作品の登場は当然の成り行きだろう。

思想家たちも切迫した政治危機に反応し——そしておそらくは、（資金確保のために）より大きな「影響力」を求める組織の要求も汲んで——短期間で作品を上梓しているように見える。たとえば、認識論者のケイト・マンが女性差別と性差別を時代に即して鋭く分析した『ひれふせ、女たち　ミソジニーの論理』（2017年）には、2016年のアメリカ大統領選への批判が含まれている。この作品は1年あまりで書き上げられた。

スクール・オブ・ライフの店舗
2019年、イギリス、ロンドン

アラン・ド・ボトンが2008年に創設したスクール・オブ・ライフは、哲学思想を出版や読書療法（ビブリオセラピー）を通して収益化している。

もちろん、最も重要な思想のなかには、紙媒体以外の形で流通しているものもある。思想は、その歴史を見てわかるように、本に限らず、さまざまな形で世に出回る。昨今の――たとえば、デジタル記録の手法を広く提供した――通信テクノロジーの進歩を考えれば、多くの人々が印刷された本や論文の代わりに、オンラインやモバイルデバイスで哲学を吸収している現状は驚くにあたらない。新たな2千年紀が始まり、本に関するこの本が終わりを迎える今、他にどんな媒体で哲学が学べるのか、ここで紹介すれば読者の役に立つかもしれない。

現在では、ある意味、かつて世界中に広がっていたものの植民地政策によって失われてしまった口頭伝承への回帰が見られる。ポッドキャストは、まさに現代の「思索の場」だ。私に本書の着想を与え、執筆の助けになってくれた主要文献のひとつは、ピーター・アダムソン製作の『History of Philosophy Without Any Gaps（隙間のない思想史）』だった。アダムソンはたびたびヌキル・ヌゼグゥやモニマ・チャーダといった専門家を招き、1コマ20分の枠内で複雑な異なる思想様式を掘り下げて説明している。そのポッドキャストのスクリプトが文字に起こされ、書籍化されていることも特筆すべき点だ――本とポッドキャスト、このふたつの媒体は共存可能なのだ。

ユーチューブなどのオンラインフォーラムは、学術研究機関による支援のあるなしにかかわらず、思想家たちが自分の研究を広めるのにうってつけの空間を提供してきた。（ナタリー・ウィンの）コントラ・ポインツ、8ビット哲学、（アラン・ド・ボトンが創設した）スクール・オブ・ライフのように、オンラインコンテンツは短くてシンプルな解説動画で何百万人もの視聴者を獲得できる。これらは「画集」と呼ばれたあの『アルジャング』のように、たいてい、教育上の目的のために特別に設計された動画と解説文がセットになっている。2019年公開の「学習強国」も、最新のデジタル・プラットフォームのひとつだ。これは、中華人民共和国の最高指導者、習近平の思想を広めることを目的に作られた。

インターネットはマス・コラボレーション〔多数の人が独立して単一のプロジェクトのために働く集団行動の一形態〕も促進し、世界中の思想家たちが知識を出し合って何かを創出する、オンライン版「知恵の館」とも言うべき仮想空間を作り出す。この最大規模のオンライン空間のひとつが、数万種に及ぶ哲学関係の記事を集めた「ウィキポータル哲学」だ。「インターネット哲学百科事典」「スタンフォード哲学百科事典」（どちらも1995年〜）でも、世界中のさまざまな地域の専門家たちが執筆した詳細で質の高い記事に自由にアクセスできる。これらの百科事典はウィキペディアなどのオンライン文献と同様、学生と研究者たちのために内容がコンスタントに更新・拡張されている。

思想家たちは、古代バビロニア人のように文字通り市場に集まって知的な交流の機会を持つようなことはもはやしないが、ツイッターやレディット、フェイスブックがそれと似たような役割を果たすようになった。まさにそこは、シャイハ・アル＝ジャッセム、ナサニエル・アダム・トバイアス・コールマン、サラ・アーメドといった関与と抵抗を訴える活動家でもある思想家たちが、出版物に加え、もしくは出版物以上に、興味深い哲学的取り組みを発表する場である。また、ケープタウン大学にあったセシル・ローズ〔植民地政策を拡大し、ケープ植民地首相となったイギリス人政治家〕の像の撤去を求める「ローズ・マスト・フォール」や、教育の脱植民地化を訴える「デコロナイズ・マイ・カリキュラム」などの思想運動が始まったのも、ソーシャルメディア上だった。しかし、主流の学術研究機関は、こうした形の哲学的取り組みの真価をまだ十分に理解していない。現在、ツイッター上で進行中の議論は、マルクス・アウレリウスの学部構想から漏れたキュニコス派の思想のように、保存プロセスの予想外の変化によって、未来の歴史家たちの目に触れずに消える可能性もあるのだ。

ある意味では思想家は、自分たちの思想をまったく新しい、意外な方法で生み出し、広めている。いまや、通勤通学中にデュボイスの「二重意識」の概念を4分動画で学べる、驚きの時代だ。しかし、実を言えば、こうした「新」手法は、世界の歴史が始まった頃からあった、古い言論形態の変形にすぎない。最も古く、紛れもなく最も息の長い言論形態のひとつが「本」だ。本書で取り上げた本は、しばしば偏見や対立を伴う歴史を私たちに垣間見せてくれる。とはいえ、本の生産技術は驚くほど進化し、思想書は手に入りやすく、理解しやすく、保管しやすくなった。いろいろな意味で、本はまだ、他の何にもその地位を脅かされていない。どんな未来になっても、本はなくならないだろう……本に関する本も……そしておそらくはそういう本に関する本も。

付録

APPENDIX

用語解説

＊本文には登場しない出版関連の用語も含まれる。

Asceticism
禁欲主義：
贅沢と怠惰を避ける生活様式

Binding
製本：
印刷物・原稿などを綴じ合わせて本にすること

Colonisation
植民地化：
ある地域の先住民を追放・支配するプロセス

Colophon
奥付：
書物の末尾に出版などに関する情報を記した部分

Cosmology
宇宙論：
世界や宇宙の進化について考察する天文学の一分野

Decolonisation
脱植民地：
植民地からの撤退や植民地返還のプロセス

Democracy
民主主義：
市民の投票や多数決によって意思決定が行われる政治システム

Despotism
専制政治：
絶対権力を持つひとりの人間一専制君主一が支配する政治体制

Dichotomy
二元論：
正反対と思われる物事を区分して議論すること

Egalitarianism
平等主義：
人間は平等に扱われるべきだという主張

Empirical
経験的：
観察や経験に基づいていること。「経験的言明」「経験的思考」というふうに使う

End paper
見返し：
表紙の裏に貼る紙（大理石模様であることが多い）

Epistemology
認識論：
知識の起源・本質・方法・限界などを考察する哲学の一分野（「知識」を意味するギリシャ語の「episteme」から名付けられた）

Ethics
倫理学：
正しい言動を導く道徳規範。この規範を研究する哲学の一分野

Exegesis
釈義：
主に経典などの文献の批判的検証

Flyleaf
遊び紙：
見返しと本文の間、もしくは巻末に挟む白紙のページ

Gutter
のど：
本の内側、綴じ目の部分

Heuristic
発見的手法：
試行錯誤的な学習手法のひとつ

Ideology
イデオロギー：
経済もしくは政治理論などを形成する思想体系

Karma
業：
たとえば個人の意思が本人の未来に影響を及ぼす宗教上の因果のプロセス。ヒンドゥー教と仏教の形而上学的な原理

Metaphysics
形而上学：
実在の根本的原理を問う哲学の一分野

Monotheism
一神教：
唯一絶対の神を崇める宗教

Morality
道徳：
「正」「誤」の区別を論じる哲学の一部門

Ontology
存在論：
何が本当に存在するかを研究する学問

Recto
ページのおもて面、もしくは開いた本の右側のページ

Self-abnegation
自己犠牲：
自己を否定すること。もしくは個人的権利や所有物を放棄すること

Vellum
ベラム紙：
子牛の薄い皮で作った上質の皮紙

Verso
開いた本の左側のページ

参考文献

＊本書の執筆に役立った文献およびウェブ資料の一部を紹介する。

ピーター・アダムソン：http://historyofphilosophy.net/

ジュリアン・バジーニ著『哲学の技法──世界の見方を変える思想の歴史』河出書房新社（2020年）

大英図書館デジタル化原稿：http://www.bl.uk/manuscripts/

大英博物館デジタルコレクション：http://www.britishmuseum.org/collection

パトリシア・ヒル・コリンズ著『Black Feminist Thought: Knowledge, Consciousness and the Politics of Empowerment（黒人フェミニストの考え方──知識・意識・エンパワーメントの政治学）』ハイマン（1990年）

ロレイン・ダストン著『Against Nature（反自然論）』MITプレス（2019年）

クリスティ・ドットソン著『How is this Paper Philosophy?（こんな机上の哲学はいかが?）』コンパラティブ・フィロソフィー3：1（2013年）

ピーター・フランコパン著『シルクロード全史──文明と欲望の十字路』河出書房新社（2020年）

ジョナルドン・ガネリ著『The Oxford Handbook of Indian Philosophy（オックスフォード版インド哲学の手引き）』オックスフォード大学出版局（2017年）

ルイス・ゴードン著『An Introduction to Africana Philosophy（アフリカ哲学入門）』ケンブリッジ大学出版局（2008年）

カリン・レイ著『An Introduction to Chinese Philosophy（中国哲学入門）』ケンブリッジ大学出版局（2017年）

アメリカ議会図書館デジタルコレクション：http://www.loc.gov/collections/

チャールズ・ミルズ著『The Racial Contract（人種契約）』コーネル大学出版局（1997年）

ロンドン・ナショナル・ギャラリー・デジタルコレクション：http://www.nationalgallery.org.uk/paintings/search-the-collection

ピーター・K・J・パーク著『Africa, Asia, and the History of Philosophy: Racism in the Formation of the Philosophical Canon, 1780-1830（アフリカ、アジアと思想史──哲学の正典に組み込まれた人種差別　1780～1830年）』SUNYプレス（2013年）

メアリー・エレン・ウェイス著『A History of Women Philosophers, Volumes I-IV（女性思想家の歴史　第1～4巻）』スプリンガー（1987～1995年）

ウェルカム図書館デジタルコレクション：http://wellcomelibrary.org/collections/digital-collections/

レベッカ・バクストン、リサ・ホワイティング著『哲学の女王たち──もうひとつの思想史入門』晶文社（2021年）

名称と翻訳に関する但し書き

それぞれの思想の伝統に言及する際、私たち著者は「名称」と「翻訳」をめぐるさまざまな問題に直面した。そこで、書名に関しては、スペースと一貫性の理由から、そのほとんどに英語版か英語訳の書名を採用した。また、発音を明らかにするために、必要に応じて原著書名を併記している*。その他の名称については、思想家個人の研究流派の慣習・慣例に従った。各思想流派の名称もこれに当てはまる（たとえば、本書で「孔子教」ではなく「儒教」という名称を採用したのは、「儒教」という言葉にこの流派の学者たちの自意識が反映されているからだ〔訳注：「儒」とは中国の原始宗教において神事を司る「巫祝／シャーマン」の意〕）。著者名についても同様である。たとえば中国人の場合は姓の後に名前が続き、ドイツ人はその逆だが、本書では各伝統内での慣習に合わせた。（ただし、本書が取り上げた4000年の歴史の間にそれぞれの文化に変化が生じたように、本書のルールにも場合によって例外がある。）

*日本語版では英語版（訳）か原著書名のどちらかを記載している。

索引

あ

か

さ

た

は

図版クレジット

※ページ数＋t＝上、b＝下、l＝左、r＝右、m＝中央

2 Fine Art Images/Heritage Images/Getty Images; 6 akg-images; 7 Granger Historical Picture Archive / Alamy Stock Photo; 8t Wikimedia Commons; 8b © Österreichische Nationalbibliothek; 9 ART Collection / Alamy Stock Photo; 10 CM Dixon/Print Collector/Getty Images; 11 Robert Alexander/Getty Images; 14 Metropolitan Museum of Art; 15l Fine Art Images/Heritage Images/Getty Images; 15r Louvre Museum; 16 Bibliothèque Nationale de France; 17t DEA/G. DAGLI ORTI/De Agostini via Getty Images; 17b Bibliothèque Nationale de France; 18 British Museum; 19 British Museum; 20-21 Wikimedia Commons; 22-23 Fine Art Images/Heritage Images/Getty Images; 24 Wikimedia Commons/Schoenberg Center, Penn Library, USA; 25 Museum of East Asian Art/Heritage Images/Getty Images; 26 Alyce and Edwin DeCosta and the Walter E. Heller Foundation, Frederick W. and Nathalie C. Gookin Endowment, and Frederick W. Renshaw Acquisition Funds; 27l Wikimedia Commons; 27r Bridgeman Images; 28t Pictures from History / Bridgeman Images; 28b Östasiatiska Museet, Stockholm; 29 Hunan Province Museum; 30t Metropolitan Museum of Art; 30b Freer Gallery of Art, Smithsonian Institution / Gift of Eugene and Agnes E. Meyer / Bridgeman Images; 31 Archive.org; 32 Fine Art Images/Heritage Images/Getty Images; 33 Alto Vintage Images / Alamy Stock Photo; 34 Album / Alamy Stock Photo; 35 Archive.org; 36 Hulton Archive/ Getty Images; 37 www.BibleLandPictures.com / Alamy Stock Photo; 38 DeAgostini/ Getty Images; 42 Luisa Ricciarini / Bridgeman Images; 43 British Library; 44 British Library; 45t Royal Geographical Society / Getty Images; 45b Peter Horree / Alamy Stock Photo; 46 PHAS/Universal Images Group/Getty Images; 48 Wikimedia Commons; 49 British Library; 50 Purchase, Denise and Andrew Saul Gift, in honor of Maxwell K. Hearn, 2014; 51 Wellcome Collection; 52 imageBROKER / Alamy Stock Photo; 53 British Library; 54-55 Gift of Marie-Hélène and Guy Weill, 1984; 56 ART Collection / Alamy Stock Photo; 57t DeAgostini/Getty Images; 57b Album / Alamy Stock Photo; 58t World Digital Library / National Library of China; 58b Pictures from History / Bridgeman Images; 59 World Digital Library / Library of Congress; 60t Princeton University Art Museum. Bequest of John B. Elliott, Class of 1951; 60b Wikimedia Commons; 61t Princeton University Art Museum. Bequest of John B. Elliott, Class of 1951; 61b Wikimedia Commons; 62l Royal Academy of Arts; 62r Shanghai Museum; 63 Purchase, Bequests of Edna H. Sachs and Flora E. Whiting, by exchange; Fletcher Fund, by exchange; Gifts of Mrs. Harry Payne Bingham and Mrs. Henry J. Bernheim, by exchange and funds from various donors, by exchange, 2016; 64 DEA / ICAS94 / Getty Images; 65 DeAgostini/Getty Images; 66 Metropolitan Museum of Art. Rogers Fund,

Transferred from the Library, 1941; 67l John Adams Library at the Boston Public Library; 67r Heidelberg University Library; 70 Yale Center for British Art, Paul Mellon Collection; 72 British Library; 74l © Archives Charmet / Bridgeman Images; 74r The Picture Art Collection / Alamy Stock Photo; 75 CPA Media Pte Ltd / Alamy Stock Photo; 76t Bequest of Mary Clark Thompson, 1923; 76b Gift of Mrs. Joseph Brummer and Ernest Brummer, in memory of Joseph Brummer, 1948; 77l © Raffaello Bencini / Bridgeman Images; 77r Wikimedia Commons; 78l Bridgeman Images; 78r British Library; 79l Gift of Ivan B. Hart / Bridgeman Images; 79r Bequest of Joseph H. Durkee, 1898; 81 Wikimedia Commons; 82 Wikimedia Commons; 83 The Sackler Collections, Purchase, The Sackler Fund, 1965; 84t The Sackler Collections, Purchase, The Sackler Fund, 1965; 84-89 Library of Congress, Asian Division, Chinese Rare Books; 90-91 Bridgeman Images; 92-93 Bridgeman Images; 93b Bridgeman Images; 94 CPA Media Pte Ltd / Alamy Stock Photo; 95t Heritage Image Partnership Ltd / Alamy Stock Photo; 95b Icas94 / De Agostini Picture Library via Getty Images; 96-97 British Library; 100 © Christie's Images / Bridgeman Images; 101t Birmingham University; 101b Metropolitan Museum of Art. Rogers Fund, 1937; 102t Purchase, Friends of Islamic Art Gifts, 2004; 102b Purchase, Lila Acheson Wallace Gift, 2004; 103t Metropolitan Museum of Art. Rogers Fund, 1940; 103b Heritage Arts/Heritage Images via Getty Images; 105 Edwin Binney 3rd Collection / Bridgeman Images; 106 © Archives Charmet / Bridgeman Images; 107 Chester Beatty Digital Collections; 108 Wellcome Collection; 109 Yale University Library; 111 The Print Collector / Alamy Stock Photo; 112 www.BibleLandPictures.com / Alamy Stock Photo; 113 Gift of Mr. and Mrs. Stanley Herzman, 1979; 114-115 H. O. Havemeyer Collection, Bequest of Mrs. H. O. Havemeyer, 1929; 116-117 Nara National Museum; 116b Gift of Robert Allerton; 118 Wikimedia Commons; 120t Leemage/Corbis via Getty Images; 120b Abbey Library of St. Gallen; 121 Chronicle / Alamy Stock Photo; 122 Copenhagen, Arnamagnæan Collection, AM 242 fol. Photograph: Suzanne Reitz. Published with permission from the Arnamagnæan Institute; 123l Bayerische Staatsbibliothek; 123r Fine Art Images/Heritage Images/Getty Images; 126 Bridgeman Images; 127 University of Toronto; 128 © Christie's Images / Bridgeman Images; 130t © Bodleian Libraries, University of Oxford; 130b Qatar National Library; 131 CPA Media Pte Ltd / Alamy Stock Photo; 132 Wellcome Collection; 133 British Library; 134 Art Collection 2 / Alamy Stock Photo; 135t British Library; 135b VCG Wilson/Corbis via Getty Images; 136-137 Fine Art Images/Heritage Images/Getty Images; 138 British Library; 140 Bibliothèque Nationale de France; 141 National Palace Museum; 142 National Palace Museum; 143t © Archives Charmet / Bridgeman Images; 143bl CPA Media Pte Ltd / Alamy Stock Photo; 143br Photo12/Universal Images Group via Getty Images; 144-145 British Library; 146 Museum of Fine Arts Boston; 147 CPA Media Pte Ltd / Alamy Stock Photo; 148-149 Mary Griggs Burke Collection, Gift of the Mary and Jackson Burke Foundation, 2015; 150-151 © British Library Board. All Rights Reserved / Bridgeman Images; 152-153 Mary Griggs Burke Collection, Gift of the Mary and Jackson Burke Foundation, 2015; 154 Purchase, Gifts of Mrs. Russel Sage, Mrs. Peter Gerhard, Mr. and Mrs. Donald Percy, Charles Stewart Smith, Mrs. V. Everit Macy, Mrs. Thomas Van Buren, Mrs. Charles Stewart Smith, Hartwell J. Staples, Mrs. George A. Crocker and Mr. and Mrs.

Samuel Coleman, by exchange. Bequests of Edward C. Moore, James Alexander Scrymser and Stephen Whitney Phoenix, by exchange. Rogers Fund and funds from various donors, 1980; 155l British Library; 155r DEA PICTURE LIBRARY / Getty Images; 156 DeAgostini/Getty Images; 157l Chronicle / Alamy Stock Photo; 157m Chronicle / Alamy Stock Photo; 157r The Picture Art Collection / Alamy Stock Photo; 159 Fine Art Images/Heritage Images/Getty Images; 160-161 Fine Art Images/Heritage Images/Getty Images; 162 British Library; 163 Bibliothèque Nationale de France; 164 British Library; 166-167 Wikimedia Commons; 170 Otto Vollbehr Collection, Rare Book and Special Collections Division, Library of Congress; 171t Universal History Archive/Getty Images; 171b Fine Art Images/Heritage Images/Getty Images; 172t INTERFOTO / Alamy Stock Photo; 172b Bridgeman Images; 173 © Christie's Images / Bridgeman Images; 174tl British Library; 174tr Library of Congress, Rare Book and Special Collections Division; 174b Library of Congress, Rare Book and Special Collections Division; 175t Library of Congress, Rare Book and Special Collections Division; 175bl © British Library Board. All Rights Reserved / Bridgeman Images; 175br Rijksmuseum; 176-177 British Library; 178 DeAgostini/Getty Images; 179 Archive.org; 180 Granger Historical Picture Archive / Alamy Stock Photo; 181l The Folger Shakespeare Library; 181r incamerastock / Alamy Stock Photo; 182 Mauritshuis; 183 Simon Millanges; 184tl Bibliothèque Nationale de France; 184tr Rijksmuseum; 184b Heritage Image Partnership Ltd / Alamy Stock Photo; 186-187 SLUB Dresden; 188 Houghton Library, Harvard University; 189 British Library; 190l Herzog Anton Ulrich-Museum; 190r INTERFOTO / Alamy Stock Photo; 191 Gottfried Wilhelm Leibniz Bibliothek; 192 Chronicle / Alamy Stock Photo; 193l Wellcome Library; 193r Stefano Bianchetti / Bridgeman Images; 194 © The Trustees of the British Museum; 195 Archive.org; 196 University of Ottawa; 197 University of Pennsylvania; 198l Herzog August Library; 199 Wikimedia Commons; 200 Museum of Fine Arts Boston; 201 Mamma Haidara Commemorative Library; 202 The History Collection / Alamy Stock Photo; 203 British Library; 204t Pictorial Press Ltd / Alamy Stock Photo; 204b Fine Art Images/Heritage Images/Getty Images; 205 Fine Art Images/Heritage Images/Getty Images; 206l Granger Historical Picture Archive / Alamy Stock Photo; 206r Yale Law Library; 207l Granger Historical Picture Archive / Alamy Stock Photo; 207r Hulton Archive/Getty Images; 211l Fine Art Images/Heritage Images via Getty Images; 211r Everett Collection / Shutterstock.com; 212tl © AF Fotografie / Bridgeman Images; 212tr Brigham Young University-Idaho; 212b Zentralbibliothek Zürich; 214tl National Portrait Gallery; 214tr Lincoln Financial Foundation Collection; 214b Bernard Gotfryd/Getty Images; 215tl Wellesley College Library; 215tr Wellesley College Library; 215b John Wiley; 216 Granamour Weems Collection / Alamy Stock Photo; 217t ullstein bild via Getty Images; 217b © British Library Board. All Rights Reserved / Bridgeman Images; 218 Lebrecht Music & Arts / Alamy Stock Photo; 219l Wellcome Library; 219r Universal History Archive/Getty Images; 220t Historic Images / Alamy Stock Photo; 220bl Fine Art Images/Heritage Images/Getty Images; 220br Peter Harrington Books; 222l Yale University Press; 222r Kyodo News Stills via Getty Images; 223 The Asahi Shimbun via Getty Images; 224l SCM Press; 224r Max Niemeyer Verlag; 225t Deutsches Literaturarchiv Marbach; 225b adoc-photos/Corbis via Getty Images; 226 Sarah Lee / Guardian / eyevine; 227t Steve Pyke/Getty Images; 227b Steve Pyke/

Getty Images; 228t © Sophie Bassouls / Bridgeman Images; 228bl Reproduced by permission of Penguin Random House; 228br Reproduced by permission of Taylor & Francis; 229tl Bridgeman Images; 229tr Harcourt; 229bl University of California Press; 229br Reproduced by permission of Penguin Random House; 230t Apic/Getty Images; 230b Gallimard; 231 Everett Collection Inc / Alamy Stock Photo; 232 STF/AFP via Getty Images; 233t Beacon; 233b Monthly Review Press; 234tl Peter Harrington Books/ Gallimard; 234tr Gallimard; 234bl Il Saggiatore, Milano; 234br Gallimard; 235tl Uber Bilder / Alamy Stock Photo; 235tr Gallimard; 235bl Methuen; 235br Philosophical Library; 236 Pictures from History / Bridgeman Images; 237t David Pollack/Corbis via Getty Images; 237bl Bridgeman Images; 237br © AF Fotografie / Bridgeman Images; 239tl Everett Collection Inc / Alamy Stock Photo; 239tr Reproduced by permission of Cornell University Press; 239bl Cambridge University Press; 239bm Basic Books; 239br Martha Holmes/The LIFE Images Collection via Getty Images/Getty Images; 241t Reproduced by permission of Penguin Random House; 241b © Globe Photos / ZUMAPRESS.com / Alamy Stock Photo; 242t Reproduced by permission of Penguin Random House; 242b Jack Mitchell/Getty Images; 243tl Aunt Lute Books; 243tr Reproduced by permission of Taylor & Francis; 243b Reproduced by permission of Taylor & Francis; 244 Richard Bord/Getty Images for Cannes Lions; 245m Polity Books; 245r Wikimedia Commons; 246l Louise Kennerley/Fairfax Media via Getty Images via Getty Images; 246r Weidenfeld & Nicolson; 247t Maciek Musialek/NurPhoto via Getty Images; 247bl Fulcrum Books; 247bm Reproduced by permission of Penguin Random House; 247br Spencer Platt/Getty Images; 248tl Matt Winkelmeyer/Getty Images for Vanity Fair; 248tr Reproduced by permission of Penguin Random House; 248bl Profile Books; 248br Bernd von Jutrczenka/dpa/Pool/dpa/Alamy Live News; 249l Duke University Press; 249r Wikimedia Commons; 250t Guy Corbishley/Alamy Live News; 250bl Awakening/Getty Images; 250br Ulf ANDERSEN/Gamma-Rapho via Getty Images; 251 Oxford University Press; 252 Jeffrey Blackler / Alamy Stock Photo

謝辞

本書の実現に尽力してくださったアイビー・アンド・フランシス・クーパーの皆さんに御礼を申し上げる。ジェニファー・バー、ナタリア・プライス＝キャブレラ、なかでもトム・キッチからは、苦労の多い初期段階から貴重なアドバイスをいただいた。ヨーコ・アリサカ、ジョナルドン・ガネリ、ダグ・ヘルビョルンスルドにも心からの感謝を捧げたい。彼らのコメントと励ましとフィードバックはかけがえのないものだった。友人や家族、同僚にも感謝を。匿名の査読者、ザラ・ベイン、ローレンシア・サエンツ・ベナビデス、アン・ベネット、エミリー・ベリー、フローレンス・バロー、ネナ・オリー・チュク、ナサニエル・アダム・トバイアス・コールマン、ジェームズ・コックス、ダレン・チェティ、レゲシュリ・デリャワン、メーブ・デュバル、アレクサンドラ・エルバキャン、フェルナー＝モス・コレクティブ、アリス・フランクリン、メディ・グスドス、ベス・ハノン、マヤ・カラヤ、図書館司書と製本業者の皆さん、ロッティ・マンジ、ルーク・マシー、エスター・マクマヌス、ナディア・メディ、ジョナサン・ナシム、マー・スティンハーゲン、アーロン・スウォーツ、セム、マイク・スミス、ジュディス・スイッサ、ウィル・タターズディル、リザ・トンプソン、ヴィヴィエン・ワトソン、アンディ・ウェスト、ジュマ・ウッドハウス、そして読者の皆さんにも感謝申し上げる。

本書を、石黒ひでに捧ぐ。

著者について

アダム・フェルナー　Adam Ferner

若者の自立支援にも従事している独立研究者。「フォーラムズ・エッセーズ」の共同編集者。北ロンドン・フィクション・コラボレーション「チェンジリングズ」のメンバー。定期刊行物や雑誌への寄稿、コンピューターゲームの製作などにも取り組む。著書に『Organisms and Personal Identity（有機体と個人的アイデンティティ）』（2016年）、『Think Differently（人と違う考え方をしよう）』（2018年）、『Philosophy: Crash Course（哲学　速習講座）』（共著、2019年）、『How to Disagree（異議の唱え方）』（共著、2019年）がある。

クリス・メインズ　Chris Meyns

スウェーデンのウプサラ大学を拠点に活動する詩人、ソフトウェア開発者、建築保存活動家。同大学において、アントン・ウィルヘルム・アモの心の哲学に関する事歴資料の公開に携わった。最新の研究テーマは情報共有エコシステムの脆弱性について。

【訳者紹介】

夏井幸子（なつい・さちこ）

主な訳書に『Unreasonable Success――世界を変えた偉人から学ぶ凡人でも名を残す9つの成功法則』（リチャード・コッチ、ダイレクト出版、2021年）、『肥満と脂肪の文化誌』（クリストファー・E・フォース、東京堂出版、2020年）、『倒れゆく巨象――IBMはなぜ凋落したのか』（ロバート・クリンジー、祥伝社、2015年）などがある。

翻訳協力：株式会社トランネット https://www.trannet.co.jp/

世界を変えた150の哲学の本

2022年2月20日 第1版第1刷発行

著　者　アダム・フェルナー、クリス・メインズ

訳　者　夏井幸子

発行者　矢部敬一

発行所　株式会社 創元社
https://www.sogensha.co.jp/

［本社］　〒541-0047 大阪市中央区淡路町4-3-6
Tel.06-6231-9010 Fax.06-6233-3111

［東京支店］〒101-0051 東京都千代田区神田神保町1-2 田辺ビル
Tel.03-6811-0662

組版・装丁　NILSON design studio（望月昭秀）

ISBN978-4-422-13006-4 C0010
Printed in China